깨달음과 예지몽

박 기 운 / 저

서음미디어

서 문

　"나에게 종이와 먹으로 이뤄지지 않은 한 권의 책이 있으며, 이 책을 펼쳐 보아도 한 글자도 없으나, 이 책은 항상 큰 광명을 방출하고 있다."

　이 글은 「화엄경」에 있으며, 여기에서 책은 정신, 양심 또는 불성[佛性 : 자성, 본성, 영혼]이라고 한다. 누구나 태양과 같은 빛을 내는 이 책을 갖고 있으나 모르고 세월을 헛되게 살고 있다. 이 책을 활용하면 모든 불행을 막을 수 있고, 경제적으로 안정되며, 100세까지 건강하게 살 수 있다.

　나는 독자 여러분에게 이 책을 찾는 방법을 알리기 위해 이 글을 쓰고 있다. 무의식의 세계에서 이 책을 발견할 수 있다. 사람은 의식이 있는 상태에서 생각하고 느끼며 사리를 판단하면서 살아간다. 즉 인간은 이성과 감성의 지배아래 살아가고 있다. 어떤 사람이 비이성적이고 비감성적인 생각과 행동을 하면 비난하고 비판한다. 그러나 이와 같은 사고방식은 절대로 옳지 않다.

　인간은 무의식세계에서 인간의 참된 모습인 정신 또는 영혼을 알 수 있으며, 결국 이 책을 발견할 수 있다. 정신(精神)은 의식세계와 무의식세계를 아우른다. 의식적인 정신작용 즉 이성(理性)과 감성(感性)에 의해서 인간은 생활하고 있다.

사람들은 6식 즉 눈, 귀, 코 등 다섯 감각기관과 의식에 의해서 생각하고 느끼며 판단하면서 살아간다. 그러므로 이성과 감성으로 알 수 없는 세계를 모르며, 이 알 수 없는 세계[무의식세계]를 부정한다.

의식이 없는 상태에서 인간은 역설적이게도 정신세계를 알 수 있다. 사람이 잠을 잘 때 의식과 다섯 가지 감각작용이 억제되며 꿈을 꾼다. 이 의식이 없는 상태에서 꾼 꿈은 깨어 있을 때 알 수 없는 신비한 정신세계를 알리고 있다.

깊은 선정이나 최면상태에서도 무의식세계인 정신세계를 알 수 있다. 석가모니 부처님은 약 2,600년 전 초저녁에서 다음 날 새벽 사이에 깊은 선정에 드셨으며, 이때 자신의 셀 수 없이 많은 전생들을 보았다. 그리고 선한 씨를 뿌리면 좋은 곳에서 태어나서 행복하게 살고, 악한 씨를 뿌리면 나쁜 곳에서 태어나서 불행하게 사는 연기법을 발견하셨다.

사람인 부처님이 초저녁에서 다음 날 새벽 사이에 눈을 감고 깊은 선정에 들면 부처님도 인간이므로 수면과 유사한 비몽사몽 상태에 접어들었을 것이다. 잠잘 때 일어나는 꿈과 유사한 무의식세계에서 자신과 다른 사람들의 전생과 인과법을 깨닫고 천안통, 타심통 등 육신통을 얻으셨다.

최면술 역시 의식적이고 각성 상태의 인간을 무의식세계로 이끄

4

는 기술이다. 최면의 뜻은 수면으로 유도하는 것을 말한다. 의식이 가물거리는 상태에서 영혼에 저장된 어렸을 때 잊혀졌던 사건이나 전생의 기억까지도 회상한다.

나는 꿈속에서 2001년 여객기에 의해 뉴욕의 쌍둥이 빌딩이 폭파된 9. 11테러, 김일성, 김정일 부자의 죽음, 천안함 폭파사건, 1995년 북한의 소위 「고난의 행군」을 일으킨 태풍, 2008년 부동산 부실 채권에 의한 미국발 세계금융 위기 등뿐만 아니라 나와 가족의 미래와 질병, 다른 사람의 마음까지도 보았다.

일반적으로 사람들은 꿈을 꾸지만 노인들은 기억력이 약해져서 꿈을 기억하지 못하는 경우가 많다. 영혼 또는 정신은 이 세상에서 일어나는 일들을 모두 알므로 인류의 공통언어인 꿈을 통해서 인간에게 알리고 있다. 개, 고양이, 사자 등 동물도 여러 연구 결과 꿈을 꾼다는 사실이 밝혀졌다.

부처님 말씀처럼 모든 중생[인간, 동물 등]은 불성[영혼, 정신]을 갖고 있기 때문에 꿈을 꾼다. 나는 살아있는 사람뿐만 아니라 죽은 사람의 영혼과도 꿈을 통해서 생각을 교환하고 계시를 받고 있다. 돌아가신 부모님 등 조상들은 신처럼 모든 것을 알고 계시며, 그 자손들에게 꿈을 통해서 알리려고 하지만 대부분의 사람들은 이 사실을 무시하거나 알려고 하지 않는다. 지그문트 프로이트[Sigmund Freud:1856~1939 오스트리아 정신분석학의 창시자]와 칼 구스타프 융[1875~1961 스위스의 심리학자, 정신과 의사]등 심리학자들은 꿈을 학문의 영역으로 받아들여 연구하였으며 정신병, 우울증 등 치료에 이용했다. 프로이트는 꿈이 무의식[잠재의식]의 작용임을 밝혀냈다. 정신 작용의 대부분을 무의식이 지배하고 있다고 그는 주장했다. 또한 융은 자기[The Self : 自己]가 꿈을 만든다고 주장했다. 융은 불교로부터 많은 영향을 받았으며, 그가 말하는 자기는 불교에서 말하는 자성[自性 : 불성, 영혼, 정신]을 가리킨다고 나는 믿는다. 잠자는 동안 육체로부터 해방된 자성은 신처럼 모든 것을 안다.

모든 사람들은 각각 자성을 갖고 있으며, 자성은 태양처럼 밝은 지혜의 빛이므로 모든 것을 안다. 내가 꿈을 통해서 미래에 일어나는 일이나 다른 사람의 마음을 아는 것도 나에게 자성이 있기 때문이다.

「화엄경」에 '모든 사람에게 한 권의 책이 있으며, 종이와 글자로 이루어지지 않은 이 책은 항상 대광명을 온누리에 발산하고 있다.'라고 기록되었다. 이 책이 바로 자성, 불성, 영혼, 정신이다.

유대교의 경전인 「탈무드」는 꿈의 목적을 폭넓게 다루고 있다. 인간은 한 치 앞을 내다볼 수 없지만 영혼은 모든 것을 알므로 무지몽매한 인간에게 알리기 위해 꿈을 만든다고 「탈무드」에 기록되어 있다. 그리고 '해석되지 않는 꿈은 신에게 받은 뜯지 않은 편지와 같다'라고 말한다.

나는 앉아서 하는 선정[좌선]보다 걸으면서 하는 선정[행선]을 매일 규칙적으로 한다. 산과 들을 걸으면서 숨을 코로 깊이 들이쉬고 내쉴 때 생각을 오직 호흡에 집중한다. 이렇게 호흡에 마음을 집중하면서 행선을 하기 때문에 신령스러운 꿈을 자주 꾼다고 믿는다. 특히 좌선을 하면 다리와 허리가 아프지만 행선을 하면 건강하다.

꿈은 색깔, 모양, 표정, 동·식물 등 상징적 수단을 통해 사람들에게 의사를 전달하고 있다. 또한 꿈의 정보를 꿈을 꾼 사람이 이해를 못하면 알리기 위해서 정신이나 영혼이 반복적으로 꿈을 꾸게 한다. 그리고 꿈은 사람이 추구하는 건강, 학문, 과학을 위해 창조성을 준다.

나는 꿈을 통해 오줌을 마시면 장 속에서 발효되어 유익균이 증식된다는 사실을 세계 최초로 발견했다. 하나의 꿈속에 여러 상징적 수단과 뜻들이 들어있는 경우가 많으므로 정확한 꿈의 해석을 위해 하나의 꿈이 여러 면에서 인용됨을 독자들은 이해를 해야 한다.

영혼은 오매불망 인간들이 끊임없이 추구하는 건강, 재물, 성공 등에 관심이 많고, 불행을 막아주기 위해 부단히 노력한다. 그러므로 영혼은 꿈을 통해서 질병이나 사건, 사고 등을 미리 알리고 건강과 성공에 이르는 길로 사람들을 인도한다.

나는 독일에서 자연치유사 자격증(Natur Heilkunde)을 따서 약 10년 동안 의사로서 근무했다. 나의 지식과 경험을 이 책의 3부에 서술하였으니 독자들의 이해와 편달을 기대한다.

고혈압, 심장병, 고지혈증, 관절염, 당뇨병 등을 치료하기 위해 의사들은 약을 처방하고 있으나 환자들은 평생 이 약을 먹어도 완치는 안 되고 그 부작용으로 위장병, 비만, 관절염, 당뇨병 등이 발병되고 조기 사망한다.

70대의 한 할머니는 관절통증, 고혈압, 심장병 등을 치료하기 위해 약 7개의 약을 복용하였으나 치료는 안 되고 위가 아파서 더 이상 복용할 수 없다고 나에게 치유 방법을 물었다. 나는 그 할머니에게 이 약들을 끊는 대신 약 3컵의 자기 오줌을 하루 3번 식사하기 전에 들고, 3컵의 물을 3번 식사 후에 먹기를 권했다. 그로부터 약 3주 후 혈색이 매우 좋은 모습으로 나타난 그 할머니는 먼저 통증 치료에 대한 감사함을 나에게 표했다. 이 간단하고 비용이 전혀 들지 않는 물·요료법이 고혈압, 위괴양, 관절염, 심장병, 신장병 등 여러 질병과 통증을 완화시키고 치료시켰다고 고백했다.

오늘날 만연된 화학 약물에 의한 부작용을 새롭게 인식하고 인체의 자연치유력 향상을 위해 노력해야 한다. 물·요료법, 식이요법, 걷기 등 운동, 스트레칭이나 요가 등에 의해 대부분 질병의 예방과 치료가 가능하다.

21세기를 여는 지금 자연치유학에 대한 새로운 각성이 요구된다. 창조적이고 혁신적인 이 책이 독자 여러분의 정신과 육체의 풍부한 영양분이 될 것이라 확신한다.

2016년 9월
저　자

차례

서 문 / 3

제1부 꿈이란 무엇인가?

깨달음의 여정 / 15

나는 누구인가? / 22

마음의 무한한 능력과 지혜 / 26

아미타불은 내 마음이다 / 32

아미타불은 정말 존재하는가? / 39

비로자나 부처님과 영계 태양 / 44

스웨덴보그가 본 저승세계 / 52

스웨덴보그의 교령술은 믿을만한가? / 57

내가 없다는 무아(無我)의 근본 뜻 / 62

마음은 영혼에서 오는가? 뇌로부터 오는가? / 76

꿈과 해몽 / 91

여래장(如來藏)의 작용 / 100

나의 고유한 명상법 / 106

꿈의 동일시 현상 / 115

꿈의 다의성과 함축성 / 129

태몽(胎夢) / 134

자극에 의해서도 꿈이 만들어진다 / 140

색깔과 꿈 / 150

차례

재물과 꿈 / 158

제2부 꿈의 상징적 의미

나의 꿈과 새만금 / 167

나의 꿈과 IMF / 171

나의 꿈과 나로호 / 174

반복적인 꿈 / 177

18대 대통령선거와 나의 꿈 / 182

관세음보살과 수호신은 있는가? / 185

나의 꿈속에 나타난 대사건들 / 210

나의 꿈과 대운하 건설 / 214

나의 꿈과 RO사건과 세월호 침몰 / 217

꿈과 건강 / 221

꿈과 질병으로 인한 전직과 위기일발 / 232

나의 꿈과 형님 / 247

나의 꿈과 막내동생 그리고 여동생 / 252

나의 꿈과 지인들의 건강과 사건들 / 257

나의 꿈과 신종 유행성독감 / 260

꿈의 창조성 / 267

충무공 이순신장군의 꿈과 명량대첩 / 273

일라이어스 하우의 꿈과 재봉틀 / 278

임사체험과 혼불 / 285

차례

윤회는 가능한가? / 294

동물에게도 영혼이 있는가? / 303

업경대(業鏡臺)는 있는가? / 314

해탈, 연기, 운명 / 323

창조론과 범신론 / 335

제3부 자연치유로 정복되는 질병들

간염, 간경변, 지방간 / 345

감기와 독감(나의 꿈과 신종 유행성 독감 참조) / 349

고콜레스테롤(고지혈증) / 349

고혈압 / 354

뇌졸중(중풍) / 359

당뇨병 / 366

알레르기, 류머티즘 관절염, 건선 등 자가면역 질환 / 374

목통증 / 380

무릎 통증 / 385

무 좀 / 390

백내장, 황반변성, 녹내장 / 392

변비증 / 397

불면증 / 403

비 만 / 408

신부전, 신장염 등 신장병 / 419

차례

암 / 423

어깨통증 / 435

역류성 식도염 / 437

요 통 / 440

욕창(蓐瘡) / 447

위통증, 위궤양, 십이지장 궤양 / 448

저혈압 / 453

치 질 / 455

폐경과 여성의 질병 / 459

동안(童顔)을 만드는 방법 / 467

참고문헌 / 474

제1부
꿈이란 무엇인가?

깨달음의 여정

석가세존은 기원전 589년 12월 8일[음력]에 깨달았다. 정각을 이룬 시기는 그 전날 밤부터 12월 8일 새벽 사이이다.

부처님은 정각을 이루기 전에 보살이었다. 보살은 6년 동안 갖은 고통과 추위와 배고픔을 겪으면서 수행을 하였다. 몸은 극도로 쇠약해져서 뼈와 가죽만 남았다. 그 당시 인도에서는 깨닫기 위해서 이와 같은 고행을 필수적으로 했다. 그러나 이 고행은 큰 성과를 이루지 못한 채 죽음 직전까지 몰고 갔다. 결국 보살은 고행의 무의미함을 알고 고행을 포기했다. 보살은 수자타 소녀의 우유 공양을 받고서 정신을 차리며 용맹 정진할 수 있었다. 보살은 보리수 아래에서 깊은 선정에 든 후 밤에서 그 다음 날 새벽 사이에 연기법, 보살의 전생 등을 알게 되었다.

싯닷타 보살도 인간이다. 인간은 잠을 안자고 선정에 들어 수행만 한다는 것은 불가능하다. 사람이 잠을 적게 자고 깊은 선정에 들면 비몽사몽(非夢似夢) 즉 꿈인지 생시인지 분간하기 어려운 상태에 접어들게 된다. 보살은 이와 같은 무의식 상태에서 깨달음을 얻었다고 나는 확신한다. 무의식 상태에서 보살의 불성[영혼, 법신]은 육체로부터 해방되어 천안통, 천이통, 숙명통, 누진통 등 여섯 가지 신통력을 얻었다.

싯닷타 보살은 자기 전생에 대하여 다음과 같이 말했다. '저곳에서 태어났을 때 내 이름은 무엇이었고, 인종은 이러했구나. 어떤 음식을 먹었고 수명은 얼마였으며, 어디서 얼마나 머물렀고 이러저러한 즐거움과 괴로움을 겪었구나. 나는 그곳에서 죽어 이러이러한 곳에서 다시 태어났구나. 또 그곳에서 죽어 이러이러한 곳에서 다시 태어났었구나.' 이처럼 보살은 초저녁에 자신의 전생뿐만 아니라 타인의 전생을 아는 숙명통을 얻었다.

보살은 깊은 선정을 통해서 숙명통 등을 얻었는데 이 선정이 자기 최면의 일종이라고 나는 믿는다. 자기 최면 즉 스스로 자기 자신의 능력에 의해 최면 상태에 들어가는 것은 어렵기 때문에 일반적으로 최면술사에 의해 최면에 들어간다.

미국의 레이먼드 무디 박사는 최면술사에 의해 최면 상태에 들어갔으며, 이 최면 과정에서 10번의 전생 체험을 했다. 그는 전생에 아프리카, 서아시아, 중국, 유럽 등 10곳에서 태어났으며, 지금은 미국에서 태어나서 심리학 교수로 근무하고 있다. 싯닷타 보살의 전생 체험과 무디 박사의 전생 체험에 비슷한 점이 많이 있다는 것을 확인할 수 있다.

보살은 인간 등 중생이 원인인 씨앗을 뿌렸기 때문에 결과인 열매가 열리는 인과의 법칙을 알았다. 연기법을 발견하셨다. 선한 마음을 갖고 행동한 사람은 좋은 곳에서 태어나서 행복하게 살고,

악한 말과 행동을 한 사람은 나쁜 곳에서 태어나서 불행하게 사는 것을 보았다. 보살은 한밤중에 중생계의 죽고 태어나는 모습을 낱낱이 아는 천안통을 얻었다. 그리고 탐욕, 성냄, 어리석음, 번뇌가 윤회의 원인임을 알았으며, 윤회와 인생이 고통임을 알았다. 고통의 원인과 소멸, 그리고 고통을 제거하는 방법, 즉 사성제와 팔정도를 알았다.

보살은 모든 구속, 고통, 번뇌로부터 해방되어 해탈하게 되었다. 깨달음을 완성한 보살에게 더 이상 잡념과 번뇌가 일어나지 않았다. 소위 누진통을 얻었다. 초저녁부터 새벽 사이 눈을 감은 상태에서 천안통, 숙명통 등 여섯 가지 신통력을 얻었다. 눈을 떴을 때 먼동이 트기 시작하고 조금 있다 태양이 힘차게 솟아올랐다.

앞에서 언급했듯이 세존은 밤중에 깊은 선정을 통해서 깨달음을 얻었다. 깊은 선정은 자기최면의 일종이다. 최면은 인위적으로 유도된 수면이다. 수면은 의식이 없는 상태 즉 무의식 상태에서 진행되며, 잠자는 동안 영혼[법신, 불성, 자성]은 육신으로부터 해방되므로 신처럼 전지전능한 능력을 갖는다.

미국의 네티 콜번[Nati Kohlbern]은 젊은 여성으로서 예언자로 잘 알려졌다. 남북전쟁 당시 링컨 대통령은 이 예언자를 초청해서 미국의 장래를 알고자 했다.

1862년 백악관을 방문한 네티 콜번은 대통령뿐만 아니라 여러 사람들이 입회한 상태에서 자기최면 상태에 들어갔다. 최면 상태에서 이 예언자는 그녀의 목소리와 완전히 다른 음성으로 북군의 승리와 미국의 번영을 이야기한 다음 노예해방을 탄원했다. 이 사건이 링컨 대통령의 노예해방 선언문을 이끌어냈다는 일화가 있다.

그 후 네티 콜번은 대통령을 방문할 기회가 여러 번 있었다. 한 번은 링컨이 이끄는 북군의 전세가 약할 때 네티 콜번은 자기 최면 상태에서 대통령에게 다음과 같이 충고했다.

"대통령이 직접 북군의 진중에 들어가 군인들을 독려하시오."

이 예언자의 말대로 실행하자 북군의 사기가 충천하여 남군을 격퇴시켰다. 링컨과 콜번의 마지막 만남에서 콜번은 최면 상태에서 다음과 같이 경고했다.

"각하의 두 번째 취임식을 가지기 전까지 불운이 모두 사라진 것은 아닙니다."

이상은 링컨 대통령의 비서관이 쓴 링컨 전기에 기록되었다.

링컨은 자기가 죽는 꿈을 스스로 꾸고도 꿈을 무시하였기 때문에 애석하게도 남부군에 의해 극장에서 암살됐다. 링컨 대통령은 예언자 또는 영매자만이 미래를 알 수 있다고 생각했을 것이다. 모든 사람은 꿈을 통해서 미래를 알 수 있는 데도 몰랐던 것이다.

최면도 꿈처럼 의식이 몽롱한다든가 의식이 없는 상태에서 불성의 작용이 활성화되기 때문에 인간의 이성으로써 알 수 없는 신령스럽고 신비한 세계를 보여 준다.

스웨덴보그는 약 250년 전 26년 동안 그의 영체(靈體)가 육체를 이탈해서 영계에 들어가 이 세계를 연구하였으며, 많은 저서를 남겼다. 그는 마음만 먹으면 언제나 영체를 이탈시켜 영계에 들어갔다. 1~2시간 영계에 머문 뒤 그의 영체는 육신 속으로 들어갔다.

그 당시 스웨덴의 여왕도 이 불가사의한 소문을 듣고 그를 시험하고자 국경일 날 그와 많은 관료들을 함께 초청했다. 시험 문제는 어떤 장군이 죽기 전에 여왕에게 유서를 보냈으며, 그 후 죽었는데 저승에 가서 그 유서 내용을 알고 오라는 것이다. 여왕과 죽은 장군만이 그 유서 내용을 알고 있었다.

이 말은 들은 스웨덴보그는 안락의자에 편안히 누워서 자기 최면에 들어 간 후 육체로부터 영체를 이탈시켰다. 수십 분이 지난 뒤 그의 영체는 저승에서 그 장군을 만나서 유서 내용을 알고 돌아왔다.

살았을 때 장군은 한 전투에서 부하들과 함께 싸웠으며, 특별히 한 부하의 전공이 탁월하였는데도 정부로부터 훈장과 연금을 받지 못했다.

장군은 그 부하에게 훈장 수여를 여왕께 건의했다. 물론 그의 말과 유서 내용은 일치했다. 이 기상천외한 사건은 유럽, 북미 지역에 신문을 통해서 알려졌다.

여기에서 주목할 것은 스웨덴보그는 자기최면 상태에서 육신으로부터 영혼을 이탈시켰기 때문에 영계의 세계를 알았다는 점이다. 의식이 뚜렷한 상태에서 영혼을 분리시킬 수 없기 때문에 먼저 안락의자에 누워서 눈을 감고 자기최면에 들어갔다.

또 무당 등 영매자를 통해 죽은 사람의 영혼이 살아있는 가족에게 들어오는 사례가 있다. 나의 나이 13세 때 바닷가에서 '혼을 건지는 굿'이 벌어졌다. 부인과 딸 3명을 남겨두고 바다에서 장어 등 물고기를 잡다 40대 남자가 약 25년 전에 밀물이 들어와서 죽었다.

무당이 징을 치고 피리를 불며 죽은 자의 이름을 부르고, 딸 3명은 바닷물에 꽂은 장대를 차례대로 붙잡고 있었다. 이 굿이 약 1시간 정도 진행됐을 때 결국 죽은 아버지의 영혼이 큰 딸에게 들어왔다.

접신된 큰 딸은 그 장대를 붙잡고 심하게 흔든 다음 장대를 들고 바다에서 집까지 약 10Km나 되는 길을 단숨에 달려 왔다. 그 당시 큰 딸은 40대 중반인데 평상시에는 이렇게 달릴 수 없었으나 죽은 자의 영혼의 힘에 의해서인지 지치지 않고 달려 와서 어떻게 망자가 25년 전 바다에서 죽었던 사실들을 말했다. 아들이 없는 망자는 양자인 조카 집에 머물고, 제사 지내기를 바랐다. 물론 망자는 큰 딸의 입을 빌려 말했다.

이와 같은 접신 의식은 무당에 의한 최면의 일종이다. 큰 딸의 의식이 몽롱한 상태 즉 무의식 상태에서 망자의 영혼이 딸에게 들어온 것이다.

백성욱 스님이나 나처럼 신령스러운 꿈을 꾼 사람들은 매우 많다. 의식이 뚜렷한 상태에서 한 치 앞을 내다 볼 수 없는 것이 인간이다. 그러나 잠자는 동안 의식할 수 없게 되고, 물질적인 육체가 잠을 자게 되므로 오히려 영혼의 작용이 활성화 된다.

영혼[불성, 법신]은 신과 같은 능력을 갖게 되므로 미래에 일어날 사건, 미국이나 유럽에 사는 사람들의 마음까지도 안다. 이 영혼이 꿈을 통해서 인간에게 알리는 것이 예지몽이고 영몽이다.

석가세존의 깨달음, 스웨덴보그의 영계 체험, 네티 콜번 등 수많은 영매자 또는 예언자들의 신령스러운 행위, 그리고 예지몽이나 영몽에 의한 미래 예측들은 모두 무의식의 과정을 통해서 이루어졌다. 무의식의 세계를 알지 못하고 영혼과 정신의 초능력적 심오한 세계를 알 수 없다.

사찰의 기둥에 주련[柱聯 : 기둥에 붙어 있는 글귀]이 있으며, 다음과 같은 주련이 자주 이용되고 있다. 「이 문 안에 들어와서 스스로 판단하고 해석해서는 안된다(入此門來莫存知解)」얄팍한 지식이나 이성으로써 부처의 성품[불성, 영혼]과 지혜를 알 수 없다는 뜻이다. 세존처럼 깊은 선정, 영매자 또는 최면술사에 의한 최면, 그리고 예지몽, 영몽에 의해서 육안으로 볼 수 없고 인간의 이성으로 알 수 없는 영혼의 세계에 들어 갈 수 있다.

깨달은 사람은 이 세계와 우주, 그리고 삼라만상이 화려한 빛과 꽃으로 장식되어졌다고 말한다. 부처님은 열반경에서 '모든 중생은 불성을 갖고 있다.'라고 말씀하셨다. 우주와 삼라만상은 인간처럼 불성을 갖고 있으므로 모두 하나이지만 현상적으로는 가지가지 꽃처럼 우주를 화려하게 꾸미고 있다. 중생은 사람뿐만 아니라 동물, 식물, 무생물이다. 불성을 함께 갖고 있기 때문에 한 몸이나 다름이 없으므로 만물에 대하여 대자대비(大慈大悲)심이 일어난다.

깨달음은 선정, 꿈 등에 의한 무의식 또는 임사체험을 통해서 이루어진다. 신령스러운 꿈을 꾸기 위해서 계율을 철저히 지키고 선정에 들어야 하며, 부처님의 가피력이 필요하다고 나는 믿는다.

나는 누구인가?

　일반적으로 사람들은 자기의 실존을 모른 채 의식주의 삶에 파묻혀 살아가고 있다. 가장 시급하고 중요한 문제인 데도 자기의 근본을 찾는 것을 접어두고 돈과 명예, 감각적 만족을 위해 전력을 기울이고 있다.

　나는 꿈을 통해서 마음의 위력을 실제로 체험한다. 나는 수많은 예지몽[叡智夢 : 미래에 일어날 일을 미리 알려주는 꿈]을 통해서 정치, 경제, 사회 전반에서 일어날 일들을 알 수 있다. 예를 들어 이번 18대 대통령선거에서 박근혜 후보가 당선 됐고, 안철수와 문재인 후보가 탈락됐던 것이 나의 꿈에 나타났다. 또한 미국 뉴욕에서 발생한 9. 11테러도 나의 꿈에 반영되었다. 어떻게 이와 같은 일들이 평범한 나의 꿈에 현몽되는 것에 대해 나 자신도 놀라움을 금할 수 없다.

　꿈은 잠재의식, 즉 마음의 작용에 의해서 꾸어진다. 우리가 현실에서 이용하는 마음 또는 정신은 매우 제한적이어서 빙산의 일각에 불과하다.

빙산의 대부분은 물속에 잠겨 있지만 일부분만이 물 밖으로 나타나듯이 우리가 매일 쓰는 마음도 우주처럼 큰마음의 일부분에 불과하다. 따라서 나와 우주만물을 정확히 알지 못한다.

불교는 마음에 대한 종교다. 석가모니 부처님은 마음의 본질을 파악하시고 우주와 나는 무엇이며, 어디서 왔으며, 어디로 돌아가는 것을 아셨다.

불교에서는 마음의 작용을 식[識 : 알음]이라고 하며, 8가지로 분류했다. 마음이 눈을 통해 사물을 볼 때 사물이 보여지는 것을 안식(眼識)이라고 하며, 마음이 귀를 통해서 들을 때 소리가 들리는 것을 이식(耳識)이라고 하며, 마음이 코를 통해서 냄새를 맡을 때 냄새를 느끼는 것을 비식(鼻識)이라고 한다.

또한 마음이 혀, 몸을 통해서 알고 느끼는 것을 각각 설식(舌識), 신식(身識)이라고 한다. 그리고 마음이 생각을 통해서 알고 판단하는 것을 의식(意識)이라고 한다. 이와 같은 감성과 이성을 모두 합해서 6식(六識)이라고 한다.

일반적으로 인간은 6식을 통해서 생활하고 있으며, 6식 이외의 7식과 8식을 잘 모르고 있다. 불교에서는 7식(七識)을 말라식, 8식(八識)을 아뢰야식(阿賴耶識)이라고 한다.

이 8식인 아뢰야식이 불성, 자성, 주인공, 영혼, 진여(眞如)라고 한다. 불성, 자성, 진여, 주인공, 영혼은 같은 뜻이며, 이 우주, 인간, 동물, 생물, 심지어 무생물에도 이 불성이 있다고 주장한다.

또 아뢰야식을 아미타불[불성, 자성, 영혼, 주인공]이라고도 부르며, 아미타불은 태양처럼 밝으며, 지혜롭고 자비롭기 때문에 무량광불(無量光佛)이라고 한다. 따라서 이 세상에서 일어날 일을 미리 모두 알며, 아미타불은 꿈을 통해서 인간에게 일어날 길흉화복을 알려준다.

또한 아뢰야식을 여래장[영혼, 정신, 자성, 불성]이라고도 부르며, 이 여래장이 꿈을 통해 앞으로 일어날 일 등을 알린다.

나는 꿈을 매개로 해서 마음이 나의 본질이고 실재이며, 주인공임을 알았다. 또한 진리는 간혹 현실 속에서 나타난다. 꿈과 임사체험[臨死體驗 : 일시적으로 호흡이 멈춰진 죽은 상태], 그리고 신의 계시, 깨우침, 최면 등을 통해서 나타난다. 이와 같은 현상들을 통해 불교가 진리임이 드러나고 있다. 특히 미국 등 서구에서 불교 바람이 거세게 부는 것도 심리, 정신분야 학자들의 연구 결과 때문이다. 불교는 참마음을 신봉하는 종교이다.

대부분의 스님들이 '이 무어꼬?' 또는 다른 화두를 들고 용맹정진하며 불성[자성, 성품, 여래장, 정신]을 찾으려고 한다. 6식의 지배를 받고 있는 인간이 무의식 또는 잠재의식[정신세계]의 세계를 체험한다는 것은 쉬운 일이 아니다.

만해 한용운 스님은 일제시대 만주 지방에서 만행을 하는 동안 일제의 첩자로 오인을 받고 조선독립군으로부터 저격을 받았다. 총을 맞아 스님의 생명이 위독할 때 공중에서 관세음보살이 나타나 '지금 생명이 경각에 달렸으니 빨리 피신하라'는 말씀을 듣고 피신하여 살으셨다[만해 수필집 수록].

숭산스님은 출가한 지 10일 만에 100일 기도에 들어갔다. 스님은 곡식을 안 드시고 오직 말린 솔잎을 갈아서 물과 함께 드시면서 매일 20시간 동안 신묘장구대다라니 기도를 하셨다. 기도 50일째 스님의 건강은 매우 좋지 않았으며 매일 밤마다 마구니가 나타나 욕설을 해댔고, 유령이 나타나 목을 할퀴기도 했다. 그 뒤 한달이 지나자 부처님이 나타나 경을 가르치시기도 하고 어떤 때는 관세음보살이 나타나 극락세계에 갈 것이라고 말씀하셨다.

솔잎만 먹고 지내기 때문에 스님의 피부는 파랗게 물들었으나 힘이 솟구침을 느꼈다. 100일 기도가 끝나갈 무렵에 목탁을 두드리며 도량석을 돌고 있을 때 갑자기 11~12살 정도 되어 보이는 동자들이 나타나 스님에게 절을 올렸다.

스님이 산길을 걸을 때 이 동자들은 스님 뒤에서 따라오다가 바위를 뚫고 다녔다. 100일이 됐을 때 목탁을 두드리며 염불을 하는 동안 스님의 영체는 육체를 떠나 공중에 떠 있다가 자신의 육체속으로 들어왔다.

결국 숭산스님은 자신의 실상을 보았다. 깨달음을 얻으신 숭산스님은 1972년 홀홀 단신으로 미국에 건너가 현각스님 등 많은 불제자들을 육성하셨다.

이와 같은 깨달은 경지에 도달한 스님들은 그리 많지 않다. 스님 등 많은 사람들이 꿈을 잘 꾸고 해몽만 잘하면 '이 무어꼬?'의 답을 찾을 수 있다고 나는 생각한다.

마음의 무한한 능력과 지혜

2001년 9월 11일 오전 8시 14분, 아랍 알카에다 테러리스트들이 소형 여객기를 납치하여 미국 뉴욕을 상징하는 쌍둥이 빌딩 무역회관에 충돌시켜 건물 2동을 폭파시키는 사건이 발생하였는데 건물 붕괴로 인해 약 3000여명의 사망자와 수천 명의 부상자가 발생했다. 이로 인해 전 세계가 경악을 금치 못했다.

이 같은 천인공노할 테러가 발생하기 3일 전에 나의 꿈에 나타났다. 나의 꿈속에서 이 사건은 다음과 같이 전개되었다. 꿈속에서 거대한 빌딩 2개에 화재가 발생하였으므로 빌딩에서 사람들이 내려오고 있었다.

수많은 사람들이 내려와서 불타고 있는 빌딩을 보고 있었으며, 미처 내려오지 못한 사람들은 밑으로 뛰어내리고 있었고, 불에 타는 사람도 있었다.

나 역시 그 폭파된 빌딩들을 꿈속에서 보고 있었다. 그러나 나는 서양 사람들에 비하여 키가 작으므로 사과상자 비슷한 상자 위에 서서 보고 있었다.

그 사고 빌딩에서 조금 떨어진 곳에 2층 양옥이 있었으며 구레나룻을 가진 한 아랍인 비슷한 사람이 창문을 활짝 열고 웃고 있었다.

그 당시 TV연속극 '태조왕건'이 방영되고 있었는데 그는 왕건의 부하인 박술희 장군처럼 보였다.

대부분 꿈은 상징을 통해서 의사를 전달한다. 이 꿈에서 내가 상자 위에 서서 불타는 건물을 봤던 것은 그곳이 키가 큰 사람들이 사는 곳을 암시한다. 구레나룻은 일반적으로 아랍 사람들을 상징하며, 웃는 모습은 테러의 성공을 상징한다.

한국에서 뉴욕까지 수만 키로 떨어졌으며, 그곳에서 일어났던 테러가 어떻게 나에게 현몽된 것은 불가사의한 일이다. 나는 마음의 광대무변한 능력 때문에 이와 같은 현상이 나타났다고 믿는다.

치아는 가족을 상징하며, 이가 빠지면 가족 가운데 누군가 죽을 수 있다. 누가 나의 목을 조이면 타살의 가능성이 있으며, 선산에 누워 있어도 매우 위험하다.

꿈에 음식을 잘 먹으면 감기에 걸리거나 배탈이 날 수 있다. 돼지, 암소, 큰 물고기 등은 재물을 상징하며, 이 동물들이 들어오면 재물이 생기고, 나가면 재물을 잃게 된다. 만일 돼지 등이 사람처럼 화를 내면 송사 등으로 인해 큰 손해를 입을 수 있다.

이처럼 꿈에서 동물, 사물, 행위 등은 많은 것들을 상징함으로 해몽을 잘해야 한다. 그리고 꿈은 일정한 법칙을 갖고 있다.

한국에서 뉴욕까지 수만 키로 떨어졌으며, 그곳에서 앞으로 일어날 테러가 왜 나의 꿈에 현몽됐던 것은 불가사의한 일이다. 광대무변한 곳에서 일어날 일들을 모두 알아버리는 우주정신과 같은 능력이 내 마음에 있기 때문에 가능했던 것이다. 인간의 이성으로써 도저히 납득이 잘 안 되는 것도 알 수 있다고 나는 믿는다.

이밖에 미국발 금융위기, 김일성 부자의 죽음, 천안함 폭파사건 등도 나의 꿈에 나타났다. 혹시 누가 나를 해치려고 한다든가 불행이 있을 것 같으면 나의 꿈에 나타난다. 정신이 나에게 경고하기 위해서 꿈을 통해서 알려 준다. 따라서 꿈을 잘 꾸고 해몽을 잘하면 불행을 막을 수 있다. 정신 또는 영혼이 나의 보물이고 주인이며, 정신의 무한한 능력과 지혜에 대하여 감탄하지 않을 수 없다.

나는 공원에서 나의 나이와 비슷한 한 남자와 여자를 자주 만나면서 건강과 인생관, 생활 전반에 대하여 이야기를 나눴다.

어느 날 나의 꿈에 나와 이 두 남녀가 알몸이 된 채 나란히 누워 있었다. 그 여자가 가운데 누워 있었고, 나와 그 남자는 각각 그 여자 옆에 누웠다. 그리고 그 남자는 단도를 품고 알몸으로 누웠다. 조금 지나자 그 남자가 칼로 나를 공격함으로 나는 도망쳤다.

이 꿈을 꾸고 나의 생명이 위태로움을 알 수 있었다. 이 꿈을 꾼 다음 날도 나는 그 남자를 만났으며, 나는 그 남자가 그 여자에 대해 묻지도 않았지만 남편이 있든 없든 여자를 육체적으로 생각하지 않고 이야기 상대로만 생각한다고 말했다. 이 나의 말이 끝나자마자 그는 자리를 떴다.

이 꿈을 통해 그 남자와 여자 사이에 깊은 육체적 관계가 있음을 알았다. 그리고 그 남자는 나와 그 여자 사이에도 애정 관계가 있을 것으로 의심하고 나에게 시기심을 품고 있다는 것을 나는 알게 되었다. 이 때문에 내가 그에게 그 여자와 나 사이에 아무런 관계가 없다고 말하자 시기심이 풀렸는지 말없이 자리를 떴다.

그 무렵 그 여자는 그 남자가 전립선대증을 갖고 있으며, 여자 관계가 복잡하다고 나에게 말했다. 그 남자는 그 여자가 외치질을 갖고 있기 때문에 걸을 때 종종걸음으로 걷는다고 나에게 말을 했다. 나는 이 남녀 관계가 매우 깊음을 알 수 있었다.

불교에서는 깨달은 사람은 다른 사람의 마음을 아는 타심통(他心通)을 갖는다고 말한다. 나는 이 꿈을 통해서 그 남자의 시기심을 알 수가 있었다.

이뿐만 아니라 나는 꿈을 통해서 나의 주변 사람들의 마음도 읽을 수 있다. 실로 꿈을 만드는 정신 또는 영혼의 무한한 능력에 대하여 경탄하지 않을 수 없다.

2009년 9월 어느 날 나의 꿈에 멀리 떨어진 곳이 암흑처럼 매우 어두웠다. 그 어두운 곳에서 얼굴을 알 수 없는 검은 형태의 사람이 내가 있는 곳으로 걸어오고 있었다. 두려움을 느낀 나는 그 미지의 사람을 피하기 위해 불빛이 밝은 곳으로 돌아왔다.

그 다음 날 유럽에 사는 지인으로부터 전화를 받았다. 그 사람은 독일에서 함께 근무했던 사람이며, 약 20여 년 동안 만나지 못해서 반가웠다. 그는 노름을 좋아했고 여자 관계가 복잡했으며 이혼을 했다. 그 당시에도 신용도가 낮은 사람이었다. 그는 전화로 전에 함께 일했던 사람들끼리 친목회를 만들기를 원했다. 가만히 생각해보니 꿈속에서 본 검은 형태의 사람이 이 사람임을 금방 알 수 있었다.

그 당시 유럽의 여러 나라들은 미국의 부동산 부실 채권(서브프라임모기지) 파문 때문에 부도 위기에 몰렸다. 실제로 그리스, 스페인, 포르투칼, 이태리 등이 IMF로부터 구제금융을 받았다. 나의 꿈에 어두운 지역은 경제적으로 어려운 이 유럽 나라들을 상징한다.

나의 꿈속에 불빛이 밝은 곳은 우리나라를 상징한다. 다른 나라에 비교하여 나라 빚도 적고 나와 친구들의 경제 사정도 괜찮기 때문에 꿈에서도 밝게 빛나고 있었다. 이 꿈 때문에 나는 그의 제안을 거절했고, 다른 친구들에게도 그의 제안에 위험성이 있음을 알렸다.

그로부터 약 2주 후에 나는 다음과 같은 꿈을 꾸었다. '나와 그가 함께 누워서 잤으며 나의 우리 속에 있는 황소의 배가 갈라져서 내장이 전부 밖으로 나왔다.'

꿈속에서 누워서 잔다는 것은 죽음이나 질병을 상징한다. 황소가 우리 속에 들어온 꿈을 꾸고 독일연금공단으로부터 연금을 받고 있는데 이번 나의 꿈에서 그 황소의 배가 갈라진 것은 어떤 원인에 의해서 내가 그 연금을 받지 못하고 피해를 당한다는 것을 상징한다.

이 꿈을 꾼 후 다음 날 한국에 있는 모르는 사람으로부터 한통의 전화를 받았다. 그 사람은 나의 주소를 물었다. 이 전화를 한 사람과 유럽에 있는 그 지인 사이에 어떤 밀약이 있음을 알 수 있었다.

유럽의 그 지인은 나의 전화번호를 알지만 나의 주소는 모른다. 한국에 있는 이 사람으로부터 나의 주소를 알려고 했으나 이 나의 악몽 때문에 나는 나의 주소를 알려줄 수 없었다.

정신은 이 꿈들을 통해 만일 내가 이 유럽에 사는 지인과 관계를 맺으면 불행해지고 재정적 손실을 보게 될 것을 알려 주었던 것이다. 참마음[정신, 영혼, 양심]의 무한한 능력에 대하여 감탄하지 않을 수 없었다.

아미타불은 내 마음이다

불교경전인 「아미타경」에 '여기서 서쪽으로 십만억 부처님 세계를 지나서 한 세계가 있으니 이름을 극락(極樂)이라고 하는데 그 나라에 아미타 부처님이 계시니 지금도 법을 말씀하고 계시느니라'라고 기록되어 있다.

또 '극락세계는 금, 은 등 보석으로 이루어졌으며 수많은 꽃들이 화려하게 피어 있고, 꽃비가 내리며 그윽한 향기가 넘쳐흐른다'고 기록되어 있다.

또 '극락세계는 근심과 걱정이 없고 즐거움만 있으며, 그곳 사람들은 아침에 아름다운 꽃을 온 누리에 전달하고 조반을 먹으며, 아름다운 새들이 법문을 하듯이 노래를 부른다'고 기록되어 있다.

과학과 의학이 발달한 오늘날 어떤 과학자나 의사도 인간의 신체 조직에서 마음의 실체를 규명하지는 못했다. 뇌 조직에서 기억, 언어, 시각, 청각 등을 담당하는 조직을 발견했지만 마음의 작용을 맡는 조직을 발견하지는 못했다. 그러나 마음은 분명히 있다.

대부분의 사람들은 눈이 사물을 보고, 귀가 소리를 들으며, 혀가 맛을 본다고 말한다. 그러나 틀린 말이다. 우리가 TV를 보고 듣는 도중에 생각을 다른 데 집중하면 비록 눈은 TV 화면을 보고 있어도 보이지 않고 들리지 않는 경험을 한다. 단지 마음이 TV에 집중할 때만이 화면이 보인다. 따라서 마음이 보고, 듣고, 맛을 본다고 말할 수 있으며, 눈, 코, 귀, 혀 등은 시청각들을 위한 보조 기구에 불과함을 알 수 있다.

석가모니 부처님은 자신의 마음에 아미타불과 같은 빛과 능력이 있음을 깨달으신 후 일반 대중들이 그들의 마음에 불성이 있음을 모르고 탐·진·치에 찌들어 고통 속에 살고 있음에 대하여 한탄하셨다.

아미타불은 불교의 모든 공덕을 모두 갖추고 있는 부처님을 뜻한다. 아미타불을 무량수불(無量壽佛), 무량광불(無量光佛), 무변광불(無邊光佛), 청정광불(淸淨光佛), 감로왕불(甘露王佛)이라고 부른다.

무량수불은 헤아릴 수도 없는 영원한 생명을 뜻하며, 무량광불은 지혜나 공덕이 헤아릴 수 없이 많은 부처님을 뜻하며, 무변광불은 한도 끝도 없이 펼쳐진 우주에 영향을 주는 부처님을 뜻하며, 청정광불은 청정한 부처님을 뜻하며, 감로왕불은 무한한 행복을 뜻하는 부처님을 말한다.

이와 같은 아미타불의 능력이 우리 마음속에도 있다. 따라서 나의 꿈에 9. 11테러 등 수많은 사건들이 현몽되었던 것이다.

아미타불은 우리의 참마음인 동시에 우주의 절대적인 생명이다.

인간 등 중생들의 궁극적인 목적은 참마음을 깨닫고 실천하며 극락세계에서 사는 것이다. 육안으로 보고 이성과 감성으로 판단하고 느낀 것만이 나와 우주의 전부라고 생각한다면 크게 잘못된 것이다. 마음의 눈이 열려야 참 나와 우주의 실상을 볼 수 있는 것이다.

아미타 부처의 빛은 한량이 없어서 전체 우주를 비추므로 무량광불이라고 하며, 아미타불의 세계, 즉 극락세계에 살기 위해서 많은 공덕을 쌓고 나무아미타불을 매일 불러야 한다. 극락세계는 불교인들의 이상세계일 뿐만 아니라 마음의 고향인 것이다.

나의 참마음이 바로 아미타불임을 알고 자비, 지혜, 광명의 능력이 있으며, 우리는 현실 속에서도 극락세계를 누릴 수 있다. 비록 경제적인 어려움이 있고, 육체적 괴로움이 있어도 인욕의 지혜를 발휘하면서 반야(般若)의 용선을 타고 극락세계의 피안에 도달할 수 있다.

나는 예지몽(叡智夢)을 꾸므로 앞으로 일어날 일들을 미리 알 수가 있다. 생사문제, 질병, 사업의 성공 여부, 국가적인 대소사 등이 내 꿈에 나타난다.

모든 사람들은 명상(瞑想), 선(禪) 등을 통해 마음이 맑아져서 밝아지므로 나처럼 예지몽을 꿀 수 있다. 아무리 영리하고 지식이 많아도 한치 앞을 볼 수 없는 것이 인간이다. 그러나 마음이 맑아져서 예지몽을 꾸면 국제적, 국가적, 사회적, 개인적 문제까지 알 수 있다. 따라서 지혜가 생겨서 이와 같은 문제를 풀 수 있으므로 재앙을 미리 예방할 수 있는 것이다.

나는 약 없이 자연적으로 질병을 치료하는 자연치유학을 독일에서 수료하고 자격증을 따서 근무했다. 연금을 수령하기 위해 서류를 제출했을 때 작은 황소가 나의 우리에 매여 있었던 꿈을 꾸었다.

다시 자연치유학교 수료증과 자격증을 해당 독일 관청에 제출했을 때 처음 작았던 황소가 점점 커지는 모습이 꿈속에 나타났다.

작은 소는 연금이 적다는 것을 의미하고, 소가 점점 커지는 것은 연금이 많아지는 것을 상징한다. 이처럼 꿈은 앞으로 일어날 일들을 알려준다.

2009년 10월 어느 날 꿈에 돌아가신 두 당숙들을 저승에서 보았다. 이승과 저승 사이에는 돌계단으로 된 길이 있었으며 돌계단을 올라가서 두 당숙들을 보았다.

한 당숙은 복면을 하고 있었으므로 누구인지 알 수가 없었다. 자세히 바라봄으로써 그가 가정문제로 젊은 나이에 자살한 당숙임을 알았고, 꿈속에서 나는 그의 비극에 눈물을 흘렸다. 그곳은 목책으로 둘러쌓인 큰 목장이 있었으며 온화하고 매우 평화롭게 보였다.

이 꿈은 나에게 위험이 닥칠 것을 암시하고 있었다. 그 당시 나는 부당한 아파트 관리 문제로 관리소장과 동 대표, 경비원들과 사이가 매우 좋지 않았다. 바른 말을 자주 하기 때문에 나는 그들에게 눈의 가시로 보였던 것이다.

평상시처럼 아파트 인근의 산에 오르는데 어제처럼 선글라스를 쓴 젊은이가 나타났다. 그 산의 길에 내가 자주 오르는 것을 한 동대표가 잘 알고 있었다.

돌아가신 당숙이 복면을 한 장면을 꿈속에서 보았으므로 나는 조심스럽게 그를 피했다. 평소에는 등산용 지팡이를 안 가지고 다녔지만 그날은 방어 목적으로 지팡이를 갖고 있었으므로 그는 나를 공격할 수가 없었다.

그의 신과 의복, 모자 등을 유심히 관찰함으로써 그가 새로 온 청소원임을 나중에 알 수 있었다. 이 꿈뿐만 아니라 다음에 소개될 두 번째 경고성 꿈을 꾸었다.

하루는 나의 이동 경로를 평상에 앉아서 주시하는 그에게 지금 무엇을 하고 있으며, 종교가 무엇이며, 나의 종교관도 말을 했다. 며칠 후 건장한 청년 두 사람이 불교 포교를 위해 스님으로 위장을 하고 나의 집 초인종을 눌렀으나 위험을 직감한 나는 문을 열어 주지 않았다.

부착된 확대경으로 그들이 스님이 아닌 것을 확인할 수 있었다. 이 꿈뿐만 아니라 다음에 소개될 두 번째 경고성 꿈을 꾸었다. 이 꿈에서 돌아가신 당숙의 복면한 모습은 선글라스를 쓴 청소원임을 상징한다. 나는 더 이상 이곳에서 살 수 없었으므로 지금 이곳으로 이사 왔다.

이처럼 꿈은 위험을 경고한다. 돌아가신 부모나 친척들은 신처럼 이 세상에서 일어날 일들을 미리 알기 때문에 경고하기 위해서 가족이나 친척의 꿈에 현몽된다.

올림픽에서 금메달 획득 등 좋은 일이 있을 때에도 꿈에 나타난다. 마음 또는 불성의 불가사의한 능력에 대해 감탄하지 않을 수가 없는 것이다.

　우리들의 참마음이 무량광불인 아미타불과 같기 때문에 예지몽
을 통해서 이와 같은 위험한 일을 예측할 수 있다. 깊은 물속은
알 수 있어도 사람 속은 알 수 없다는 속담이 있지만, 꿈을 잘 꾸
고 해몽만 잘하면 사람들의 마음도 읽을 수 있는 것이다. 소위 천
안통(天眼通), 타심통(他心通)을 얻게 된다.

　석가모니 부처님은 삼매[三昧 : 선정, 명상]을 통해서 신통력을
얻으셨다. 과학자이며 심령학자인 스웨덴보그는 신의 가피를 얻어
서 신통력을 얻었다. 또한 육체로부터 분리된 영체[영혼]는 모든
것을 알아버리는 능력을 갖는다.

　임사체험자들이 아무리 멀리, 또는 밀폐된 공간에 있는 사람들
의 마음까지도 아는데, 이와 같은 초능력은 아미타불[영체, 불성,
자성, 참마음]의 무한한 지혜 때문에 발휘되는 것이다.

　2009년 늦가을 독감[신종플루]이 우리 나라 뿐만 아니라 전세계
에 확산되었다. 독감 예방주사를 맞지 않았기 때문에 나 역시 독감
에 걸렸는데, 고열과 가래, 기침 등 증상으로 고생을 많이 했다.

　그 당시 사람들 사이에서는 이 독감 때문에 수천 명이 사망할
것이라고 예측했지만 나는 다음과 같은 꿈을 꾸고 약 40여 명이
사망할 것이란 예상을 다른 사람들에게 말한 적이 있다. 꿈속에서
나는 여러 사람들과 함께 버스를 탔다.

　대부분의 사람들이 눈을 감고 타고 가지만 오직 나만 깨어 있는
상태였다. 승객 수는 약 40여 명 정도가 됐다. 버스, 기차, 비행

기, 배 등을 탄다는 것은 저승행을 상징한다. 더군다나 잠을 자고 있는 상태에서 탔기 때문에 사망자가 약 40여 명이 될 것을 예상했다.

사실 나는 깨어있는 상태에서 탔기 때문에 생명의 위험성이 있었지만 살아났고, 이 독감 때문에 우리 나라에서 약 40여 명이 죽었다. 나의 예상이 적중하자 모두 놀라워했다.

꿈은 무의식[잠재의식] 상태에서 꾸어지며, 무의식은 정신의 대부분을 지배한다. 즉 정신[영혼, 영체, 자성, 여래장]이 꿈을 만들며, 꿈을 통해서 이와 같은 사실을 나에게 알리고 있었다.

정신이 맑고 밝아야 꿈을 잘 꾸고 해몽을 잘할 수 있다. 죄를 짓지 말고 선행을 하며 삼매[선정, 명상]에 들면 정신이 맑고 밝아 지혜로워진다. 따라서 신령스러운 꿈[영몽]을 꿀 수 있다. 즉 천안통, 타심통 등을 갖게 된다.

아미타불은 정말 존재하는가?

질병이나 교통사고를 통해 일시적으로 죽음을 체험한 사람들은 태양처럼 밝은 빛을 저승에서 보았다고 증언하고 있다. 밝고 온화하지만 태양처럼 뜨겁지 않다고 말했다.

스님이나 기도를 한 신도들 역시 밝은 빛을 체험했다. 독일에 있을 때 만프레드 K[독일 남 58세]는 교통사고 때문에 유체이탈[육체로부터 영혼이 분리되는 현상]을 체험했다.

그의 차와 상대방 차가 정면으로 충돌했을 때 그의 신체는 앞 유리창을 뚫고 길바닥에 나가떨어졌다. 또한 그의 영혼은 공중에 떠서 이 장면을 보고 떠난 후 호숫가에 와서 특이한 체험을 했다.

태양과 같은 밝은 빛이 약 45° 기울어진 상태로 하늘에 떠있었다. 그리고 죽었을 때부터 태어났을 때까지 일생동안 있었던 모든 일들이 영화 스크린의 한 장면처럼 하늘에서 전개되었다.

체코 태생인 그가 출산되던 날 할머니가 촛불을 켜고 산방에 들어온 장면도 보았다. 이 출산 장면을 그는 기억할 수 없었으나 화면을 통해 보았다.

이와 같은 특이한 체험을 한 그의 영혼은 사고 현장에 왔으며, 구급차가 와서 길바닥에 떨어진 그의 신체를 치료하고 있었다.

어떤 의사가 주사를 놓자마자 그는 통증을 매우 심하게 느꼈으며, 어떻게 그의 영혼이 신체 속으로 들어간 것을 알 수 없었다. 죽음의 상태에서 평화와 행복을 느꼈으므로 그를 살려준 의사를 원망했다

이 죽음의 체험에서 하늘에 떠있는 해와 같은 광명을 그는 보았는데 이 광명이 불교에서 주장하는 아미타불이라고 나는 믿는다. 만프레드 K처럼 많은 죽음을 체험한 사람들이 이 광명을 보았다.

약 200년 전 스웨덴보그[Emanuel Swedenborg, 1688~1772, 스웨덴어식 발음은 스베덴보리]라는 스웨덴 과학자는 약 27년 동안 살아있으면서 저승을 체험함과 동시에 이 광명의 기능까지 밝혀내서 세상을 놀라게 했다.

스웨덴보그에 대한 이 글은 그의 대표적인 저서인 「천국과 지옥」, 「신의 섭리」, 「천국의 비의」 등에서 발췌된 것임을 미리 밝혀 둔다.

임마누엘 스웨덴보그는 왕족이며 성직자의 아들로 태어났으며, 뉴턴과 비견될만한 유명한 과학자이다. 그의 나이 57세 때 영국 런던에서 유학하는 동안 천사로부터 영계[저승] 방문을 허용받았다. 상식적으로 믿을 수 없는 일이 벌어졌다.

그는 천사의 방문을 다음과 같이 서술했다. 식당에서 저녁식사를 마치고 일어나는 순간 식당 쪽으로 오색찬란한 무지개가 비친 후 태양보다 더 밝은 빛이 비치므로 그는 눈을 뜰 수 없었다. 잠시 후 그 빛 가운데서 황금색 예복 같은 것을 입은 한 사람이 빛을

발산하며 나타났다. '그대여' 이 한마디를 남기고 그는 사라졌다. 그가 사라진 후에도 구름과 안개가 자욱했으나 곧바로 사라졌다. 이와 같은 현상은 서막에 불과했으며, 그 다음날 저녁에 또다시 그 신의 사자(使者)가 나타났다.

스웨덴보그

스웨덴보그가 침대에 누우 려던 때에 어제 봤던 그 천사가 강렬한 빛과 함께 나타나자 스웨덴보그가 놀라므로 그는 스웨덴보그를 진정시키면서 다음과 같이 말했다. "놀라지 마시오 나는 신이 보낸 사자입니다. 나는 그대에게 사명을 부여하러 왔습니다. 나는 그대를 사후세계인 영의 세계'로 안내할 것입니다. 그대는 그곳에 가서 그곳에 있는 영인들과 교류하고, 그 세계에서 보고 듣는 모든 것을 그대로 기록하여 이 지상 사람들에게 낱낱이 전하시오. 그대는 이 소명을 소홀히 하지 마시오"라는 말을 남기고 신의 사자는 사라졌다.

중국의 오대산은 문수보살 등 성현들이 실제로 출현하는 곳으로 유명하다. 당나라 때 무착선사(無着禪師)는 어느 날 새벽 태양처럼 밝은 광명이 동북방에서 뻗쳐와 무착선사의 머리 위에 비친 후 몸이 매우 가볍고 상쾌함을 느꼈다.

그 후 한 절에서 보살과 군제라는 동자승과 법담을 나눴다. 그들과 헤어진 후 뒤돌아보니 절도 성현과 군제라는 동자승도 흔적도 없이 사라졌다. 한편 무지개가 퍼지면서 다시 해와 같은 광명이 비쳤다.

역시 당나라 때 법조(法照)스님은 처음 바리[스님들이 사용하는 식기]에 오색구름과 광명이 나타난 후 대성죽림사라는 절과 문수, 보현보살 등 수많은 스님들이 출현한 것을 보았다.

특이한 체험을 한 법조스님은 5년 후 오대산의 불광사에 갔는데 새벽 4시경에 태양처럼 밝은 광명이 북산으로부터 뻗쳐 와서 법조스님을 비쳤다. 그 빛을 따라 50리쯤 가니 과연 산이 있고 대성죽림사라는 절이 있었으며 그곳에서 문수, 보현보살의 설법 장면을 목격했다.

이처럼 성현들이 출현하기 전에 스웨덴보그와 무착선사 그리고 법조스님은 태양처럼 밝은 빛, 상서로운 구름과 안개, 무지개를 보았다.

「티벳 사자의 서(書)」에서 죽은 자의 영혼은 육신이 죽었을 때 태양과 같은 빛을 보며, 일생동안 선한 일을 많이 한 사람은 그 빛 속으로 빨려들어 간다고 기록되어 있다.

미국의 레이먼드 무디 박사는 「삶 후의 생(Life After Life)」이란 책을 썼는데, 이 책은 일시적으로 죽음을 체험한 150여 명의 연구보고서이다. 심장병 등 질병과 교통사고 등으로 잠시 심장이 멈추면 영혼이 육체로부터 분리되며, 그 영혼은 천정에 떠서 의사, 간호사, 가족들의 대화를 듣고 저승길로 떠난다.

일반적으로 영혼들은 이승과 저승 사이에 있는 터널을 지나서 밝은 빛을 본다. 그곳에서 이미 죽은 가족들을 만난다. 그 가족들은 아직 죽을 때가 아니므로 돌아갈 것을 말한다. 많은 임사 체험자들은 저승에서 태양과 같은 빛을 본다. 그 밝은 빛은 스웨덴보그나 만프레드 K가 말한 것처럼 뜨겁지 않고 온화하고 자비심으로 충만하다고 말했다. 나는 이 태양과 같은 광명이 아미타불이라고 생각한다.

무착선사는 이 특이한 현상을 다음과 같은 시로 표현했다.

온 누리가 그대로 장엄한 도량
부처님 뵈옵고 말씀 들었네
그중에 무슨 법 말하였던가
돌아보니 고요한 산과 나무뿐

사람들의 육안으로는 아미타불[무량광불]의 빛을 볼 수 없다. 오직 심안[心眼 : 마음의 눈]이 열려야 이 빛과 진리와 우주의 실상을 바로 볼 수가 있는 것이다.

석가모니 부처님은 「불설 아미타경」에서 아미타불이 극락세계에서 무한하고 강력한 빛을 발산하면서 설법을 하신다고 말씀하셨다. 법신, 불성, 자성은 같은 뜻이며, 빛이고 에너지이다. 불성, 자성 등을 성품(性品)이라고 하며, 영원불변한 마음자리가 바로 불성, 자성, 성품이다. 우리의 참마음이 빛이고 에너지이듯이 우주에는 무량광불[아미타불]이 있다.

비로자나 부처님과 영계 태양

2016년 1월 모 TV에서 다음과 같은 생각의 힘[念力 : 염력] 또는 마음의 힘[心力 : 심력]을 이용한 놀이를 보여 주었다. 국내의 유명한 배우와 가수, MC 등이 참가한 놀이여서 흥을 돋구었다.

장난감 모형 기차에 염력 수신 장치를 설치한 뒤 배우 등이 머리에 쓴 송신 기구에 염력을 주면 이 장난감 기차가 선로 위를 달린다. 모 가수가 마음을 집중해서 염력을 주었을 때 기차가 잘 달렸다. 그러나 모 배우가 염력을 주었을 때 이 모형 기차는 가지 않고 멈춰 섰다.

이 장면을 보고 있던 전문가가 그 배우가 이용했던 송신 기구를 머리에 쓰고 염력을 주었을 때 달리지 않던 이 기차가 달리기 시작했다. 물론 머리에 쓴 송신 기구와 수신 장치가 설치된 기차 사이에 어떤 전선 등 장치도 없다. 어떤 사람이 염력을 주었을 때 이 기차가 가고 안 가고 하는 것은 염력의 강약 때문에 일어난다. 이 놀이에서 사람에 따라 염력의 차이가 있음을 알 수 있다.

수학자이자 천문학자인 아서 스텐리 에딩턴경(Sir Arthur

Stanly Eddington), 로저 펜로즈(Roser Penrose), 데이비드 봄 (Daibid Bhom)과 같은 학자들은 마음은 물질 입자처럼 에너지적 성질을 갖고 있다고 주장했다. 따라서 물리적 에너지를 갖고 있기 때문에 물질세계에 영향을 미친다. 이와 같은 마음의 작용 때문에 염력을 주면 모형 기차가 가는 것이다.

불교에서는 맑고 깨끗한 법신[法身 : 불성, 자성, 영체]을 비로 자나불이라고 하며, 법신의 작용을 보신(補身) 또는 원만보신 노 사나불이라고 하며, 법신의 형상을 화신(化身) 또는 천 백억 화신 석가모니불이라고 한다.

법신을 태양이라고 비유하면 보신은 태양에서 발산되는 햇빛에 화신은 헤아릴 수 없이 많은 수면에 비친 태양의 반사체에 비유된 다. 그러므로 법신은 근본이고 본질이기 때문에 체(體)라고 하며, 보신은 작용을 하기 때문에 용(用)이라고 하며, 화신은 형상을 갖 고 있기 때문에 상(相)이라고 한다.

부처님은 법신, 보신, 화신인 3신불로 이루어졌다. 부처님의 공 덕과 지혜가 많고 크며 영원하므로 이처럼 3신불로 나눈 것이다.

아미타불과 석가모니불의 법신은 바로 인간 등 만물이 갖고 있 는 불성[자성, 영체, 정신]이고, 보신은 아미타불과 석가모니불의 원력과 8만 4천 법문이다. 그리고 화신은 인간으로서 석가모니이 다. 누구나 깨달으면 법신, 보신, 화신을 이룬다.

모형 기차놀이에서 염력을 주기 때문에 기차가 달린 것은 법신 [불성, 영체]에서 나오는 에너지 때문이며, 이 에너지가 바로 보신 이다. 이 놀이를 통해서 인간에게 청정 법신인 비로자나불과 보신이 있음을 알 수 있다.

비로자나불은 산스크리스트어[고대 인도어]로 태양이라고 하며, 대일여래(大日如來)라고도 부른다. 대일여래는 큰 태양불이다. 비로자나불은 아미타불처럼 온 법계를 비추고 있으며, 영의 세계뿐만 아니라 이 지상의 인간과 중생들에게 생명력을 주고 정신 작용에 지대한 영향을 준다.

영계 태양을 연구했던 스웨덴보그는 영계 태양이 이와 같은 작용을 한다고 주장하였으며, 나는 아미타불이나 비로자나불이 영계 태양이라고 믿는다.

비로자나불과 아미타불은 이름만 다르지 온 법계에 무한한 광명을 비추고 있으므로 같다고 말할 수 있다. 「화엄경」의 보현행원품에 아미타부처님을 만나 뵙고 지체 없이 극락세계에 왕생하고자 하는 게송이 있다. 「화엄경」은 비로자나 부처님을 찬탄하는 경이지만 이 게송에서는 보현보살이 선재동자에게 아미타불을 만나 뵙고 극락세계에 태어나기를 바란다. 이 게송을 통해 비로자나불과 아미타불이 같음을 알 수 있다.

비로자나불은 지혜 광명과 자비 광명이다. 지혜 광명은 온 법계의 어둠을 제거하고 밝게 한다. 자비 광명은 인간 등 만물을 창조하고 성장시키며 영원히 존재시킨다. 만일 비로자나불인 영계 태양이 없으면 우주 법계와 삼라만상이 존재할 수 없다.

법신인 비로자나불은 우주 법계에 항상 충만해 있으며, 이 지상의 인간의 영혼에 지대한 영향을 준다. 생노병사를 주관하며 행동, 말, 마음까지 샅샅이 들여다보며 그것에 상응한 상벌을 준다. 보신불은 법신에 들어 있는 지혜, 자비, 행복, 무한 능력이다. 화신불은 법신과 보신불을 근원으로 하여 이루어진 인간 등 만물이다.

선을 하는 스님들은 일반적으로 화두(話頭)를 들고 한다. 수백 가지 화두 가운데 다음과 같은 화두가 있다. '만법(萬法)은 하나로 돌아가는데 하나는 어디로 돌아가는가?[萬法歸一, 一歸何處] 만법은 인간 등 동물, 식물, 무생물을 의미한다.

나는 만법이 법신으로 돌아가며 인간 등 만물의 법신은 영계의 태양인 비로자나불로 결국 돌아간다고 믿는다. 인간의 법신은 무량광불인 아미타불이나 비로자나불과 제한 없이 서로 소통하고 있다. 따라서 인간 등 중생과 비로자나불의 법신은 같다.

「화엄경」의 비로자나품에서 비로자나 부처님을 다음과 같은 게송으로 표현하고 있다. 「화엄경」의 설주[說主 : 설법을 지도한 사람]는 비로자나불이다.

　　　부처님이 도량에 앉으시니
　　　청정하고 크신 광명
　　　마치 천 개의 태양이 동시에 나타나듯이
　　　널리 온 천지를 비추고 있구나

이 게송에서 비로자나 부처님이 천 개의 태양처럼 광명을 온 우주 법계에 비추고 있다 라고 표현하고 있다. 이 뿐만 아니라 「화엄경」의 많은 게송들은 비로자나불의 광명을 찬탄하고 있다. 나는 비로자나불이나 아미타불이 영계의 태양이라고 확신한다.

영계의 태양은 영계인들에게 직접 생명력과 이성, 감성, 지성을 줄 뿐만 아니라 인간의 법신에게도 간접적으로 영향을 준다. 많은 임사체험자 뿐만 아니라 스웨덴보그는 극락세계에 태양이 있음을 보았으며, 특히 스웨덴보그는 이 태양에 대하여 많은 연구를 했다.

영계의 태양은 영계에 있는 모든 생명의 원천이며, 모든 생명의 어머니 역할을 하는 자연계의 태양은 영계 태양의 모조품에 불과하다고 스웨덴보그는 주장했다. 이 지상의 구름은 햇빛을 차단하여 어둡게 하지만 영계에서는 영계 태양과 영계인 사이에 구름과 같은 방해물이 없다. 영계 태양은 영계 생명체에 생명력을 주고 있다. 이 태양의 빛과 에너지를 받지 않고는 영계인 등 생명체는 존재할 수 없다.

영체는 인체에 비교하여 훨씬 더 민감하고 감성적이다. 사람들은 영체는 허공처럼 형체가 없을 것이라고 상상하지만 사실은 그 반대로 이목구비가 명확하고 매우 아름답다고 한다. 영계의 태양은 생명의 원천이요, 진리의 발원지이기 때문에 영인들이 생각하고 신통력을 발휘하며 풍부한 감성을 갖고 있다. 그리고 영계인들은 영원히 그곳에서 산다.

그리스의 철학자 플라톤은 이상(理想)세계를 이데아(Idea)라고 했다. 이데아가 바로 극락세계이다. 플라톤에 따르면 이데아가 본질적 세계이고 우리가 살고 있는 이 세상은 이데아의 모조품에 불과하다고 말했다. 그에 의하면 이데아에 태양이 있기 때문에 이 지상에도 태양이 있으며, 이데아에 산, 강, 나무, 새 등이 있기 때문에 이 지상에도 이와 같은 생물과 무생물이 있다. 철학적으로 이데아는 개개 사물의 근본으로서 모든 존재의 근거를 뜻한다.

영계의 태양은 영류(靈流)를 방출해서 영인들에게 생명력 등을 주고 이 지상의 인간 등 만물에게도 지대한 영향을 준다. 영류는 영계 태양에서 발산되는 빛의 파장이다.

영류에는 직접 영류와 간접 영류가 있다. 직접 영류는 상, 중, 하층 구조로 된 극락세계의 모든 영계인들에게 빛의 파장을 통해 직접 생명력 등을 준다.

간접 영류는 영계의 태양이 상층 극락세계를 비출 때 상층에서 중, 하층으로 내려오는 영류이다. 중, 하층으로부터 내려오는 간접 영류는 인간에게 생노병사 등 미래에 일어날 사건을 알려준다.

스웨덴보그는 '천사들이 착한 인간들을 도와주고 악령으로부터 보호한다'라고 말했다. 천사는 관세음보살이다. 특히 천사들은 꿈을 만들어서 인간 등 동물에게 길흉화복을 알려 주고 생명을 구제한다. 천사들은 어떻게 꿈이 만들어지는지 스웨덴보그에게 자세히 설명했다. 간접 영류 때문에 천사들의 이와 같은 신통력이 발휘된다.

2005년 4월 어느 날 이영민씨는 주말에 15명의 직장 동료들과 함께 바다낚시를 가기로 약속했다. 약속한 날 전날 밤 그의 부인 이하늘은 악몽을 꾸었다. 그녀의 남편 이영민과 동료들이 바닷가 바위에서 낚시질을 하는데 커다란 검은 손이 이 낚시꾼들을 붙잡고 바다 속으로 들어갔다.

이 악몽을 꾼 이하늘은 남편의 바다 낚시행을 만류했다. 그러나 남편 이영민은 이 악몽을 믿지 않고 아침 일찍 창원시 버스 터미널에서 동료들과 함께 버스를 탔다. 이 사실을 늦게 알아차린 부인이 급하게 택시를 타고 버스 터미널에 와서 버스에 탄 남편을 끌고 내렸다.

이하늘의 악몽은 그날 오후 뉴스를 통해 사실로 확인됐다. 14명의 낚시꾼들이 바위에서 낚시질을 하던 중 갑자기 너울성 파도가 이 낚시꾼 전원을 휩쓸고 바다 속으로 사라졌다는 톱 뉴스가 이 부부에게 커다란 충격을 주었다. 불교 신자인 부인은 그 전에도 이와 같은 신령스런 꿈을 자주 꾸었다.

영계 태양의 간접 영류를 받은 천사가 이 낚시꾼들의 불행을 미리 알고 꿈이란 시나리오를 만들어서 무의식 상태인 이하늘의 법신에게 알렸기 때문에 그녀의 남편 생명을 구했던 것이다.

이영민과 이하늘은 TV에 두 번이나 나와서 꿈의 신비한 예지력을 증언했다. 이하늘의 꿈에서 커다란 검은 손은 너울성 파도를 상징한다. 이 사건 뿐만 아니라 국내에서 너울성 파도에 의한 인명 손실이 여러 번 일어났었다.

초대 내무부장관을 지냈고 동국대 총장을 지내신 백성욱 스님은 한국 사람으로서 처음 독일에서 박사학위를 취득한 것으로 잘 알려져 있다. 특히 백성욱 스님은 예지몽을 잘 꾸시기 때문에 천안통, 타심통 등 신통력을 잘 발휘하신 것으로 유명하다.

이 백성욱 스님의 글에 다음과 같은 예지몽이 있다. 38° 선을 경계로 한반도의 남쪽은 일본에, 북쪽은 소련에 달라붙는 꿈을 1949년 겨울에 꾸셨다.

1950년 6월 25일 6. 25 전쟁 약 6개월 전에 이 스님이 꾼 꿈은 남과 북이 38° 선을 경계로 분단될 것을 미리 알리고 있다. 남쪽이 일본에, 북쪽이 소련에 달라붙는 것은 남쪽은 민주 진영, 북쪽은 공산 진영임을 상징한다. 인간의 이성으로는 이와 같은 예지력을 발휘할 수 없지만 법신은 모든 것을 알므로 꿈을 통해서 알리고 있다. 이 꿈 역시 영계 태양인 비로자나불과 스님 법신의 합작품이다. 우주의 정신인 비로자나불과 인간의 법신은 서로 교류하고 소통하면서 미래에 일어날 길흉화복을 알리고 있다.

우주의 정신인 비로자나불은 근본이므로 체(體)라고 하며, 비로자나불의 작용인 보신불을 용(用)이라고 앞에서 언급했다. 마치 태양[비로자나불]이 광명[보신불]을 방출하듯이 영계 태양이 영류를 방출하는 것은 법신인 비로자나불[영혼, 정신]이 보신불을 일으키는 것에 비유된다. 모형 기차놀이에서 사람[비로자나불, 법신, 불성]이 염력[念力 : 보신불]을 주면 이 기차가 달리는 것과 같다.

법신[영혼, 정신]을 갖고 있는 인간 등 만물은 비로자나불의 분신인 동시에 영계 태양의 분신이라고 말할 수 있다. 우주 법계를 항상 밝게 비추고 있는 아미타불과 비로자나불은 바로 영계 태양이다.

인간의 이상향인 극락세계에서 이 태양과 같은 광명은 영원히 빛나고 있으며, 인간 등 만물의 마음[법신, 불성, 본성]속에서 끊임없이 작용을 하고 있다.

스웨덴보그가 본 저승세계

이 신의 사자를 만난 이후 스웨덴보그는 영계를 자기 집처럼 드나들었다. 그는 57세 때부터 죽을 때까지 약 27년 동안 살아있으면서 영계를 체험하고 「나는 영계를 보고왔다」, 「천국의 비의」를 비롯한 많은 책을 저술했다.

그는 육체로부터 영체(靈體)를 분리시키는 것을 죽음의 기술이라고 이름을 붙였다. 지상의 침대나 소파 등에 육체를 놔두고 영적인 몸인 영체를 분리시켜 영계에 갔다가 다시 육체 속으로 들어왔다. 영체가 되어 영계에 가면 죽어서 영계에 온 영체들과 똑같으므로 생전에 잘 알고 지냈던 영체들은 스웨덴보그가 죽었기 때문에 그곳에 왔다고 착각을 했다.

그는 언제든지 마음만 먹으면 육체로부터 영체를 분리시켜 저승을 갔다. 영체는 불교에서 말하는 불성, 자성, 여래장을 의미하며, 육체는 영체의 도구에 불과하다. 육체는 사람이 죽으면 썩지만 영체는 영계에서 영원히 존재한다. 불성이 태어나고 죽지 않듯이 영체도 이와 같다.

육신은 물질이기 때문에 영체의 부담이 되며, 생노병사가 있으나 영체는 영의 재료로 만들어졌기 때문에 육체 속에 있을 때보다 비교가 안 될 정도로 더 명석하며, 오관은 훨씬 더 정확하고 예민하다. 그에 의하면 영체에도 눈, 코, 귀, 입, 얼굴, 심장, 손, 발 등 모든 조직이 있다고 한다.

살아있는 육체는 시간과 공간의 제약을 받지만, 영체는 이와 같은 제약을 받지 않으며, 영체의 이동은 마음이 원하는 대로 움직이며, 빛의 속도보다 더 빠르다. 따라서 수십만 광년의 거리도 금방 갈 수가 있는 것이다.

또한 영계에는 거리와 시간의 개념이 없다. 그곳에도 이승처럼 산과 강, 들판이 있다. 천사의 사자가 스웨덴보그를 만나려고 지상에 왔을 때에도 수십억 광년이 걸리는 거리였지만 마음만 먹으면 금방 왕래가 가능하기 때문에 거리의 개념이 없다. 또한 시간의 개념도 없다. 마음만 먹으면 금방 만날 수 있고 대화도 할 수 있기 때문에 시간의 개념 또한 없다.

천국 또는 극락세계도 아침, 낮, 저녁의 느낌은 있으나 어두운 밤이 없다고 한다. 어둠은 지옥을 상징하기 때문에 없는 것이다. 영계에는 천국과 중간 영계, 지옥이 있으며, 사람이 죽으면 가장 먼저 중간 영계에 들어가서 심판을 받고 극락세계를 가는 영체는 교육을 받는다. 영체의 모습은 중간 영계에 있을 때와 천국 또는 지옥에 있을 때와 크게 다르다고 한다. 중간 영계에서의 영체는 지상에서의 모습과 비슷하다.

영체는 3단계를 거치면서 변한다. 지상에서의 인간은 육체와 영체로 구성되어 있으며, 중간 영계의 영체는 내부 영체[순수한 마음]와 외부 영체로 구성되어 있다.

이 같은 외부 영체는 거울에 있는 먼지와 때처럼 거울의 본바탕[수수한 마음]을 가리고 있다. 이 내부 영체가 천국의 영체 또는 지옥의 영체이다. 중간 영계의 영체는 불투명함으로 그 속마음을 알 수 없으나 천상의 영체는 더 밝고 투명하며 아름답다. 따라서 천상 영체의 마음을 보기만 해도 읽을 수 있는 것이다.

이와 같은 영체의 변화과정만 봐도 마음 수양이 얼마나 중요한가를 알 수 있다. 사람들은 천당 또는 극락세계를 지금 누리고 사후에 가기 위해 탐욕과 성냄, 어리석음을 버려야 한다. 또한 선행을 하고 죄를 짓지 말며, 용서와 이해심을 길러야 한다. 이와 같이 생활하고 수행했던 사람들은 중간 영계에서 교육을 받지 않고 곧바로 극락세계로 올라간다. 늙어서 죽었더라도 천국의 영체는 젊고 아름답다. 극락세계의 사람들은 마음으로 대화를 한다. 상대방이 무슨 마음을 갖고 있는지도 알 수 있다. 따라서 세계 각국에서 온 사람들과 언어적 장벽 없이 스웨덴보그는 서로의 마음으로 대화를 나누었다. 즉 텔레파시로 대화를 했다.

영계에는 제 1천국, 제 2천국, 제 3천국이 있으며 중간 영계[사후 최초로 가는 곳], 제 1지옥, 제 2지옥, 제 3지옥이 있다. 중간 영계에 있는 동안 천국과 지옥이 결정된다. 인간 세상에서 선행을 많이 쌓은 사람은 천국으로 가고 악행을 많이 저지른 사람은 지옥에 떨어진다.

스웨덴보그에 의하면 종교에 관계없이 선행을 많이 한 사람은 좋은 곳으로 간다. 아무리 훌륭한 성직자도 자신의 명예와 이익을 위해 일을 했으면 지옥에 떨어진다. 불교 등 다른 종교인들도 신심이 돈독하고 선행을 많이 하였으면 천당으로 간다. 이와 같은 그의 주장은 기독교 교리와 배치된 것이기 때문에 기독교로부터 비난을 받았다.

영계에는 태양과 같은 빛이 있으며, 이 빛이 영계뿐만 아니라 전 우주 그리고 인간 세상에도 영향을 준다. 이 광명이 영계 사람들의 마음에 직접 영향을 주며, 인간 세상에는 간접적인 영향을 준다. 나는 이 광명이 불교에서 말하는 아미타불이라고 생각한다. 이 빛에 대해서 좀 더 알아보기로 한다.

스웨덴보그는 오직 지상에서만 회개와 재생의 기회가 있다고 주장하고 있다. 살아있는 동안의 행위나 말, 뜻에 따라 천당 또는 지옥이 결정된다. 물질로 구성된 이 세계에서 누구나 잘못을 저지를 수 있다. 이 지상에서 자신의 죄악을 참회하고 선행을 많이 하면 극락세계에 들어갈 수 있다. 그러나 육신이 죽은 후 아무리 참회하고 선행을 많이 해도 소용이 없다.

이와 같은 스웨덴보그의 주장은 불교의 인연설과 일치한다. 콩 심은 데 콩나고 팥 심은 데 팥이 난다는 인과응보설은 만고의 진리이다.

지상에서의 부부는 중간 영계에서 다시 만난다고 한다. 대부분 사망한 때가 다르지만 매우 기쁜 마음으로 상봉을 한다. 그러나 영체의 변화과정을 거치면서 서로 헤어지는 경우가 많다.

세월호나 타이타닉호 사고처럼 많은 사람이 동시에 죽었을 경우 모두 중간 영계에 함께 가며 각자의 카르마에 따라 갈 길이 정해진다. 만일 어린이가 죽으면 저승에서 천사에 의해 교육을 받는다고 한다. 극락세계에서는 실업자가 없으며, 모두 자신의 적성에 맞는 일을 기쁜 마음을 갖고 일을 한다. 사람들은 천국에서 놀고 즐기는 것을 상상하지만 사실은 그렇지가 않다. 천국 사람들이 놀고 오락만 즐기면 얼마나 권태스럽겠는가?

지상에서 사망 시점은 정해져 있다. 스웨덴보그는 매우 유명해졌다. 한 모임에서 한 사람이 '스웨덴보그씨! 오늘 이곳에 있는 사람 가운데 누가 제일 먼저 죽을 것인가 말해 줄 수 있습니까?'라고 물었으며, 다른 사람들 역시 알고 싶어 했다. 그의 대답에 대해 불만을 말하지 않는다는 약속을 받아내고 스웨덴보그는 영계와 교신을 했다. '오로프슨(Olofsohn)경이 내일 4시 45분에 타계하실 겁니다.'

이렇게 대답하자 모든 사람들이 그의 말을 믿지 않았다. 왜냐하면 오로프슨경은 40대의 젊고 건강했기 때문이다. 불행하게도 그의 말은 사실 그대로 들어맞았다. 모든 사람들이 그의 교령술에 대해 경악을 금치 못했다. 스웨덴보그는 자신의 사망 날짜를 죽기 1년 전에 자신이 잘 모르는 존 웨슬리라는 목사에게 편지를 통해 알렸다. 이 목사는 스웨덴보그를 만나려고 하였으나 만나지 못했다. 실제로 스웨덴보그는 1772년 3월 29일 그가 예언한 그날에 사망했으며, 세상을 놀라게 했다.

스웨덴보그의 교령술은 믿을만한가?

1758년 스웨덴보그는 익명으로 「천국과 지옥」이라는 책을 출간함으로써 전 유럽에 큰 파장을 일으켰다. 물론 모국인 스웨덴에서도 유명인사가 되었다. 그는 귀족이었고 스웨덴 의회의 상원의원이었으므로 여왕의 초청을 받아 참석했으나 이번 왕궁 참석은 여왕이 그의 교령술을 시험하기 위해서 이루어졌다.

여왕은 죽은 장군의 이름을 대면서 스웨덴보그에게 아느냐고 물었다. 그로서는 전혀 알지 못하는 생소한 인물이었다. 여왕은 장군의 이름을 써주면서 다음과 같이 말했다.

"그 장군은 죽기 전 나에게 한통의 유서를 보내왔소. 이와 같은 사실을 아는 사람은 아무도 없습니다. 장군은 유서 내용을 공표하지 말 것을 간곡히 권했기 때문에 아직까지 누구에게도 알리지 않았습니다. 그런데 유서 속의 인물들이 모두 타계하였고, 유서가 10년이 넘었으므로 여기에 모인 문무관 앞에서 공표하려 하오. 그러므로 스웨덴보그경이 영계에 가서 그 장군을 만나 그 유서 내용을 알고 와서 문무백관들에게 발표하시오."

스웨덴보그는 육체로부터 영체를 이탈시키기 위해 소파에 누워서 가볍게 탈출시킨 후 먼저 그 장군의 모습 등 정보를 얻기 위해 여왕의 영 속으로 들어가 탐색했다. 물론 여왕은 이와 같은 사실들을 상상할 수 없었다. 여왕으로부터 얻은 정보를 갖고 영계에 들어가 장군을 쉽게 찾을 수 있었다. 스웨덴보그는 텔레파시를 이용해 그 장군과 대화를 했으며 유서 내용을 물었다.

그 장군은 옛 기억을 회상했으며, 그 유서에는 전쟁터에서 그와 한 부하의 혁혁한 전공과 이 부하의 전공이 정부로부터 인정받지 못했음이, 그리고 용감했던 그 부하의 전공을 인정해 달라는 내용이 들어 있었다.

스웨덴보그가 그 유서 내용을 알고 자기 육신으로 돌아왔을 때 모두가 초긴장 상태에서 그를 지켜보고 있었다. 여왕에게 유서 내용을 말하자 여왕은 경악을 금치 못했다. 그리고 그 장군의 유서를 스웨덴보그에게 주면서 읽을 것을 권했다. 스웨덴보그가 그 유서를 읽었는데 그가 먼저 보고한 내용과 조금도 다름이 없었다.

순간 그곳에 참석했던 문무백관들은 탄성을 질렀다. 이 기상천외한 사건은 전 유럽뿐만 아니라 미국, 캐나다 등까지 신문을 통해서 알려졌다.

석가모니 부처님은 깨달으신 후 자신의 어머니인 마야 부인이 계시는 도솔천에 가서 설법을 하셨다고 불경에 기록되어 있다. 또한 부처님이 설법을 할 때 제석천 등 천신들이 와서 설법을 들었다고 불경에 기록되어 있다. 그러나 불교 신자들도 이와 같은 말씀을 잘 믿지 않는다.

스웨덴보그의 이 체험을 통해 이 불경 말씀이 진실임을 알 수 있다. 영계에는 시간과 공간에 구애받지 않기 때문에 아무리 먼 거리라도 금방 갈 수 있고, 모든 것을 알 수가 있는 것이다.

내가 독일에 있을 때 부비동염[축농증] 수술을 받았다. 수술받기 하루 전 내가 수술대에 누워 있었고, 나의 주변에 의사와 간호사들이 흰 가운을 입고 수술하는 장면을 꿈속에서 보았다. 신기하게도 돌아가신 어머니도 역시 흰 가운을 입고 의사와 간호사 사이에 계신 모습도 보았다.

나는 이 꿈을 꾸고 돌아가신 어머님이 지상에 오셔서 이 수술을 도와주셨다고 확신했다. 즉 어머니의 영체가 의사의 영체에 긍정적인 영향을 줄 수 있었다. 이처럼 영의 세계에서는 거리와 장소, 시간에 구애받지 않고 교류가 가능한 것이다.

불교는 마음을 강조한 종교이다. 심즉시불(心則是佛)이란 말이 있는데, 마음이 바로 부처님이란 뜻이다. 마음만 먹으면 모든 것을 알아 버리고 어디든지 갈 수 있다. 스웨덴보그 역시 이 마음의 중요성을 강조했다. 이 참마음 때문에 이 불가사의한 일을 그는 할 수 있었다. 나는 스웨덴보그의 교령술이 진실임을 확신하고 있다.

한번은 스웨덴에서 근무했었던 한 외교관 부인의 어려움을 풀어주어서 더욱 유명해졌다. 그 외교관은 홀란드인[네덜란드]이었으며 생전에 부인에게 보석을 선물하기도 했는데 그 당시 고인이 되었다. 보석상 주인은 그 미망인을 상대로 그 보석을 외상으로 샀으니 보석 대금 지불을 청구했다. 그 부인은 그 영수증이 있을 만한 곳을 모두 뒤졌으나 발견하지 못해서 스웨덴보그에게 도움을 청했다.

스웨덴보그는 흔쾌히 그 미망인의 어려운 사정을 해결해 주기 위해 영계로 가서 그 외교관을 만났으며, 그 보석을 사고 받았던 영수증이 침실에 있는 옷장 서랍 속에 있다고 전했다. 그 말을 들은 미망인은 크게 실망했다. 그녀는 서랍을 모두 샅샅이 찾아봤으나 발견하지 못했다. 스웨덴보그가 더 자세히 '당신 남편은 그 서랍 밑바닥을 이중으로 만들었으므로 그 서랍 밑을 뜯어보십시오'라고 말했다. 그의 말처럼 서랍 밑을 뜯어보니 서랍 밑에 또 한 층의 바닥이 있었고 그곳에 그 영수증뿐만 아니라 중요한 서류가 들어 있어서 큰 손해배상을 모면할 수 있었다.

이밖에 스웨덴보그의 초능력은 스웨덴의 수도 스톡홀름 화재사건에서도 여실히 드러났다. 스톡홀름에서 살았던 스웨덴보그는 회의 참석을 위해 스웨덴의 서부도시 고덴버그에 갔으며, 친구 집에서 '화재다! 화재! 스톡홀름에'라는 말을 남기고 그의 영체가 육체로부터 떠났다.

그의 영체는 스톡홀름 상공을 날면서 강풍을 만난 불길이 도시 전체로 번지는 것을 공포감과 우려 속에 보고 있었다.

천사들이 나타나자마자 바람이 90° 방향으로 바뀌었으며 불길이 순간 약해졌다. 그 불길은 스웨덴보그의 집으로부터 세 번째 집에서 멈췄다.

영체에서 육체로 돌아온 그는 안도의 숨을 깊이 들이 쉬었다. 그의 친구는 이 사실을 시장에게 알렸고, 시장은 곧바로 마차를 이용해 사람을 급파하여 조사시켰으며, 이 화재가 사실로 드러나 전 유럽뿐만 아니라 미국 등 북미인들을 감동시켰다. 그 당시에는 전화, 라디오, TV 등이 없었으며 오직 신문만이 있어 언론의 신속 성이 약했다.

수많은 그의 초능력을 일일이 열거할 수는 없다. 그의 서적들은 불티나게 팔렸으며, 그는 과학자로서 라기보다 영적으로 더 유명한 사람이 되었다.

칼 구스타프 융

에마누엘 칸트[독일 철학자], 헬렌 켈러[미국 맹농아 저술가], 토마스 카라일[영국 사상가], 발자크[프랑스의 문호] 볼프강 폰 괴테[독일의 시인], 칼 구스타프 융[스위스의 심리학자, 정신 병학자], 시어도어 루즈벨트[미국 26대 대통령]등 유명한 사람들 이 그의 저서를 통해 그의 영체설을 믿었고, 그의 초능력에 대해 경탄했다.

일본의 저명한 불교학자이며 종교사상가인 스즈키 다이세츠는 스웨덴보그를 북구의 아리스토텔레스요, 서양의 부처님이라고 격 찬한 바 있다.

내가 없다는 무아(無我)의 근본 뜻

　무상(無相), 무아(無我), 열반(涅槃)을 불교의 삼법인[三法印 : 불교의 세 가지 근본 교의]이라고 한다. 모든 존재는 항상 그대로 있지 않고 늘 변하므로 무상하다고 한다.

　모든 존재는 나라고 할 것이 없으므로 무아라고 한다. 열반은 깨달아 불성의 세계에 들어가면 영원히 고요하고 평화로우며 행복해지는 것을 말하며, 죽음을 열반이라고도 표현한다. 여기에 모든 것이 고통이라는 가르침을 더해서 사법인[四法印 : 제행무상, 제법무아, 열반적정, 일체개고]이라고도 부른다. 법인은 불교에서 인가한 가르침이다.

　일반 사람들은 모든 존재가 무상하다고 말을 하면 잘 이해하는데 고유한 내가 없다고 말을 하면 잘 이해를 못한다. 그리고 스님이나 학자들은 무아에 대해서 서로 다른 견해를 갖고 있다.

　사람들은 지금 내가 숨을 쉬고 살아가고 있는데 내가 없다고 말을 하면 잘 이해를 못한다. 그러나 나의 존재를 분석해 보면 산소, 수소, 질소, 탄소 등 물질로 구성되었음을 알 수 있다. 이와 같은 원소들은 이 우주에 가득 찼으므로 나라는 고유한 것이 없다고 말할 수 있다.

「반야심경」에 오온(五蘊)이 비었다고 말씀하였다. 오온은 색수상행식(色受想行識_을 말한다. 색은 물질적이고 육체적인 것을 말하며, 수상행식은 느끼고 생각하는 의식작용을 말한다. 즉 감성과 이성작용을 말한다.

인간은 보고 듣고 생각하면서 자기와 세상물정을 알아간다. 그러나 이성과 감성은 육체적이고 정신적인 작용 때문에 일어나므로 오류일 수 있으며, 비실존적이고 반야심경의 말씀처럼 비었다고 말할 수 있다.

부처님은 불성[자성, 법신, 영체, 근본 마음]이 나 자신과 우주에 가득 찼음을 아는 것이 깨달음이라고 하셨다. 나는 인간의 이성과 감성을 통해서 알 수 없는 신비한 불성의 세계를 체험하고 있다. 「꿈의 창조성」에서 언급했듯이 나는 사람들이 오줌을 마시면 이 오줌이 장 속에서 발효되어 유익균이 많이 만들어진다는 사실을 세계 최초로 발견했다. 불성의 작용 때문에 발견했다. 또한 이관(耳管)에 이물질이 들어가서 염증이 생겼으나 엑스레이 촬영으로 밝혀내지 못했다. 그러나 꿈속에서 나는 이관의 염증을 보았다. 그리고 이 이물질이 전부 배출되면서 치료되어가는 과정을 보았다. 이관에 이물질이 있었으므로 코 안에 코딱지가 달라붙었다. 이 경우 면봉에 타액을 흠뻑 적신 다음 이 면봉으로 코 안을 청소하면 코딱지가 잘 제거된다. 이렇게 한 다음 손가락으로 한 쪽 코 옆을 누르면 그 쪽 콧구멍은 막히고 다른 쪽 콧구멍만 열린다. 이

상태에서 코를 풀면 분비물이 잘 제거되며 다른 쪽도 이처럼 코를 풀면 잘 게거된다. 그러나 양쪽 콧구멍으로 동시에 풀면 잘 분비물이 제거되지 않는다.

이 면봉으로 코딱지를 제거하는 모습, 코를 푸는 모습, 그리고 이관과 뇌에 쌓였던 이물질이 전부 배출되어지는 모습을 꿈 속에서 보았으며 지금은 완치되었다. 이 병으로 약 4~5년을 고생하였는데 지금은 완치되었다.

인간의 이성이나 감성으로써 도저히 알 수 없는 진실을 나의 불성은 신처럼 모두 알아서 꿈을 통해서 나에게 알려주므로 나의 근심과 걱정을 없애고 평화롭게 한다. 그리고 이 책에서 서술한 것처럼 수많은 예지몽을 꾸었고 지금도 꾸고 있다.

백성욱 스님 등 수많은 선각자들이 예지몽을 통해서 미래에 일어날 사건 등을 알았다. 사람들은 이와 같은 신령스러운 꿈이 불성의 작용임을 확신할 것이다. 따라서 오온 즉 색수상행식이 비었고 실재하지 않으며, 오직 불성만이 이 지혜의 광명을 항상 비추며 실재한다.

부처님은 쿠시나라에서 열반에 들 때 아난 등 제자들에게 다음과 같이 말씀하셨다. "너 자신을 등불로 삼고 너 자신에 의지하고 법의 등을 등불로 삼고 법에 의지하라(自燈明 法燈明)." 이 말씀은 자신 안에 있는 불성을 밝혀서 불성에 의지하고 부처님 가르침에 의지하라는 뜻이다.

부처님은 「법화경」에서 일불승(一佛乘)을 말씀하셨다. 일불승이란 모든 사람이 자신 내부에 있는 불성 또는 자성을 깨달아 부처님처럼 성불한다 라는 뜻이다.

부처님은 일생을 3기로 나눠서 설법하셨다. 초기에 화엄경, 연기법, 사성제, 중도사상을, 중기에는 반야경, 금강경 등 공(空)사상을 말기에는 법화경, 여래장경, 열반경 등을 통해 일불승을 설법하셨다.

초기부터 불성을 설하시면 사람들이 이해하지 못할 것 같아서 연기법, 사성제 등을 설법하셨다. 부처님은 「법화경 방편품」에서 다음과 같이 말씀하셨다. "사리불아, 너희들은 이 법화경의 가르침을 일심으로 믿고 알아서 부처님의 말씀을 마음 속 깊이 받아가질지니라. 모든 부처님의 말씀에는 허망됨과 거짓이 없나니 이승이나 삼승은 없고 오직 일불승만 있느니라."

또 부처님은 「법화경 비유품」에서 다음과 같이 설법하셨다.

"여래도 이와 같아서 거짓이 없으니 처음에는 성문승과 연각승과 보살승의 3승을 말하여 중생들을 인도한 뒤에 오로지 대승으로 제도하여 해탈하게 하느니라. 왜냐하면 여래는 한량없는 지혜와 힘과 두려움 없는 여래 법장이 있어서 모든 중생에게 대승의 법을 주건마는 능히 그것을 받지 못하기 때문이니라. 사리불아 이러한 인연으로 부처님들은 일불승을 위해 성문승, 연각승, 보살승을 설한 줄을 알아야 하느니라."

연기법, 사성제, 중도사상 등을 듣고, 이해하고 실행하는 사람들은 성문승, 연각승이라고 하고 불성을 깨달아 성불하고자 하는 마음을 갖고 중생들을 불교로 인도하는 스님을 보살승이라고 한다. 성문승, 연각승은 자신의 이익을, 보살승은 중생의 이익을 위해 노력한다.

부처님의 궁극적인 목적은 모든 부처님들이 이와 같이 성불하였으므로 모든 사람들도 계율을 잘 지키고 선정에 들며, 지혜를 닦으면 성불할 수 있음을 부처님은 설법하신다. 그리고 일불승을 위해 방편으로 성문, 연각, 보살승을 설법하셨다.

대승(大乘)은 큰 수레를 말하며 일불승 사상을 담고 있다. 모든 존재의 실상은 불성이므로 모두가 하나라는 결론에 도달한다. 따라서 대승에서는 중생과 부처가 둘이 아니고 같다. 그러므로 대승 사상을 갖고 수행하는 보살들은 민중 속에 들어가서 모든 중생들과 함께 성불하기를 발원한다. 마치 연꽃이 진 흙 속에서 향기를 내뿜으며 화려하게 피어나듯이.

이와 반대로 소승은 작은 수레를 말하며 성문승, 연각승이 소승이다. 소승의 수행자들은 중생의 구제보다 자기 자신의 성불을 목적으로 하기 때문에 번거로운 현실을 떠나 산 등 조용한 곳에서 수도 생활을 한다.

연기법과 공사상을 강조하는 학파는 불성을 부정하지만 그러나 대승과 유식학파는 불성을 강조한다. 전자(前者)는 초기 부처님의 가르침만을 중요하게 생각하기 때문에 불성을 부정한다. 그러나 앞에서도 말했듯이 부처님은 말기에 불성을 깨달아 성불하기 위해 방편으로 연기법과 사성제, 중도, 공사상을 설법하셨다. 따라서 후자인 대승과 유식학파의 이론은 옳다고 본다.

윤회도 일종의 연기법인데 나라는 윤회의 주체가 없이 어떻게 다시 태어날 수 있겠는가? 그러므로 유식학파는 모든 사람 등 중생이 갖고 있는 아뢰야식에 근거해서 윤회한다고 하여 아뢰야 연기라고 한다. 아뢰야식은 불성이므로 불성 연기라고도 한다.

인간의 아뢰야식에는 몸, 입, 뜻으로 지은 업이 전부 저장되므로 여래장(如來藏)이라고 한다. 이 여래장의 장은 저장한다는 뜻이다. 따라서 여래장에는 불성뿐만 아니라 전생과 현생에 지었던 모든 업이 전부 저장되어 있다. 이 저장된 것 업이 윤회와 극락왕생의 씨앗이 될 수 있다.

사람이 최면상태에서 어린시절 잊었던 사건뿐만 아니라 전생도 회상할 수 있는 것은 이 여래장에 전부 업이 저장되었기 때문이다. 아뢰야 연기를 여래장 연기라고도 부른다.

「화엄경」의 주요 사상을 법계연기(法界緣起)라고 한다. 법계연기란 인간뿐만 아니라 생물, 무생물까지도 불성을 갖고 각자의 영역을 유지하며, 윤회하면서 조화를 이루는 것을 말한다. 이 세상의 모든 존재는 따로따로 떨어져서 존재하는 것이 아니라 사실은 모두 불성을 갖고 있으면서 서로 밀접한 상관관계 속에 있고 윤회한다. 아뢰야 연기를 우주 법계의 면에서 법계연기라고도 부른다.

「열반경」에서 부처님은 인간뿐만 아니라 모든 중생은 불성 또는 자성을 갖고 있다고 말씀하였다. 그러므로 연기법과 중간학파의 무불성 이론은 잘못된 것이다.

「수능업경」 제 4권에서 부처님은 다음과 같이 말씀하시므로 불성 또는 본성이 있음을 증명하셨다. 먼저 아들인 라훌라에게 종을 치게 한 다음 아난 등 제자들에게 물었을 때 제자들이 소리가 난다고 말했다. 종소리가 사라지자 부처님이 다시 물었을 때 제자들이 소리가 안 들린다고 대답했다. 부처님은 제자들의 대답을 듣고 다음과 같이 말씀하셨다.

"내가 처음에 물었을 때 종소리가 난다고 말을 하고 다시 물었을 때 안 들린다고 말을 너희들이 했으니 이렇게 소리가 난다. 소리가 안 들린다고 말을 했으므로 이것이 이랬다 저랬다 하는 것이 아니냐? 아난아! 종소리가 스러지고 메아리까지 없어진 것을 네가 들음이 없다고 말을 하니 참말로 들음이 없다면 안 들린다고 말을 하느냐? 참으로 듣는 성품이 없어져서 못 듣는다면 마치 죽은 고목나무와 같으니라."

부처님은 사람 등 모든 중생이 불성 또는 본성이 있기 때문에 들을 수 있음을 강조하기 위해서 종을 치게 한 다음 제자들에게 물으셨다. 눈, 귀, 코, 혀, 몸, 뜻의 작용이 역시 불성이 우리 몸속에 있기 때문에 이루어진다.

사람들은 다섯 감각기관과 뇌의 작용 때문에 보고, 듣고, 냄새를 맡는 등 오감을 느낄 수 있다고 생각하지만 불성 즉 마음의 작용 때문에 가능하다. 예를 들어서 누가 이야기 할 때 다른 생각을 하고 있으면 안 들린다. 오직 듣는데 마음을 집중했을 때만 들린다. 또 TV 시청을 할 때도 보고 듣는 데만 마음을 집중했을 때 보이고 들린다. TV 화면을 보고 있을 때 지나간 추억 등을 생각하면 눈은 비록 TV 화면을 보고 있어도 안 보이고 안 들린다. 이처럼 마음이 집중됐을 때만 보고 들으므로 궁극적으로 마음이 보고 듣는다고 말할 수 있다. 이 마음이 불성이고 본성인 것이다.

「수능업경」 제 4권에서 다음과 같은 꿈을 예로 들면서 불성이 있음을 증명하고 있다.

"어떤 사람이 잠을 잘 때 그 집안 여자들이 다듬이질을 하거나 방아를 찧으면 그 사람이 잠을 잘 때에도 방망이, 절구소리를 북이나 종을 치는 소리로 착각하여 듣는다. 문득 잠을 깬 이 사람은 집 안 사람들에게 내가 지금 꿈을 꾸었는데 이 절구소리를 북소리로 들었노라 하는 것과 같다. 아난아! 이 사람은 비록 잠을 자나 듣는 성품은 혼미하지 않는 것이다. 설사 네 목숨이 다 한들 이 듣는 성품이야 어찌 없어지겠느냐?' 이 성품이 불성, 본성이다."

여래장과 불성에 공여래장과 불공여래장이 있다. 여래장의 작용을 분석해 보면 이처럼 두 가지 여래장이 있다. 몸, 입, 뜻으로 지은 업은 모두 여래장에 저장된다고 말했다. 「금강경」에서 오온 즉 육체적, 정신적으로 지은 업이 공하다고 말했다. 이 빈 것들이 모두 여래장에 저장되므로 공여래장이라고 한다. 그리고 공여래장에 저장된 것들이 꿈을 통해서 나타난다. 따라서 부처님 말씀처럼 이 절구 소리가 그 사람의 공여래장에 저장되었다가 꿈속에서 북소리로 나타난다. 이처럼 인간 등 중생에게 여래장[불성, 본성]이 있기 때문에 꿈을 꾼다. 일반적으로 공여래장에 의한 꿈은 큰 의미가 없는 허몽이다. 여래장에 저장된 것이 윤회와 천상의 원인일 수 있다. 그러나 신령스럽게 작용하는 여래장을 불공여래장이라고 하며 이 여래장에는 지혜의 광명으로 가득찼으므로 불공여래장이라고 한다. 불공여래장에 의한 꿈을 미래를 알리는 예지몽이나 신비스러운 꿈인 영몽이라고 한다. 이어서 부처님은 제자들에게 다음과 같이 말씀하셨다.

"모든 중생들이 시작도 없는 과거로부터 모든 모습과 색깔과 소리를 따르면서 불성을 모른 채 허망하게 살아왔다. 맑고 밝아 신령스럽게 작용하는 불성을 깨닫지 못해서 윤회하고 있다. 따라서 언제 어디서나 항상 작용하는 불성을 모르고 일어났다 없어졌다 하는 생멸심을 쫓아다니므로 세세생생 온갖 잡념에 세뇌가 되어 삶과 죽음의 세계에 윤회하면서 지금까지 살아오고 있다. 그러나 만일 사람이 일어났다 사라졌다 하는 잡념과 번뇌를 버리고 진실로 항상 맑고 밝게 작용하는 불성을 깨달아 실천하면 모든 것이 환하게 드러나므로 눈, 귀, 코, 등 여섯 감각기관으로 인해 일어난 헛된 생각들이 즉시 소멸되리라."

이처럼 부처님은 나와 이 우주에 가득 차서 항상 신령스럽게 작용하는 불성을 깨닫고 6바라밀을 실천하면 열반에 들 수 있지만 겉으로 드러난 모습, 소리, 색깔에 집착하면 고통의 세계인 윤회를 벗어날 수 없다고 하셨다. 불성 또는 본성은 항상 있으므로 실재하지만 육체적 정신적인 것, 즉 색수상행식[오온]은 변하고 사라지므로 비었다고 말씀하셨다.

다음과 같은 실화를 통해 불성[법신, 영체]이 있음을 알 수 있다. 성철 큰스님은 설법하실 때 실제로 있었던 실화를 말씀하셨다. 성철 큰스님이 살아계실 때 한 스님이 해인사 주변에 있는 산의 잣나무에 올라가서 잣을 따다가 떨어져서 죽었다가 3일 만에 살아나셨다. 스님의 몸이 땅에 떨어지자마자 스님의 영체가 공중에 떠서 쓰러져 있는 몸을 보았다. 이렇게 영체와 육신이 분리되었다.

이 스님이 고향 집의 노모와 누이를 보고 싶은 생각을 하자 곧바로 스님의 영체가 고향 집에 와 있었다. 마침 누이가 상에 맑은 물을 올려놓을 때 스님이 누이의 옷깃을 만지며 물을 달라고 말을 했다. 갑자기 누이가 머리가 아프다고 어머니께 말을 하자 어머니가 악귀를 물리치기 위해 문 밖에 소금을 뿌렸다.

스님의 영체가 집을 나와서 절에 오는 도중에 아름다운 정자에서 무희들이 춤을 추고 있었다. 이 무희들이 함께 춤을 추자고 스님께 권유하였으나 스님의 신분으로 춤을 출 수 없다고 거절했다. 스님의 영체가 사찰에 왔을 때 돌아가신 스님을 위해 천도제가 진행되고 있었다.

두 스님이 염불하면서 천도제를 진행할 때 한 스님은 경상[작은 상] 경상을 말하고, 또 한 스님은 「제승행상」이란 책 이름을 말하는 것을 스님의 영체는 들었다. 3일 만에 죽었던 스님이 살아나서 천도제를 진행했던 두 스님께 왜 경상, 경상을 말하였으며, 이 책 이름을 불렀는지 궁금해서 물었을 때 이 두 스님들이 부끄러워서 얼굴이 빨갛게 물들어졌다. 경상과 이 책은 일시적으로 돌아가신 스님의 소유물이었으며 돌아가셨다고 생각했기 때문에 이 두 스님은 이 책과 경상을 갖고 싶었다. 일시적으로 돌아가신 스님의 영체가 이 두 스님의 욕심을 읽은 것이다. 불성인 영체는 사람들의 마음을 읽는 타심통을 갖는다.

스님의 영체가 고향의 모친과 누이를 보고 싶은 생각을 하자마자 스님이 집에 왔다는 것은 영의 세계에서는 시간과 거리의 개념이 없다는 것을 말한다. 죽었을 때 정자에서 무희들이 춤을 추는 장면을 봤는데 3일 만에 살아난 스님은 이 춤추는 장면이 무엇을 의미하는지 확인하기 위해서 사찰에서 집까지 길을 둘러보았다. 그런데 그곳에 연못이 있었으며, 그 연못 속에서 개구리들이 흥겹게 세레나데 합창곡을 부르고 있었다. 이 스님은 춤을 추었던 무희들이 개구리라고 여겼다. 만일 스님이 이 무희들과 함께 춤을 추었다면 개구리로 환생할 것이란 생각이 들었을 때 소름이 돋았다. 의식이 가물거리는 상태에서 사람들은 환상적이고 매혹적인 장면을 보는데 이 고혹적인 장면에 의해 정신이 미혹해진다. 아마 관세음보살이 이 스님을 이와 같은 방법으로 시험했으나 스님의 영체가 이 시험에 걸려들지 않았다고 여겨진다.

이 스님의 임사체험에서 사람의 마음까지도 아는 불성에 신과 같은 능력이 있음을 확인할 수 있었다. 또한 사람이 살아있을 때는 불성이 몸속에 있으므로 그 모양을 볼 수 없으나 육신이 죽으면 불성이 영체(靈體)로 나타난다. 즉 불성이 바로 영체이다.

어떤 스님이나 학자들은 불성이 허공과 같아서 형체가 없다고 말씀을 하시지만 임사체험자들은 영체의 몸을 보았다고 주장한다.

CIA요원이었던 대니언 브링클리[1945~]씨는 전화를 하는 가운데 벼락을 두 번이나 맞고 죽음을 체험했다. 그는 빛이 되어 하늘을 향해 날았으며, 빛을 발산하는 그의 영체를 다음과 같이 표현하고 있다. '나의 영체는 눈, 코, 귀, 입 등 감각기관을 갖추고 있었으며, 나는 내 손을 바라보았다. 손바닥은 반투명해진 상태로 어른어른 빛났고, 미역처럼 흐늘거렸다. 나는 가슴을 내려다보았다. 가슴 역시 반투명해진 채 산들바람에 하늘거리는 비단결처럼 물결치고 있었다.' 그의 말처럼 불성인 영체는 분명히 존재한다.

1976년 블링클리씨는 임사체험 상태에서 1989년에 소련의 붕괴, 1990년 중동 사막에서의 걸프전쟁, 1986년 소련의 원자력 발전소 폭발사고 등 약 100여 가지 앞으로 일어날 세계적인 사건들을 알았으며 많은 사람들 앞에서 발표했다.

「삶 뒤의 삶」의 저자인 레이몬드 무디 박사도 그의 예언을 믿지 않았으나 시간이 진행됨에 따라 대부분 그의 예언이 현실 속에서 적중됐음을 확인하고 경악을 금치 못했다.

블링클리씨는 생판 모르는 사람과 악수를 하면 그 사람이 오늘 누구와 전화를 했고, 무슨 우편물을 받았으며, 현재 그 사람이 무슨 생각을 하고 있는지를 정확히 알아냈다. 「빛에 의한 변화 Trans for med by the Light」저자인 멜빈 모스 박사는 이 책에서 임사체험자들의 영적 능력은 일반 사람들보다 탁월함을 발견했다. 블링클리씨의 영체가 영계 태양의 빛의 세례를 받음으로 인해 천안통, 타심통 등 신통력을 얻었다고 나는 믿는다.

스웨덴보그에 의하면 사람이 죽으면 중간 영계[중음계]에 가서 심판을 받으며, 선행을 많이 한 사람은 극락세계로 가고, 악행을 많이 한 사람은 지옥에 간다. 이 과정에서 영체의 모습도 변한다. 그에 의하면 블링클리씨가 본 것처럼 영체에도 눈, 귀, 코, 입 등 감각기관을 갖고 있으며 영체가 불투명하다. 이 영체가 극락세계에 가면 매우 투명하며, 다른 영체의 마음까지도 읽을 수 있다고 한다. 그리고 지옥에 떨어진 영체는 매우 험상궂다고 했다.

스웨덴보그에 의하면 동양인과 서양인, 현대인과 원시인의 영체 모습이 다르다. 그의 영체가 천상에 있을 때 한 무리의 동양인 영체들을 보았다. 이 동양인 영체들의 광배(光背)가 크고 매우 밝음을 보고 스웨덴보그는 이 영체들의 영적 능력이 탁월함을 알았다. 이 동양인 영체들이 자신들의 종교가 우월하기 때문에 스웨덴보그를 경멸하듯이 바라보았다고 기록했다. 약 260년 전 영계를 실제로 체험했고 연구하였으며, 그 당시 동양에는 불교가 주류를 이루고 있었다. 아마 이 동양인은 불교를 믿었으리라 추측하며, 스웨덴보그는 영계 체험을 계기로 불교를 공부하였으며 무불성 또는 무실체성(無實體性)을 주장하는 학파를 비판했다.

주름과 살가죽과 뼈만 남아서 육신은 죽지만 이 사람이 극락세계에 가면 매우 아름답고 투명한 모습을 갖춘다. 수많은 임사체험자들이 저승에서 먼저 돌아가신 조부모님, 부모님들의 영체를 만난다. 이승과 저승 사이에 터널이 있고, 영체가 이 터널을 빠져 나오면 눈부시게 밝은 광명을 볼 수 있으며, 돌아가신 분들의 영체들을 만난다. 이 영체들은 아직 저승에 올 때가 안 되었다고 신참 영체에게 돌아갈 것을 권한다. 이처럼 영체가 있기 때문에 알아본다.

부처님의 말씀과 스웨덴보그의 영계 체험, 대니언 블링블리씨 등 수많은 임사체험자들의 증언을 통해서 불성[법신, 본성, 진심, 영체]이 인간 등 중생과 이 우주에 가득 찼으며 항상 신령스럽게 작용함을 알 수 있다. 그리고 살아있을 때는 불성이 육신 속에 있으면서 작용하지만 죽으면 영체 속에 있으면서 신령스럽게 전지전능한다. 불성이 바로 영체인 것이다. 따라서 불성이 허공처럼 실재하지 않는다는 이론은 틀렸음을 알 수 있다.

모든 불성이나 영체는 영계 태양[아미타불]으로부터 생명 에너지를 받고 있기 때문에 존재한다. 따라서 불성은 하나다. 하나는 전체이고 전체는 하나다[一則多, 多則一]라는 「화엄경」의 말씀은 옳다고 본다.

모든 불성은 같으며, 나라고 특별히 주장할 것이 없으므로 무아(無我)이다. 그러나 허공처럼 실재하지 않는 것이 아니라 불성과 영체는 분명히 존재한다.

마음은 영혼에서 오는가? 뇌로부터 오는가?

　　서산대사[1520～1604]는 광대하고 무량한 불법을 한 눈에 알아볼 수 있게 하기 위하여 「선가귀감(禪家龜鑑)」이란 불교 지침서를 저술하셨다. 불교 교리의 중요성에 따라 1장에서 83장까지 분류하셨다.

　　「선가귀감」의 제1장에는 다음과 같은 구절이 있다.

　　"여기에 한 물건이 있다. 본래 밝고 신령스럽지만 이것은 일찍이 생겨나거나 소멸되는 일이 없다. 이름도 없고 모양도 없다. 한 물건이 무슨 물건인가? ○이라고 옛사람들이 말했다. 옛 부처가 나기 전에 둥근 한 모양이 엉키었다. 석가도 몰랐거늘 가섭이 어찌 전하랴. 한 물건이 어째서 생기지도 않았고 소멸되지 않으며, 이름도 없고 모양도 없다고 하는가?"

　　제 83장에서는 불성에 대하여 다음과 같이 말씀하셨다.

　　"신령스러운 빛 태양처럼 밝고 만고에 빛나니 이 문 안으로 들어와서는 지식으로 이해해서는 안 된다."

　　여기에서 한 물건인 신령스러운 빛은 불성[본성, 여래장, 영혼]

이고 마음의 광명이다. 불성은 사람뿐만 아니라 생물, 무생물에도 있으며, 불성은 우주가 생성되기 전에도 있었으며, 이 세상이 사라져도 존재한다. 깨달음이란 이 불성이 나와 만물에 들어 있음을 체험적으로 아는 것을 말하며, 자신의 얄팍한 지식으로 함부로 해석하지 말라고 당부하셨다.

서산대사는 이 책에서 진리인 불성의 중요성을 강조하기 위해서 불성의 존재와 작용을 처음인 제 1장과 마지막인 제 83장에 서술하셨다.

인간은 불성을 갖고 있기 때문에 스스로 생각하고 말을 하며 행동을 한다. 그러나 불성이 몸에서 빠져나가면 몸은 죽고 불성[영체, 진여]만이 남는다. 불성은 깨달아서 열반에 들고 극락세계에 가기 전까지 끝없이 윤회하면서 삶과 죽음의 고통 바다에서 헤어나지 못한다.

「화엄경」에 다음과 같은 구절이 있다. '마음은 화가와 같아서 세상의 모든 것을 그려낸다. 오온은 마음 따라 생기어서 무슨 법이나 물질을 만들지 못하는 것이 없다.'

화가가 그림을 그리듯이 마음은 모든 것을 만들어 낸다. 일체유심조(一體唯心造)즉 마음이 만물을 만들어낸다는 뜻이다.

또 참마음[眞心]으로부터 오온 즉 색·수·상·행·식이 생기며, 이 오온은 세상의 법과 물건을 만들어낸다. 색은 물질이나 육체를, 수상행식은 감성과 이성을 뜻한다.

마음에는 변하지 않는 참마음[진심]과 수시로 변하는 마음 즉 망심(妄心)이 있다. 이 참마음이 불성이고 여래장이며 영혼이다.

여기에서 마음은 참마음을 뜻한다. 인간 등 만물이 만들어지고, 생각하고 말하고 행동하고 느끼는 것도 인간에게 불성이 있기 때문에 가능하다. 불성은 신령스럽기 때문에 모든 것을 알며 불생불멸하고 더하고 덜하지도 않는다. 그러나 오온은 텅 비었다고 「반야심경」에 쓰여져 있다. 불성에서 나온 오온은 수시로 변하고 무상하므로 실재하지 않고 비었다.

현대 과학자들은 뇌와 신경조직의 작용에 의해 생각하고 말하고 행동한다고 주장한다. 뇌와 신경조직은 오온 가운데 색(色)이며 육체의 일부이므로 불교에서는 비었으며 실재하지 않는다고 말을 한다. 그러나 뇌를 연구하는 과학자들의 의견은 불교의 견해와 180도 다르다. 이와 같은 양 진영의 극단적인 의견 대립은 과학자들이 불성의 존재를 믿지 않는 데 있다.

인간의 뇌는 수백만 년 동안 진화되어 왔다. 파울 맥린(Paul Maclean)에 의하면 인간의 뇌는 파충류, 원시 포유류 그리고 인간 등 신생 포유류의 뇌 방향으로 점진적으로 진화되어 왔다.

뇌는 머리의 가장 하부에 있는 뇌간, 머리의 중심부에 있는 간뇌와 변연계, 그리고 가장 상부에 있는 피질로 구성되었다. 뇌간, 간뇌, 변연계, 피질의 순서로 진화되었다. 파충류[뱀]는 뇌간만 갖고 있고, 원시 포유류는 뇌간, 간뇌, 변연계만 갖고 있다. 사람은 4가지 모두를 갖고 있으므로 생활 속에서 동물의 성질도 부린다.

피질은 이성적이고 의식적인 작용을 한다. 따라서 계획, 생각, 판단, 성찰 등은 피질에 의해서 이루어진다. 변연계의 핵심 조직은 편도체와 해마이다. 변연계는 감성적이고 정서적 작용을 한다.

간뇌는 시상, 시상하부, 뇌하수체로 이루어졌으며, 간뇌는 자율
신경계를 지배하고 내분비계에 영향을 미친다. 특히 시상하부는
식욕, 성욕 등 원초적 욕구와 감정을 지배한다.

뇌간은 엔돌핀, 도파민과 같은 신경조절 호르몬을 뇌 전체로 보
내어 활력과 에너지를 준다. 따라서 정력적으로 행동할 수 있게
한다.

이상의 4 뇌조직들은 서로 긴밀한 관계 속에 영향을 주며 함께
작용을 한다. 낮은 단계의 간뇌와 뇌간은 상위 단계인 피질과 변
연계의 방향을 결정하고 에너지를 주면서 직접적으로 우리 몸을
지배한다. 그러나 피질 등 상위 단계는 하위 단계를 감독하고 통
제한다.

이와 같은 방법으로 뇌는 마음을 일으키고 형성한다고 과학자들
은 주장한다. 그러나 불교에서는 불성이 인간에게 있기 때문에 마
음이 생긴다고 말한다. 즉 마음은 불성으로부터 나온다. 나는 불
교의 가르침이 옳다고 생각한다.

과학자들은 인간이 불성[진심, 여래장, 영혼]과 육체로 이루어
졌음을 알지 못하기 때문에 수시로 변하는 마음과 생각이 뇌로부
터 온다고 믿는다.

약 26년 동안 영혼의 세계를 직접 체험한 스웨덴보그는 영계와
이 세상, 그리고 영혼과 육신의 관계를 동전에 비유했다. 하나의
동전에 앞과 뒷면이 있는 것처럼 우리 육신 속에 영혼이 내재되어
있다. 이 영혼이 불성이고 여래장이며 참마음이다.

나는 스웨덴보그의 주장을 전적으로 동의한다. 그러면 어떻게

영혼이 육신과 통합하여 하나의 인간을 구성하였는가? 나는 불성의 작용 때문에 인간 등 만물이 만들어진다고 믿는다.

불성에 업[카르마]이 입력되어 있으며, 이 업의 끌어당기는 힘에 의해 사람이 동물, 식물이 되기도 한다. 영혼인 불성을 여래장이라고 한다. 여러 번 언급했듯이 여래장에는 공여래장과 불공여래장이 있다. 여래장의 기능과 작용적인 면에서 이렇게 두 가지 여래장으로 분류한다. 불공여래장에는 전지전능한 신령스러운 지혜가 저장되었으며, 공여래장에는 몸, 입, 뜻으로 지은 업이 저장되어 있다.

어떤 사람에게 최면을 걸어 무의식 상태로 이끌면 잊었던 과거의 일뿐만 아니라 전생의 기억도 회상할 수 있다. 이 사례만 보더라도 사람이 지은 업이 전부 영혼인 여래장에 입력되고 있음을 알 수 있다.

그러면 사람은 어떻게 태어나는가? 업을 품고 있는 영혼이 업력[업의 끌어당기는 힘]에 의해서 어머니가 될 여자의 자궁속에 들어가 인간으로 태어난다. 실제로 캄보디아 내전 때 죽었던 한 남자가 다시 태어나기 전에 함께 살았던 부인과 재 결혼했다. (윤회는 가능한가? 참조) 영혼인 불성이 어떻게 여자의 자궁 속에 들어갈 수 있는가 의심할 수 있다. 영의 세계에서는 영혼이 마음만 먹으면 시간과 거리에 관계없이 어디든지 갈 수 있음을 여러 번 언급했다.

나는 독일에서 살 때 유체이탈[영혼이 육체로부터 분리된 현상]을 체험한 사람이 자신의 영혼이 사람들의 몸속을 드나들었으며,

지인의 코 속으로 들어가 축농증이 있음을 보았다고 기록하였으며 이 글을 읽었다. 처음에는 영혼이 어떻게 몸속을 드나들 수 있는가에 대하여 의심했으나 나는 무의식 상태 즉 꿈속에서 이 사실을 확인할 수 있었다.

나의 이관에 이물질이 들어가서 염증이 생겼으며, 이물질이 차츰차츰 배출되면서 치료되는 과정을 영혼인 불성의 눈으로 보았다. 최신 장비에 의한 뇌 촬영을 통해 확인하려고 했으나 발견하지 못했지만 꿈속에서 보았다. 그리고 내가 무릎이 아팠을 때 나의 꿈속에서 돌아가신 모친이 나의 무릎을 마사지하는 장면을 보았다.

이와 같은 사례를 통해 불성은 전지전능하며 어느 곳에나 있고, 인연이 있는 여자의 자궁 속에 들어갈 수 있다. 자궁 속에서 수정란이 착상될 때 업력에 의해 자궁 속에 들어온 불성과 수정란이 결합하여 한 인간으로서 태어난다.

부처님과 「사자의 서」 저자인 파드마 삼바바가 최초로 이 이론 '불성과 수정란과의 합성'을 주장했다. 파드마 삼바바는 8세기 인도 불교대학인 날란다 대학 교수였고, 티벳에 불교를 정착시킨 제2의 부처님으로 지금도 추앙받고 있다.

파드마 삼바바는 무의식 상태인 깊은 선정 속에서 자신의 제자인 만다라바 공주가 태어나는 과정을 자세히 보았다. 만다라바는 사울국[인도북부 지방]의 공주였다.

파드마 삼바바는 빛이 되어 사울국 왕비의 자궁 속으로 들어가서 만다라바의 영혼이 자신의 육신을 만나기 위해 이 왕비의 자궁 속으로 들어오는 것을 보았다. 이 영혼이 자궁 속의 수정란과 결합된 모습을 푸른 풀 위에 의지한 벌레와 같았다고 표현했다. 이뿐만 아니라 파드마 삼바바는 꿈[무의식 상태]속에서 많은 사람들이 이와 같은 과정을 통해 태어나는 것을 보았다. 부처님은 어머니의 자궁 속에서 영혼과 수정란이 합성된 것을 갈라람[Kalala의 음사어]이라고 말씀하셨다.

반야심경은 색[色 : 육체]이 공[空 : 불성, 영혼]이라고 했다. 여기에서 공은 아무 것도 없는 허공이 아니라 허공 속에 깃든 영혼[불성]을 말한다. 인간 등 중생은 육체[색]와 영혼[공]으로 이루어졌으므로 색이면서 공이다. 색과 공이 둘이 아니라 하나이며 같다.

이렇게 태어난 인간으로부터 불성[영혼, 영체]을 찾고 규명한다는 것은 과학의 방법으로 불가능하다. 그러나 심리학, 심령학, 종교학, 임사체험과 유체이탈, 그리고 무의식 세계에 대한 연구 등을 통해서 불성의 존재를 밝혀낼 수 있다.

여기에서 한국에서 일어난 임사체험자의 증언을 통해 어떻게 불성이 마음을 일으키는지 확인해 보기로 하자.

서울에 사는 김철중씨[65세]는 요식업으로 돈을 많이 벌었으나 약 10여년 전부터 고혈압과 협심증으로 고통을 받았다.

1998년 겨울, 그는 갑자기 이 심장병으로 죽었으며 의사의 사망 진단을 받은 후 장례식 날 장례 절차가 진행되고 있었다. 조문객들 가운데 친구들이 오자 젊은 자식을 잃은 어머니가 친구들을 붙잡고 대성통곡을 하셨다. 김철중씨 영체가 어머니를 붙잡으면서 만류를 해도 그의 존재를 느끼지 못한 채 이 어미를 혼자 놔두고 가버린 불효자라고 하시면서 우셨다. 그런 다음 누님이 나타나서 울면서 1억의 돈을 빌려갔으나 갚지 않고 갔다고 거짓말을 하고 있었다. 이 장면을 모두 보고 들은 김철중씨의 영체는 이승에서 벌어지는 이와 같은 일에 변명할 수가 없었다.

미국에 유학을 간 딸이 어떻게 생활을 하고 있는지 보고 싶을 때 갑자기 그의 영체가 미국까지 와서 딸의 일상생활을 보았다. 잘 알고 지내는 사람들을 보고 싶은 마음이 일어나면 그의 영체는 벌써 지인들의 집에 가 있었다. 이 영체가 바로 불교에서 말하는 불성이고 여래장이다. 그러다가 장례식장이 생각나면 그곳에 가 있었다.

갑자기 하늘에서 천둥치는 소리와 함께 밝은 빛이 비추더니 그의 눈이 떠졌다. 이때 그의 시신을 관 속에 넣고 있었다. 그가 살아나자 주변 사람들이 소스라치게 놀라고 있었다.

그가 죽었다 깨어난 후 가장 먼저 누님에게 장례식 날 그의 시체 앞에서 1억의 돈을 안 빌렸는데도 왜 거짓말을 했는지 물었을 때 누님은 고개를 푹 숙이며 동생이 많은 돈을 남기고 죽었으므로 그 돈이 모두 동생 부인에게 가기 때문에 탐욕이 생겨서 말을 꾸몄다고 실토했다.

1978년 페니실린 주사 부작용으로 임사체험을 한 김성태씨는 영체 상태에서 신안군 도초섬에 사시는 부모님을 보고 싶은 마음만 먹으면 부모님을 보았고, 그가 소속된 종교 단체를 생각만 해도 TV 화면처럼 나타났다고 술회했다.

약 250년 전 스웨덴보그는 26년 동안 육체 안에 있는 영체를 분리시켜서 영계의 세계에 날아가 연구했으며 「천국의 비의」등 수많은 저술을 남겼다. 인류 역사상 살아있는 사람이 육체로부터 영체를 분리시킨 후 26년 동안 영계를 왕복한다는 것은 전무후무한 일이다.

그는 영체 상태로 있을 때 마음만 먹으면 무엇이든지 보고 어디든지 갈 수 있을 뿐만 아니라 다른 사람의 마음까지도 읽을 수 있는 신통력을 발휘했다. 또한 그는 그의 사망 1년 전에 1년 후인 1772년 3월 29일인 그의 사망 년·월·일을 정확히 예언했으며 실제로 이 예언이 적중되어 또 한 번 세상을 놀라게 했다.

다음은 스웨덴보그가 직접 쓴 글을 여기에 옮기기로 한다.

「이 수기의 마지막에 나는 존 웨슬레이라는 교회 목사에게 보낸 편지에 대하여 써두기로 하겠다. 일부러 이런 사신(私信)을 내가 여기에 밝히는 이유는 이 글에 나의 최후의 교령술(交靈術)의 결과가 있기 때문이다.

그 결과는 엄격하게 말하면 나의 사후가 아니면 그것이 사실이라는 것이 증명되지 않겠지만 나는 나의 사후에 그것이 증명되리라고 굳게 믿고 있다. 나는 존 웨슬레이에게 다음과 같은 편지를 보냈다. 그는 이때까지는 내가 모르는 사람이었는데 나는 영체로서의 지각으로 그에게 편지를 보낼만한 사항들을 알았기 때문이다. '나는 당신이 영혼의 세계에서 나의 영체를 만나고 싶어 한다는 것을 알았습니다. 그리고 나는 1772년 3월 29일에 이 세상을 버리고 참다운 영계의 영체가 되리라는 것이 이미 정해져 있는 터라 이 사망 날짜도 다른 사람에게 알려 주시기 바랍니다.' 그러자

나의 편지를 받은 존 웨슬레이에게서 다음과 같은 매우 감동적인 답신이 왔다. '나는 유명한 영매인 당신의 이름을 오래 전부터 알고 있었습니다. 나는 당신이 보낸 편지를 친구들의 면전에서 개봉했습니다. 하지만 내가 영계에서 당신을 만나고 싶어 한다는 사실을, 한 번도 만난 적이 없는 당신이 어떻게 알았을까 하고 모두가 이상하게 여기고 경악을 금치 못하고 있습니다.'

나는 그의 영으로부터의 교신에 의해서 그가 희망하는 것을 나의 영적 지각을 통해서 알게 되었으며, 이것은 살아있는 사람의 영과의 교신에 의한 것이고, 나에게는 흔히 있는 예에 지나지 않는다.

그것은 그렇다 치고, 살아있는 사람의 영과의 나의 교령술은 존 웨슬레이로부터 온 회답으로 분명히 증명되었을 것이다. 내가 존 웨슬레이에게 보낸 편지에서 밝힌 나의 죽는 날에 대한 예언을 지금은 믿어 주는 사람이 별로 없겠지만 나의 사후 즉 1772년 3월 29일 이후에는 그것이 사실이라는 것이 증명될 것이다.」

그의 예언은 적중되었으며 지금도 그를 기리고 추모하는 단체가 스웨덴과 영국에 있다.

도로시 엘리슨[Dorothy Allison : 1924~1999] 여사는 살인, 실종, 납치 등 범죄를 밝히는 무속인으로서 미국에서 유명한 사람이다. 도로시 여사는 1990년에 9년 후 자신의 75 생일 직전에 죽을 것을 언론에 발표했으며, 그녀의 말처럼 그 생일 4주 전에 죽었다. 이런 예지력은 영계와의 소통 때문에 생긴다. 나이가 많았을 때 임사체험을 한 사람들은 스웨덴보그처럼 그들의 사망일을 잘 안다.

백성욱 스님과 나처럼 신령스러운 꿈을 통해서 인간의 이성과 감성으로서 도저히 알 수 없는 것을 아는 신통력은 인간의 육체로부터 분리된 영체가 영혼의 세계에 들어가서 교류하였기 때문에 생긴다고 스웨덴보그는 주장했다.

임사체험을 한 김철중씨가 미국에서 공부하고 있는 딸을 생각할 때, 그리고 지인들의 안부가 궁금해서 알고 싶은 마음을 가질 때 그의 영체가 미국의 딸 집에, 그리고 지인들의 집에 갔었다. 이 사실을 살아난 후 딸과 지인들에게 말했을 때 딸과 지인들이 그들의 꿈속에서 김철중씨와 대화를 했다고 회상했다. 이 사실을 통해서 무의식 세계인 꿈속에서 죽은 자와 산 자의 영체가 서로 교류하고 교감한다고 말할 수 있다.

두뇌의 무게는 체중의 약 2%에 불과하지만 전체 산소와 당분 소비량의 약 25%에 이른다. 그리고 뇌는 깊은 정신노동을 할 때나 잠들어 있을 때나 같은 양의 에너지를 소비하지만 위장, 심장, 간, 폐 등 장기는 깨어있을 때 많이, 잠잘 때에는 매우 적게 에너지를 소비한다.

인간은 자율신경[교감신경과 부교감신경]의 지배를 받는다. 혈액순환, 호흡, 소화 작용 등 생명 활동에 직결되고 의식이 없는 상태에서도 자율적으로 작용하는 신경이므로 자율신경이라고 한다.

낮에 활동할 때, 스트레스를 받을 때, 운동을 할 때에 교감신경이 활성화 된다. 교감신경은 에너지의 소비상태를 관할하는 신경이다. 교감신경이 활성화 되면 아드레날린, 노르아드레날린 그리고 뇌에서는 도파민이 분비되고 부교감신경의 작용은 억제된다. 그러나 밤에 잠을 잘 때, 휴식을 취할 때에는 부교감신경이 활성화 되고, 이와 반대로 교감신경의 작용이 억제된다.

부교감신경이 활성화 되면 이 신경에서 아세틸콜린이란 호르몬이 분비되어 혈액순환과 호흡작용을 원활하게 하고, 소화액의 분비를 촉진시켜 장운동을 활발하게 한다. 이 신경은 피로를 회복시키고 에너지 비축 역할을 한다. 그러면 뇌는 왜 숙면을 취할 때에도 낮에 활동할 때처럼 교감신경이 활성화 된 상태에 있고 엔돌핀, 도파민이 분비되며 에너지 소비를 많이 하는가? 의심이 생긴다.

영혼[영체, 불성, 여래장]은 잠을 잘 때, 즉 의식이 없는 상태[무의식]에서 꿈을 꾼다. 앞에서도 언급했듯이 사람은 신령스러운 꿈을 또는 허망한 꿈을 꾼다. 이와 같은 영혼의 작용 때문에 교감신경이 활성화 되고 엔돌핀과 도파민이 분비된다. 인간의 육신 특히 뇌는 영혼과 분리될 수 없고 하나로 통일되어 있으므로 잠을 잘 때에도 깨어 있을 때처럼 교감신경이 활성화 되어 긴장되고 젊은 사람의 경우 몽정도 하며 에너지 소비를 많이 한다. 그러나 위와 장, 심장, 혈관, 폐, 간 등 신체 조직은 잠을 잘 때 부교감신경이 활성화 되므로 이완되고, 혈류가 촉진되어 피로감이 사라지며 에너지가 비축된다.

이처럼 영체와 통합된 뇌는 잠을 자고 있을 때에도 죽은 사람의 영혼 또는 영체와 꿈속에서 교류하고 있기 때문에 교감신경의 지배를 받는다. 따라서 잠을 잘 때에도 깨어 있을 때처럼 뇌는 똑같은 에너지를 소비한다. 그러나 위장, 간, 심장 등 장기는 영체와 분리되어 있기 때문에 잠을 잘 때에는 부교감신경의 지배를 받는다. 그러므로 잠을 잘 때 에너지 소비가 억제된다. 그리고 김철중씨와 스웨덴보그의 예처럼 죽은 상태에서 뇌의 작용이 억제되었다. 이때 영혼은 마음만 먹으면 딸과 지인들을 만나고 대화를 했다. 특히 스웨덴보그의 영혼은 살아있는 존 웨슬레이 목사의 마음까지도 아는 신통력을 발휘했다.

이와 같이 영체 또는 영혼은 뇌의 도움 없이도 독립적으로 마음과 생각을 일으키고 경우에 따라서 전지전능한 능력을 갖는다.

떠돌아다니는 영혼이 어떤 사람의 몸속에 들어가 그 사람의 영혼을 쫓아내고 떠돌이 영혼이 몸의 주인 행세를 하는 현상을 빙의라고 부른다. 빙의현상이 일어나면 떠돌이 영혼이 육체의 주인이 되므로 빙의 전 사람과 완전히 다른 사람이 된다. 우리나라에서도 언론을 통해 심심찮게 알려지고 있다. 가장 유명해져서 세계적으로 잘 알려진 빙의현상은 미국에서 일어났다.

1898년 미국의 크리스틴 비이첨이라는 처녀는 매우 내성적이고 과묵한 사람이었는데 갑자기 쾌활하고 명랑해졌다. 이 변화된 처녀는 자기는 셜리이고 크리스틴이 아니라고 주장했다. 셜리의 말처럼 실제로 이 두 인격체의 성격뿐만 아니라 목소리까지 뚜렷하게 달랐다.

셜리가 육체를 지배하고 있는 동안은 셜리의 성격으로 행동을 하고 말을 하며, 크리스틴이 셜리의 영혼을 쫓아내고 그 몸을 지배하면 크리스틴으로 행동하면서 그 전에 셜리가 행동했던 것을 전혀 기억하지 못했다.

이와 같은 빙의현상은 크리스틴의 주치의사인 프린스 박사가 쓴 책 「한 사람이면서 두 사람의 처녀」에 의해서 알려졌다. 이 빙의현상이 언론에 의해 발표됨으로써 심리학과 심령학계에 비상한 관심을 일으켰다.

빙의는 한 몸에서 일어나는 둘 이상의 영혼체라고 말할 수 있다. 빙의현상을 고찰함으로써 인간은 영혼[영체, 불성, 여래장]과 육체로 이루어졌음을 알 수 있다. 그리고 영혼이 주인이고, 육체는 영혼을 감싸고 있는 껍데기에 불과하다.

이 글을 쓸 무렵 나는 다음과 같은 꿈을 꾸었다. 많은 쇠사슬이 뒤죽박죽 뒤얽혀 있었으며, 이 엉클어진 쇠사슬들에 자물쇠가 채워져 있었다. 나는 미리 준비한 열쇠로 이 자물쇠를 끌렀다.

나는 이 꿈에서 쇠사슬들이 인간을 구성하는 염색체와 영체를 상징한다고 믿는다. 내가 열쇠를 이용해 엉클어진 쇠사슬들을 분리시키고 해체하는 것은 인간의 씨앗인 수정란이 자궁 속에서 착상될 때 업력[카르마]에 의해 찾아온 영체와 결합됐으며, 이 영체와 통일된 수정란에 대해 해명하는 것을 상징한다.

남자의 정자와 여자의 난자가 만나서 수정란이 되며 자궁 속에서 이 수정란이 끝없는 세포 분열을 통해서 태아로 발전한다. 세포가 분열할 때 염색체가 생기며, 이 염색체의 모양이 나선형의 용수철이나 실타래처럼 생겼다. 염색체는 유전자를 포함하며 유전이나 성의 결정에 중요한 역할을 한다.

나의 꿈속의 용수철 모양의 쇠사슬은 염색체와 영체를 상징함을 알 수 있다. 인간은 영체와 육체로 이루어졌음을 이 꿈은 나에게 알리고 있었다.

최면상태에서 잊었던 과거의 일과 전생에 경험했던 일까지도 회상할 수 있는 능력, 김철중씨가 임사상태에서 마음만 먹으면 미국에 있는 딸과 지인들을 볼 수 있었던 능력, 그리고 장례식 때 사람들이 하는 말을 들을 수 있는 능력, 내가 꿈속에서 뇌 촬영으로도 밝혀 낼 수 없는 질병을 보고 치료되는 과정을 알 수 있는 능력, 스웨덴보그의 생판 모르는 사람의 마음과 자신의 사망 날짜까지도 아는 능력들은 모두 전지전능한 영혼으로부터 온 것이다.

빙의현상은 한 몸을 두고 일어난 영혼들의 쟁탈전이다. 빙의현상을 통해 영혼이 주인공이고, 뇌와 육체는 껍데기에 불과하다는 사실을 알 수 있다.

마음과 생각은 궁극적으로 영혼으로부터 나오며, 뇌와 육체는 영혼의 부속품에 불과하다. 과학자들은 인간이 영혼과 육체의 통일체임을 모르기 때문에 마음이 뇌로부터 나온다고 말하지만 정답이 아니며 반쪽짜리 답이다.

'신령스러운 밝은 빛이 태양처럼 빛나며, 이 빛은 나지도 소멸되지도 않으며, 이름도 모양도 없다'라고 「선가귀감」은 불성[영혼, 영체]에 대해서 설명을 하고 있다. 여기에서 이름도, 모양도 없다 라고 말하고 있지만 이름을 굳이 붙이면 불성이고 영혼이다. 육안으로 보면 모양이 없지만 영혼의 눈으로 보면 분명히 영체가 있다. 영혼이 궁극적으로 마음을 일으키고 만든다. 그러나 살아있을 때의 마음과 생각은 영혼과 뇌의 합작품인 것이다.

90

꿈과 해몽

　사람은 꿈을 매일매일 꾼다. 그러나 어떤 사람은 꿈을 꾸지 않는다고 말한다. 이런 사람들은 꿈을 꾸지만 금방 잊어버리기 때문에 꾸지 않는다고 말한다. 원숭이, 고릴라, 개, 고양이 등 고등동물도 연구결과 꿈을 꾸는 것으로 밝혀졌다.

　우리나라의 고서인 「해몽요결(解夢要結)」에는 꿈을 다음과 같이 분류하고 있다.

　영몽(靈夢) : 신이 알려주는 신령스러운 꿈. 신의 계시.

　정몽(正夢) : 일정한 줄거리가 있고, 뚜렷하여 잊혀지지 않는 꿈. 앞으로 일어날 일 등을 알리는 꿈.

　심몽(心夢) : 마음속에 품었던 생각이 꿈속에서 나타나는 꿈. 마음의 자극에 의한 꿈

　허몽(虛夢) : 큰 의미가 없는 꿈.

　잡몽(雜夢) : 두서없이 펼쳐진 꿈.

　악몽(惡夢) : 가위눌림

　우리나라 뿐만 아니라 세계 여러 나라에서도 이와 비슷한 꿈의

종류가 있다. 중국의 「주례춘관(周禮春官)」에는 다음과 같은 6가지 꿈[정몽(正夢), 사몽(思夢), 희몽(喜夢), 악몽(惡夢), 오몽(寤夢), 구몽(懼夢)]이 기록되어 있다.

이처럼 여러 종류의 꿈이 있기 때문에 꿈을 연구한 학자들은 꿈에 대하여 여러 가지 견해를 발표하고 있다. 허몽을 자주 꾼 사람은 꿈이 아무런 가치가 없다고 주장한다.

빈츠(Binz)는 '꿈의 내용이 허무맹랑하다. 꿈은 서로 관계가 없는 사람과 사물들을 연결하지만 결국 마치 만화경처럼 터무니없고 어리석은 것이 된다'라고 주장하고 있다. 또 슈트룸펠(Strumpell)은 깨어 있을 때와 꿈을 꿀 때를 비교하면서 다음과 같이 말했다.

"꿈속에서 우리 마음은 기억할 수 없으며, 깨어 있을 때의 명료한 의식과 사건 내용을 꿈속에서는 찾을 수 없다. 깨어 있을 때에는 생각하고 말을 하지만, 꿈속에서는 감각을 통해 나타낸다. 꿈속의 사건들은 서로 연결되지 않고 어긋나며 서로 모순적이다. 또한 불가능한 일을 가능하게 하며, 반지식적이고 비윤리적이고 비도덕적이다."

19세기의 빈츠와 슈트룸펠은 꿈을 허몽과 잡몽으로만 파악했다. 또한 이들은 꿈의 상징성을 무시했다고 볼 수 있다.

꿈은 은유적, 상징적이기 때문에 꿈의 내용을 잘 파악할 수 없다. 예를 들어 꿈에서 돼지, 암소, 큰 물고기 등은 재물을 상징한다. 공식적인 꿈의 상징성을 알면 꿈의 내용을 잘 알 수 있다.

또한 꿈은 무의식 상태에서 꾸어지므로 무의식[잠재의식]을 이해하면 꿈을 잘 이해할 수 있다. 무의식에 대해서는 다음 편에서 자세히 설명하기로 한다. 빈츠나 슈트룸펠은 꿈이 상징과 은유적이고, 꿈이 무의식의 작용에 의해서 꾸어진다는 사실을 몰랐기 때문에 이렇게 혹평했던 것이다.

미래를 알리는 예지몽

기원전 2세기경 그리스의 지리학자인 [아르테미도로스Artemidoros]는 그의 역작인 「꿈의 해석」에서 꿈에는 두 종류가 있다고 말했다. 그 중의 하나는 과거와 현재에 영향을 받을 뿐 미래와는 아무런 연관성이 없다고 했다. 마음속에서 어떤 소망이나 생각을 갖고 있으면 그 소망이나 생각이 꿈속에서 나타난 것과 같다. 즉 현실에서 배가 고플 때 꿈속에서 먹는 것과 같다. 또한 현실에서 공포심을 갖고 있으면 악몽을 꾸는 것과 같다.

이와 반대로 다른 종류는 예지몽이다. 미래에 일어날 일을 알리고 미래에 결정적 영향을 주는 꿈이다. 금방 일어날 사건이나 예언적인 것이 이 예지몽을 통해서 알 수 있으며, 예지몽은 대부분 상징성을 갖고 있다.

이와 같은 그의 꿈 이론은 수세기 동안 많은 사람들에게 큰 영향을 미쳤다. 이 두 종류의 꿈은 고서인 「해몽요결」의 영몽, 정몽, 심몽에 해당한다고 말할 수 있다. 그러나 이러한 해몽서들은 꿈의 형성 원리를 규명하지 못하고 있다. 어떻게 꿈이 만들어지고 있는 것을 안다면 꿈의 해석[꿈풀이]에 큰 도움이 될 것이다.

그의 꿈 이론은 큰 영향을 미쳤지만 아르테미도로스는 꿈 형성

원리를 위한 과제를 후대 사람들에게 남겼다.

프로이트의 꿈의 해석

프로이트[Sigmund Freud 1856~1939]는 정신을 무의식(無
意識), 전의식(前意識), 의식(意識)으로 분류했다. 그리고 꿈은 무
의식 상태에서 일어난다고 말했다. 전의식은 무의식과 의식의 중
간 단계로써 의식상태에서 무의식상태로 가는 중간 단계이다.

잠을 자는 동안은 의식이 없는 무의식상태가 되며, 이 무의식상
태에 성의 본능, 삶의 본능 등 원시적 본능이 있다고 주장하고 있
다. 깨어있을 때의 의식상태에서는 이와 같은 본능을 실현시킬 수
없다. 즉 깨어있을 때는 윤리, 도덕적 관념이 성적 본능을 억제하
므로 실현시킬 수가 없다. 그러나 잠을 자는 동안 무의식상태에서
는 윤리적, 도덕적 관념이 약화되므로 성적 본능 등이 꿈을 통해
서 실현될 수 있다. 따라서 프로이트는 꿈을 소망충족이라고 말하
고 있다.

또한 프로이트는 정신을 빙산에 비유했다. 물에서 떠다니는 빙
산의 대부분은 물속에 잠겨 있고, 아주 작은 부분만이 물 위에 표
출된다. 프로이트는 무의식을 물속에 잠겨 있는 대부분의 빙산에,
의식을 물 위에 떠 있는 일부분에 비유했다.

이와 같은 무의식 세계에는 본능적인 것들 뿐만 아니라 과거의
망각된 사건과 사고, 생각, 말, 행동 등이 저장되었으며, 이와 같
은 것들은 꿈을 통해서 나타난다고 주장하고 있다. 그리고 사람을

움직이는 원동력이 의식이 아니라 무의식이라고 주장했다.

사람에게는 여러 가지 소망 또는 소원이 있다. 그러나 현실에서는 이 같은 소망이 잘 성취되지 않는 경우가 많다. 무의식은 꿈을 통해서 소망을 충족시킨다는 것이 프로이트의 주장이다. 예를 들어 갈증이 있는 상태에서 잠을 잘 경우 사람들은 물을 먹는 꿈을 꾼다. 이처럼 꿈속에서 물을 마심으로써 갈증을 해소한다는 소망을 충족시킨다.

지그문트 프로이트

프로이트는 꿈의 예지 능력을 인정하지 않았다. 프로이트의 이와 같은 무의식 관념 속에는 영적이고 신령스러움이 들어 있지 않기 때문에 그는 미래에 있을 일을 미리 알리는 꿈의 예지능력을 부정했다.

거의 매일 예지몽을 꾸는 나는 프로이트의 꿈에 대한 인식을 인정할 수 없다. 소망 충족을 위해 꿈이 존재한다 라는 그의 주장을 인정하지만 꿈의 가장 큰 목적은 사람들에게 미래에 일어날 일들을 알리는 예지성이라고 나는 생각한다.

프로이트는 꿈의 출처를 밝힌 위대한 학자이기도 하다. 무의식이 꿈을 만든다는 그의 연구 실적은 실로 위대하다. 그러나 무의식을 인간의 본능과 과거에 망각됐던 사건, 언어, 생각, 행동 등의 저장고 정도로 한정한 것은 모순이다.

불교의 경전에 여래장(如來藏)이란 말이 있다. 여래는 진여(眞如), 불성(佛性), 부처의 동의어이며, 장(藏)은 보관하는 곳을 말한다. 따라서 여래장은 불성이 저장된 곳, 즉 정신과 영혼이라고 말할 수 있다. 정신의 대부분은 무의식이므로 이 무의식에 신령스러움과 영성이 있는 것이다. 물론 무의식에 본능적인 것과 과거의 망각된 사건 등이 저장되어 있다. 따라서 무의식은 초능력적이므로 꿈을 통해 인간에게 중요한 정보를 알린다.

한때 프로이트의 제자였지만 그 후에 그와의 결별을 선언한 칼 구스타프 융[Carl Gustav Jung 1875~1961]은 심리학자이자 정신분석학자로서 분석 심리학의 창시자이다.

융은 집단적 무의식이란 원형론(元型論)이 꿈을 만드는 데 큰 역할을 한다고 주장함으로써 유명해졌다. 또한 자기[The Self]가 꿈을 만드는데 핵심적인 작용을 한다고 주장하며 많은 학자들로부터 공감을 얻었다.

융학파 역시 꿈은 무의식에 의해서 만들어진다고 주장하고 있다. 깨어 있을 때는 의식이 지배하므로 꿈을 꿀 수 없으나 잠을 자면 이성의 작용이 억제되고, 의식할 수 없는 무의식상태가 되어 여러 환상적이고 상징적인 꿈이 만들어진다.

융학파의 무의식은 프로이트의 무의식 관념과 다르다. 프로이트에게 무의식은 성적 본능 등 인간의 본능과 과거에 망각됐던 사건이나 생각, 말, 행동 등의 저장고 정도로 파악되었다. 그러나 융학파의 무의식은 이와 같은 것뿐만 아니라 영적이고 초능력적인 것들을 갖고 있다.

융학파의 한 사람인 마리 루이제 폰 프란츠 (Marie-Louise

von Franz, 1915~1999)박사는 무의식에 대해 다음과 같이 말하고 있다.

"무의식을 초의식, 잠재의식, 신성한 영역 등으로 사람들은 부르지만 우리들은 무의식(無意識)이라고 부른다. 무의식은 단지 의식되지 않은 것을 말하며, 아무 것도 뜻하지 않기 때문이다. 따라서 무의식을 신성한 영역으로 나둔다. 그리고 무의식은 물질적인 것이 아니라 정신적이며 꿈을 통해서 나타난다. 우리가 의식하지 않는 모든 정신적 사건 전체를 무의식이라고 부른다."

인간의 정신은 의식과 무의식으로 이루어졌으며 정신세계에서 무의식 영역이 10이라면 의식은 1에 불과할 정도다. 즉 정신세계의 대부분을 무의식이 차지하고 있다. 융은 정신세계의 중심 또는 핵심을 자기라고 말했다.

프란츠 박사는 자기를 다음과 같이 말했다.

"대부분의 종교 체제에는 신성한 중심이 있다. 종교적 중심은 꿈에서 중심 그 자체로, 만다라로, 다른 추상적 형태로 스스로를 나타낸다. 혹은 그 종교적 중심으로 신성한 아기 구세주로, 구세주 상으로, 우리의 정신세계를 인도해 주는 영혼의 인도자로 나타난다. 융에게 있어서 자기란 우리가 전 생애동안 탐구해 가야 할 초월적이고 내면적인 미지 정신의 신성한 중심이다. 자신의 내면에 있는 자기가 무엇인지, 그것이 무엇을 원하는지 아는 사람은 아무도 없다. 그러나 꿈은 상징적 표현을 통해 이와 같은 것들을 알리고 있다. 꿈은 자기가 매일 밤 우리에게 쓰는 편지라고 말할 수 있다. 꿈은 우리에게 이것을 좀 더 하라, 또는 저것을 좀 덜 하라, 왼쪽으로 가라 또는 오른쪽으로 가라고 말해 준다. 우리 인생을 돌아보면 자기가 사람의 일생에 대한 계획, 일종의 운명을 가지고 있기나 한 것처럼 매일 밤 꿈을 통해서 알리고 있다. 여기에서 말하는 자기는 평상시에 우리가 자주 사용하는 자기라는 개념과는 다르다. 이곳에서 사용하는 자기는 한 개인의 내면에 있는 보다 위대한 내적 중심과 모험적으로 만나는 것이다."

나는 융의 자기는 불교에서 말하는 여래장이라고 확신한다. 여래장은 바로 자성을 일컫는다. 자성(自性)은 사람 개개인의 성품이며, 태어나지도 않고 죽지도 않으며, 더럽지도, 깨끗하지도 않으며, 증가하지도 감소하지도 않는 청정한 마음이다.

심리학자이며 정신의학자인 융은 불교 등 동양의 종교와 철학에 심취했었다. 참마음[자성]이 부처, 불성, 정신이라는 불교의 가르침이야말로 진리라고 믿었을 것이다. 그리고 자성이 꿈을 만든다고 확신했을 것이다. 그러나 이 자성이란 말이 독일어에 없으므로 자기(der Selbst)라고 표현했을 것이다. der Selbst가 영어로 The Self이다.

융은 집단적 무의식이 꿈을 만드는데 큰 역할을 한다고 주장한다. 집단적 무의식은 조상들의 종교, 문화적 경험 등으로부터 온다.

융은 집단적 무의식을 다음과 같이 설명하고 있다.

"집단적 무의식은 조상들이 경험한 기억들이 유전되어 오는 것을 말한다. 이것은 개인이 경험한 것이 아니다. 이 집단적 무의식은 개인의 무의식과 다르며, 같은 민족이면 공통으로 지니고 있으므로 종족적 무의식이라고 부를 수 있다. 또한 집단적 무의식은 비개인적일 뿐만 아니라 보편적이며 악마라든가 신령에 대해 조상들의 사고방식을 갖고 있으므로 예스럽고 수수하다. 집단적 무의식은 의식에 의존하지 않고 동물의 본능처럼 상황에 따라 행동을 유발할 수 있다. 이것은 조상들의 경험이 DNA[핵산, 유전자]로 유전되며, 유전인자를 통해 뇌에 각인된 조상의 기억이다."

이 집단적 무의식은 개개인의 무의식처럼 실제 생활에 영향을 주며 꿈을 만든다. 융의 무의식과 집단적 무의식 관념에 대해 많은 학자들이 지지를 보냈다. 이 무의식과 집단적 무의식에 의해 미래의 건강과 사건 등을 알리는 예지몽도 꾸어진다.

융에게 자기는 꿈을 만드는 핵심적 요소이다. 융의 자기는 불교에서 말하는 자성(自性)이며, 이 자성은 불성, 정신, 영혼, 진아라고 말할 수 있다. 인간의 자성은 태양처럼 밝고 지혜스러워서 미래에 일어날 일 등을 모두 안다. 따라서 예지몽 등을 통해서 그 꿈을 꾼 사람에게 알린다.

여래장(如來藏)의 작용

　인간은 여래장(如來藏)을 갖고 있기 때문에 일상생활을 할 수 있다. 걷고, 머물고, 앉고, 눕고, 말하고, 침묵하고, 음식을 먹는 등 모든 일상생활은 정신[여래장]이 있기 때문에 가능하다.

　또한 사람들은 불공여래장을 갖고 있기 때문에 초능력을 발휘한다. 석가모니 부처님 같은 분은 완전히 깨달으셨기 때문에 천안통, 천이통, 타심통 등 6가지 신통력을 가졌다. 그러나 일반 사람들이 도통한다는 것은 쉬운 일이 아니다.

　다음의 사례는 죽은 자의 여래장[영혼, 정신 등]이 산 사람의 꿈을 통해서 범인을 잡는 경우이다. 조선 중기 효종, 현종이 왕으로 있을 때 냉해(冷害)로 인해 수년 동안 흉년이 들었다. 그 당시 냉해는 조선뿐만 아니라 전 세계적으로 있었다.

　그 당시 이화신(李花信) 이란 임산부는 출산하는 도중에 사망했는데 수의(壽衣)를 입혀서 장례를 지냈다. 흉년이 심할 때 수의를 입혀서 장례를 치룰 정도로 가정 형편은 넉넉했다. 사망한 지 얼마 되지 않아 이화신의 영혼이 그녀의 숙부 꿈에 나타나서 그녀의 수의를 훔친 도둑놈을 잡아줄 것을 부탁했다.

그녀의 수의에는 이름의 끝 자인 신(信)자가 적혀 있었다. 한 도적이 생활고 때문에 이화신의 무덤을 파헤쳐 그녀의 시신으로부터 수의를 벗겨 훔쳐갔다. 숙부의 꿈속에 나타난 이화신은 그 도둑놈이 그 수의를 팔기 위해 장터에 나타날 것이므로 그 도둑놈을 쉽게 잡을 수 있다고 말했다. 결국 그녀의 숙부는 장터에서 신자가 쓰여진 수의를 팔고 있던 도둑을 잡을 수 있었다. 그 당시 흉년때문에 이와 같은 절도 사건이 매우 많았다고 한다. 이 특이한 사건은 현종때 조선실록에 기록되어 있다.

이 사건에서 알 수 있듯이 죽은 자의 영혼이 살고 있는 사람의 여래장과 꿈을 통해서 교감함으로써 범인을 잡을 수 있었다. 모든 사람이 갖고 있는 여래장은 살아있을 때 일상생활을 할 수 있게 하고 꿈속에서 죽은 자의 영혼과 교감을 한다.

여래장과 영혼은 같으며, 산 사람의 여래장은 육신 때문에 죽은 사람의 영혼처럼 전지전능하지 못하다. 이화신의 영혼이 도둑놈이 그녀의 수의를 장터에 가서 파는 것을 아는 것은 그 영혼이 그 도둑놈의 마음까지 전부 읽었기 때문에 가능했던 것이다.

앞에서 언급했듯이 여래장에는 자기가 경험했던 모든 것이 저장된다. 눈, 귀, 코, 몸, 의식 등으로 경험한 것은 본질적인 면에서 비었으므로 공여래장이라고 말한다. 이 공여래장이 꿈을 만드는 재료가 된다. 그리고 신령스러움도 여래장에 저장되었으며, 신령스러운 여래장에는 전지전능한 지혜와 자비, 공덕이 가득 찼으므로 불공여래장이라고 말한다. 이화신 숙부의 불공여래장과 그녀의 영혼이 꿈속에서 교감했기 때문에 그 도둑놈을 잡을 수 있었다. 선천성 시각 장애인과 청각 장애인도 꿈을 꾼다. 그러면 태어났을 때부터 사물과 소리 등을 보고 듣지도 못했는데 어떻게 꿈속에서 꽃과 나무, 동물들을 보고 소리를 들을 수 있을까 의심하지 않을 수 없다.

헬렌 켈러[Helen Adams Keller 1880~1968] 여사는 이와 같은 의심을 풀어주었다. 그녀는 생후 1년 8개월 만에 시각과 청각을 모두 잃었다.

그녀는 자서전에서 다음과 같이 꿈을 서술했다. 그녀는 전혀 보고 들을 수 없었는 데도 꿈속에서 태양과 같은 밝은 빛을 보고 황홀해서 아무 생각이 나지 않았다. 그리고 누군가 하늘에 다음과 같은 글을 썼다. '저런! 당신은 갓난아기 시절을 회상하고 있는 거지요?' 또한 꿈속에서 폭포소리도 들렸다.

이밖에 켈러 여사는 평상시에 여러 가지 아름다운 꽃과 나무가 있는 정원과 집 등을 잠자는 동안 꿈속에서 보았다. 그녀의 일생 동안 경험하지 못했던 시각적, 청각적인 것들이 꿈속에서 나타난 것은 전생의 경험[선험]때문이라고 주장하는 학자들이 있다. 즉 전생에서 보고 들었던 것들이 여래장에 저장되었다가 잠자는 동안 꿈속에서 나타난다는 이론이다.

눈과 귀가 보고 듣는 것이 아니라 마음이 근본적으로 보고, 듣기 때문에 그녀가 꿈속에서 보고 들을 수 있다고 생각할 수 있다. 참마음[여래장, 정신, 영혼]의 작용 때문에 꿈이 만들어지므로 나의 이 이론도 설득력이 있다.

아름다운 꽃과 푸른 나무 등 총천연색의 꿈은 건강과 행복, 평화를 상징한다. 깨달은 스님들은 어두운 곳에서도 태양과 같은 빛을 보며 황홀경에 빠지는 경우가 있는데 켈러 여사도 깨달음의 경지에 이르렀기 때문에 이 지혜와 자비의 빛[아미타불?]을 꿈속에서 볼 수 있었다고 나는 생각한다. 임사체험을 한 사람도 저승에서 이 태양과 같은 빛을 본다. 켈러 여사는 다음과 같은 예지몽을 꾸었다고 한다.

"나는 8년 전 어느 날 아침을 잊을 수가 없다. 나의 꿈속에서 새로운 친구인 부르크스 신부가 돌아가셨다. 실제로 이 꿈을 꾼 지 약 3시간 후 이 신부님이 임종을 하셨으므로 나는 큰 충격을 받았으며, 서러움이 복받쳐서 많이 울었다."

켈러 여사는 고차원의 여래장을 갖고 있었기 때문에 이와 같은 예지몽을 꾸었던 것이다.

2013년 1월 20일, 나는 다음과 같은 꿈을 꾸었다. 큰 병원 옥상에 수많은 사람들이 일렬로 서 있으면서 승강기를 타려고 기다리고 있었다. 그리고 옥상의 한 의자에 평소 잘 알고 지내던 부인이 수심에 찬 얼굴을 하고 앉아 있었으며, 복부에 인공항문 변주머니를 달고 있었다. 그녀의 얼굴은 매우 창백했으며 병색이 완연했다. 내가 그 변주머니를 떼어냈다.

이 꿈을 꾼 다음 날 버스 정류장에서 약 6개월만에 우연히 그 부인을 만났다. 약 6개월 전에 치질 수술을 받았는데 아직도 그 수술 부위가 아물지 않아 소변을 볼 때 오줌이 이 수술 부위에 묻으므로 매우 통증이 심하다고 고통을 호소했다.

나는 다음과 같은 치유 방법을 가르쳐 주었다. 그녀의 오줌을 깨끗한 치킨 타올에 적신 다음 그 타올을 항문에 삽입하고, 배변 후에 그 오줌 적신 타올을 교체하라고 했다. 오줌 속의 요소는 항 세균, 항바이러스, 항박테리아 작용을 함으로 상처가 잘 치유된다.

　　약 1개월 후 그녀는 이 방법으로 완치됐다고 전화로 나에게 감사를 표해 왔다. 많은 항생제와 연고로 치료하려고 했으나 낫지 않아 고생했으나 내가 알려준 요료법으로 완치된 것이다.

　　병원 옥상에서 많은 사람들이 승강기를 타기 위해 줄지어 서 있는 것은 병원 환자들이 임종을 기다리는 것을 상징한다고 볼 수 있다. 승강기, 버스, 비행기 등을 타는 것은 죽음을 상징한다. 그 부인 역시 이 임종 대열에 설 수 있음을 이 꿈은 말해주고 있다.

　　여래장이 그녀의 고통을 잘 알므로 내가 그녀를 만나 이 치유 방법을 가르쳐 주게 하였다고 생각된다. 여래장 또는 정신은 전지전능하므로 모든 고통을 잘 알며, 이 고통 등이 사라져 행복, 평안해지질 바란다. 여래장은 관세음보살과 같은 능력을 갖고 있다고 나는 믿고 있다.

　　박말례[여, 74세]씨는 밤에 링거 주사를 맞는 도중 병원 병상에서 잠을 자면서 다음과 같은 꿈을 꾸었다. 약 5년 전 50대 초반에 일찍 죽은 아들이 문병을 왔다. 너무 반가웠던 어머니가 왜 왔느냐고 물으므로, 어머니가 너무 보고 싶어서 왔다고 대답하면서 빨리 여동생에게 전화하라고 말한 후 아들은 사라졌다. 너무 안타깝고 아쉬운 박말례씨가 꿈속에서 아들 이름을 부르면서 깨어났다.

그녀가 깨어났을 때 링거 주사기가 이미 빠져서 상당량의 출혈을 확인할 수 있었다. 물론 응급치료 후 출혈은 멈추었다. 출혈 때문에 그녀는 사망할 수 있었다.

아들의 영혼이 어머니의 위독함을 알고 어머니의 꿈속에 나타나서 어머니를 깨웠다. 어머니의 여래장과 아들의 영혼 교감 속에서 이 위독함으로부터 벗어났다. 죽은 사람의 영혼은 신처럼 가족의 행·불행을 모두 알므로 가족의 꿈에 나타난다.

죽은 후 한 번도 박말례씨의 꿈에 나타나지 않았던 아들이 어머니가 위독할 때 나타난 것은 이 출혈이 심각했기 때문이다. 박말례씨가 잠을 자는 동안 이 링거 주사기가 스스로 빠져서 출혈이 매우 심했다.

나의 고유한 명상법

석가모니 부처님은 「염처경(念處經)」에서 명상[선정]을 할 때 환경과 방법에 대하여 말씀하셨다.

"비구들은 명상을 할 때 숲이나 나무 아래 한적한 곳에서 해야 한다. 결가부좌(結跏趺坐)를 하고 허리를 바르게 편 뒤 자신의 호흡과 몸에 마음을 집중해야 한다. 숨을 들이쉬고 내쉬는 데 마음을 집중하고 스스로 느낀다. 숨을 깊이 들이쉬고 내쉴 때, 그리고 숨을 짧게 들이쉬고 내쉴 때 나오는 호흡 소리와 몸의 상태를 관찰하고 느낀다."

석가모니 부처님은 약 6년 동안 이와 같은 명상법으로 깨달음을 얻었다. 이처럼 생각이나 마음을 오직 숨소리 또는 몸의 상태에 집중하면 번뇌와 잡념이 일어나지 않으므로 정신이 맑아진다. 선정이 더 진행되면 정신이 통일되고 맑아지므로 즐거워진다. 더 진행되면 육체와 물질로부터 벗어난 마음의 무한한 능력을 갖게 된다. 즉 열반에 들어간다.

우주의 정신과 나의 정신이 같고, 삼라만상이 정신[불성, 자성]

으로 통일됨을 느낀다. 특히 나는 꿈을 통해서 정신이 나의 주체임을 확신하기 때문에 명상을 할 때 무한한 법열[法悅 : 황홀한 느낌]을 느낀다. 그러나 결가부좌의 명상법이 건강을 손상시킬 수도 있다.

오랫동안 양다리를 꼬고 앉아서 명상을 하면 다리의 혈류가 억제되므로 다리와 발이 저리고, 결국 ○자형 다리로 변형될 수 있다. 즉 안장다리가 될 수 있다.

또한 이와 같은 방법으로 오랫동안 앉아서 명상을 하면 허리가 굽어지고 아프다. 기록에 의하면 부처님도 평생 동안 결가부좌를 하셨기 때문에 허리가 굽어지고 무릎이 아프셨다고 한다. 달라이 라마 존자님도 결가부좌 자세를 취하면서 명상을 하기 때문에 구부정한 허리를 갖고 있다. 따라서 명상법, 즉 결가부좌를 개선할 필요가 있다.

나의 명상법

나는 걸으면서 명상을 한다. 조반과 점심 후 각각 45분씩 맑은 공기 속에서 심호흡을 하면서 걷는 동안 생각을 오직 호흡 또는 몸의 동작에 집중하면 잡념과 번뇌가 일어나지 않으므로 정신이 통일되고 맑아진다.

참된 나를 발견하고 실재의 세상에 도달하기 위해서 명상을 한다. 대부분의 사람들은 생물학적인 나와 보고, 듣고, 맛보는 이 세상이 전부라고 생각한다. 그러나 깨달은 사람들은 육체적인 나와 모양을 갖고 나타난 모든 것들은 참된 것이 아니고 그 이면에 참된 것이 있다고 주장한다. 따라서 「반야심경」에서는 이 육체와 보이는 모든 것들이 '여몽환포영(如夢幻泡影)'이라고 했다. 즉 꿈이요, 허깨비이며, 그림자나 거품과 같다고 했다.

부처님은 명상을 통해 깨달으신 후 일체중생 실유불성(一體衆生悉有佛性)이라고 말씀하셨다. 즉 사람뿐만 아니라 모든 생물 등이 불성[정신, 영혼, 진아, 자성]을 갖고 있다고 주장하셨다. 그리고 이 불성 속에서 진리, 지혜, 자비, 행복을 찾을 수 있다.

나는 명상을 통해서 미래에 일어날 일들을 알 수 있는 예지몽을 꾸며, 불성의 작용 때문에 꿈을 꾼다는 사실을 알게 되었다.

이 육체와 외부로 드러난 만물[현상]은 연기법에 의해서 나타났다가 사라지지만 오직 불성만이 실재함을 꿈과 명상을 통해서 알게 된다.

가부좌를 하고 명상을 하면 발과 다리가 저리고 허리가 아프지만 걸으면서 하면 혈액순환과 대사작용이 촉진되므로 오히려 더 건강해진다. 또한 맑은 공기 속에서 걸으면서 명상을 하므로 나와 우주 또는 삼라만상이 하나로 통일되는 느낌을 가지며 법열(法悅)을 느낀다.

실제로 운동과 명상을 하면 우리 몸속에서 건강을 증진시키고 쾌감을 주는 엔도르핀과 세로토닌, 멜라토닌 등이 분비되는 것으로 밝혀졌다.

심호흡과 함께 걸으면서 명상을 하면 자율신경[교감신경과 부교감신경] 가운데 부교감신경이 활성화 되므로 스트레스가 해소되고 혈류가 촉진되며 건강해진다.

미국 스텐포드 대학 연구팀이 걸으면 앉았을 때보다 더 창의적이고 더 두뇌가 명석해진다는 사실을 밝혀냈다. 걸으면 뇌 등 신체 조직의 혈액 순환이 촉진되고, 엔도르핀 등 쾌감과 건강을 증진시키는 호르몬이 분비되므로 더 창의적이고 지능지수도 높아진다.

명상과 자율신경

자율신경은 사람의 의지와는 관계없이 작용하므로 자율신경이라고 한다. 자율신경은 호흡과 혈액순환, 소화, 수면 등을 조절하는 신경이며, 교감신경과 부교감신경이 있다. 자율신경은 우리 몸을 구성하는 약 60조의 세포들을 조정한다. 또한 심장, 혈관, 위와 장 등 내장기관의 작용을 조정한다.

교감신경과 부교감신경은 시소처럼 서로 반대 방향으로 작용을 하며 균형을 이룬다. 즉 교감신경이 활성화 되면 부교감 신경이 억제되고, 역으로 부교감신경이 활성화 되면 교감신경의 작용이 억제된다.

또 교감신경은 스트레스를 받을 때나 과격한 운동 등을 할 때 활성화 되며, 아드레날린을 분비시켜 혈관을 수축시키므로 혈압과 심박동수를 높인다. 따라서 혈관이 수축되므로 혈액 순환이 억제되어 내장 조직뿐만 아니라 모든 신체 조직의 기능이 약화된다.

부교감신경이 활성화 되면 아세틸콜린이란 호르몬이 분비되므로 혈관이 확장된다. 따라서 혈액순환이 촉진되므로 혈압이 정상화 되고 심장과 위, 장, 간, 신장 등 모든 신체 조직의 기능이 활성화 되고 안정화 된다.

부교감신경은 명상을 할 때나 휴식을 취할 때 활성화 된다. 적당한 속도로 걸을 때 심호흡을 하면서 생각을 오직 숨소리에 집중하면 명상의 효과가 나타나므로 부교감신경이 활성화 된다.

걷는 동안 코로 숨을 천천히, 길게, 깊이 들이 쉬고 코와 입으로 숨을 천천히 내쉬며, 생각을 오직 숨소리 또는 몸의 동작에 집중하면 잡념과 번뇌가 생기지 않으므로 마음이 맑아지고 밝아진다. 이처럼 명상의 효과가 나타나며 부교감신경이 활성화 된다.

교감신경은 흉추, 요추에서 나와서 내장 등으로 들어가지만 부교감신경은 경추[목 척추], 천골[엉치뼈]에서 나와서 목, 가슴, 내장, 횡격막[흉강과 복강 사이에 있는 근육 조직]등으로 들어간다.

코로 숨을 깊이 들이쉬면 횡격막이 복강 쪽으로 내려가면서 흉강이 커지므로 산소가 폐에 많이 들어온다. 그러나 숨을 내쉬면 횡격막은 흉강 쪽으로 올라오므로 흉강이 작아지고 폐에 있는 탄산가스가 기도를 통해 밖으로 나간다. 이처럼 적당한 속도로 걸으면서 심호흡을 하면 횡격막의 작용이 촉진되므로 부교감신경이 활성화 된다.

집에서 걸으면서 명상을 할 때에는 신선한 공기가 들어오게 창문을 열어놓고 한다. 물론 미세먼지나 황사가 있을 때에는 문을 닫고 하며, 부엌의 환기 기구를 이용하여 공기를 맑게 한다.

걸으면서 명상을 할 때 한 걸음, 한 걸음, 걸을 때마다 충만한 기쁨과 감사함을 갖고 걷는다. 참마음과 함께 걷는데 감사하고,

건강에 감사하고, 지금 모든 인연에 감사하면서 명상을 한다.

만성적 스트레스가 쌓이면 교감신경이 지나치게 활성화 되므로 혈액순환이 억제되고, 활성산소가 많아져서 여러 질병에 걸리기 쉽다. 그러나 내가 실천하고 있는 이 명상법을 실천하면 스트레스가 잘 해소된다.

스트레스는 운동과 명상 그리고 휴식을 통해서 해소되는데 나의 걸으면서 하는 명상법은 운동과 명상의 효과를 동시에 일으키므로 진리를 깨닫게 하고 스트레스를 잘 해소하며 건강을 증진시킨다.

비가 온다든가, 춥다든가, 미세 먼지 또는 황사가 있을 경우 실내에서도 천천히 걸으면서 명상을 할 수 있다. 실내 공간의 길이가 약 10미터 정도가 되면 이 명상법을 실천할 수 있다.

천천히 걸은 후 방향을 180° 전환한 뒤 되돌아오기를 반복하면서 명상을 한다. 주의할 점은 방향을 180° 전환할 때 보폭을 아주 작게, 그리고 양발을 자주 움직이면서 돌아가야 한다는 것이다. 보폭을 크게 하면서 빨리 돌면 무릎이 아플 수 있다. 나는 돌때 양발을 자주 움직이면서 뒤로 돈 후 돌아서 걷는다.

이렇게 실내에서 걸으면 무릎과 다리에 긴장이 오므로 앞과 뒤로 발차기 등을 실천한다. 또한 심호흡과 함께 제자리 걷기를 하면서 명상을 할 수 있다.

또 매트 위에 서서 심호흡을 하면서 제자리 걷기를 한다. 그리고 생각을 오직 호흡할 때 나오는 소리 또는 몸의 동작에 집중하면 마음이 하나로 통일되어 잡념이 생기지 않고 마음이 맑아진다. 제자리 걷기를 하면 무릎 통증이 안 생긴다. 특히 심호흡 또는 복식호흡을 하면 내장 지방 등 체지방 연소 또는 분해가 촉진되어 비만증으로 생기는 당뇨나 고혈압, 심장병 등의 치유 효과를 높인다.

노르웨이 오슬대학의 싸치오글루 교수의 연구 결과 복식 호흡을 45일 동안 매일 30분 했을 경우 LDL[나쁜 콜레스테롤] 수치가 약 30% 감소했으나 HDL[좋은 콜레스테롤] 수치는 약 25% 상승했다. LDL 수치가 높으면 고혈압, 동맥경화, 심장병 등에 잘 걸리고, 역으로 HDL 수치가 오르면 이와 같은 질병의 발병률이 낮다.

국내의 한 연구진의 연구 결과 심호흡을 4주 동안 하루에 30분씩 했을 경우 체지방 감소율이 약 3%에 달한 것으로 나타났다. 그리고 앉아서 하루에 1시간 심호흡을 하는 것은 걷기 25분, 맨손체조 35분, 자전거 타기 35분을 하는 것과 같은 운동 효과가 있는 것으로 나타났다. 여기에 제자리 걷기 등 운동을 하면 더욱 상승효과가 나타나 비만증, 당뇨병, 고혈압, 심장병 등의 치유 효과를 높인다.

황사나 미세먼지가 있다든가 날씨가 좋지 않을 때는 실내에서 심호흡과 함께 제자리 걷기를 하면 좋다. 황사 등이 없을 때는 창문을 열어놓고 하면 좋다.

이처럼 심호흡을 하면 우리 몸을 구성하는 수십조 세포의 미토콘드리아 작용이 활성화 되므로 지방질 등 체내의 영양소 연소가 촉진된다. 심호흡을 통해 혈액순환이 촉진되고 다량의 산소와 영양분이 이 혈류를 타고 세포 발전소인 미토콘드리아에 공급된다.

미토콘드리아는 이 다량의 산소와 지방, 포도당, 단백질 등을 이용해 에너지[ATP]를 만들기 때문에 우리가 활동할 수 있고, 내장, 지방 등 체지방 분해가 촉진된다.

누워서 하는 명상

명상은 걸으면서, 앉아서 또는 누워서도 할 수 있다. 나는 잠자기 전에 누워서 명상을 하면 잠이 쉽게 찾아온다. 누워서 할 때는 기독교인들은 주기도문 등을 외우면서 할 수 있고, 불교신자들은 염불을 하면서 할 수 있다. 불교에서는 누워서 하는 선정(禪定)을 와선이라고 한다.

나는 코로 숨을 천천히, 길게 폐 속 깊숙이 들이쉴 때 생각을 오직 이 숨소리에 집중하고, 숨을 내쉴 때 '나무아미타불 관세음보살'을 외우면서 이 염불 소리에 집중한다. 약 10분 정도 이 명상을 하는 동안 잠이 온다.

염불과 염불선은 다르다. 염불은 단순히 부처님의 명호만을 부르는 것이고, 염불선은 염불 소리에만 오직 생각을 집중하는 것이다. 화두에 생각을 집중하면 화두선이 되는 것처럼 염불에 집중하면 염불선이 된다. 염불만 하는 것보다 염불선을 하면 잡념이 일어나지 않으므로 마음이 맑아져서 열반에 들 수 있다. 또한 잠도 잘 온다.

염불은 부처님을 생각하고 사모한다는 뜻이다. 불성인 아미타불은 나와 우주 만물의 근본이고 본질이므로 그 근본을 생각하고 존중한다는 것이 염불이다. 단순히 부처님만 부르는 것보다 부처님을 사모하며, 그 염불 소리에 마음을 집중하는 염불선이 생각과 마음을 통일하게 하고 잡념과 번뇌를 일어나지 않게 한다.

이 염불선을 통해 아미타불과 관세음보살이 나의 자성[정신, 영혼, 불성]과 하나됨을 자각한다. 불면증으로 고생하는 사람들은 이 염불선과 함께 심호흡을 하면 잠을 잘 잘 수 있다. 취침 전 뿐만 아니라 수면 중 깨었을 때도 이 명상법을 실천하면 다시 잠을 편히 잘 수 있다.

꿈의 동일시 현상

‘꿈보다 해몽이 더 중요하다’란 말이 있다. 꿈도 중요하지만 꿈만큼 해몽도 중요하다란 뜻이다. 꿈속의 동일시(同一視)란 꿈속의 어떤 사람이나 동물이 다른 사람 등으로 현실에서 나타나는 것을 말한다.

2013년 9월 13일 나의 꿈에 여동생[62세]이 누군가에게 울부짖으면서 원망한 뒤 뒤로 나뒹굴면서 땅바닥에 떨어졌다. 현실에서 이 여동생은 나의 누님[75세]을 상징하는 것으로 밝혀졌다.

나의 누님은 폐암에 걸려서 수술을 받았다. 누님은 담배를 피우지 않았지만 매형은 담배를 피웠으므로 간접 흡연의 피해자였다.

꿈속에서 울부짖으면서 원망한다는 것은 폐암의 원인이 매형의 흡연이라고 믿으며, 매형에 대하여 많은 불만을 갖고 있음을 상징한다. 나뒹굴면서 땅바닥에 뒤로 떨어졌다는 것은 생명의 위험성을 암시해 준다.

2013년 11월 2일, 꿈에 누님과 다른 환자들이 병상에 누워 있었고, 누님의 조그만한 혹의 성장이 보였다. 누님과 여동생은 여성이며, 자매이므로 꿈속의 여동생이 현실에서 누님을 상징한다. 일반적으로 꿈속의 남성은 현실에서 남성으로, 여성은 현실에서 여성으로 나타난다. 그리고 생김새나 성격 등은 꿈의 동일시에 중요한 역할을 한다.

2011년 4월 2일 나의 꿈에 외갓집 삼촌[78세]이 사라진 나의 고향집에 누워계셨고, 매우 위독해 보였다. 현실에서 이 외삼촌은 고종형님[76세]으로 밝혀졌다.

철거된 집에 누워 있다는 것은 매우 위독함을 상징한다. 고종형님은 교통사고로 불구가 된 뒤 질병이 심해져서 그 해 5월 4일에 돌아가셨다.

이 꿈에서 외삼촌인 남성은 현실에서 남성인 고종형님을 뜻한다. 이 두 분 모두 외가의 친척이다. 성뿐만 아니라 친척도 꿈의 동일시 현상에 크게 작용함을 알 수 있다.

독일에서 살 때 한 친구가 나에게 자기 꿈 해몽을 요청해 왔다. 그의 꿈속에서 돌아가신 그의 어머니가 칼로 그의 배를 찔렀다고 했다. 매우 불길한 꿈이었다. 나는 그에게 그의 친척 가운데 어머니처럼 생긴 사람이 있느냐고 물었다.

그는 그의 고모의 딸인 고종사촌 여동생이 간호원으로 일을 하고 있다고 했다. 어떤 문제 때문에 그와 그 여동생 남편과의 관계가 좋지 않아서 서로 연락을 끊고 산다고 대답했다. 그리고 그 여동생의 생김새가 어머니와 비슷했으며, 키 역시 어머니처럼 작았다.

그는 독신으로 살면서 상당한 재산을 갖고 있었다. 이와 같은 사실을 종합해 보면 그 고종사촌 동생과 남편이 그의 재산에 탐이 나서 범행을 꾀했다는 생각이 들었다. 그의 꿈에서 나타난 돌아가신 모친은 현실에서 그 여동생으로 나타났다. 모친과 그 여동생은 여성이고, 모습이 비슷함으로 꿈속에서 동일시 현상이 나타났다.

나의 이 같은 꿈풀이에 그 역시 공감을 했다. 이 꿈에서도 알 수 있듯이 동일한 성과 모습, 키 등이 꿈에서 동일시 현상을 일으키는 것이다.

2009년 8월 17일, 나의 꿈에 두 남자가 칼을 품고 있다가 곧바로 사라졌다. 이처럼 위험한 꿈을 꾼 원인은 나와 관리소장 그리고 동대표 사이에 있는 불화와 갈등이 그 원인이었다.

관리소장과 동대표는 주민을 속이면서 하지 않아도 될 아파트 공사를 강행하려고 하므로 내가 그 공사를 앞장서서 중지시켰다.

그들은 나에게 적대감을 갖게 되었다. 그 다음 날 나는 동대표가 아니었지만 동대표 회의에 참석했다. 칼을 품는 꿈을 꾸었지만 그 칼이 사라졌으므로 큰 위험이 없을 것이라 믿고 참석했다. 그렇지만 극도의 긴장감을 갖고 있었다.

회의가 끝나고 모두 회식을 하려고 음식점에 가면서 함께 가자고 권유했으나 그 악몽 때문에 나는 불참을 했다. 만일 내가 그날 밤 회식 자리에 참석했다면 매우 위험해질 수 있음을 그 꿈을 통해 나에게 알려 주었다.

2009년 9월 1일, 나의 꿈에 옛 고향집 건너편의 집에서 당숙이 앉아계시면서 문을 열어놓고 사람들을 기다리고 있었다. 당숙은 약 10여년 전에 돌아가셨다. 그 집의 뒷문도 열려져 있었으며, 바로 문중 선산이 있었다.

동대표 회의가 있은 지 2주 만에 또 동대표 회의 꿈을 꾼 다음 날 열렸으나 나는 이 불길한 꿈 때문에 참석을 하지 않았다. 특별한 주제도 없이 동대표 회의를 연 것은 나를 유인하기 위해서 한 계략임을 꿈을 통해 알고 있었다.

돌아가신 당숙의 모습과 이 관리소장의 얼굴 생김새가 너무 닮았다. 또한 살아계실 때 당숙은 도박을 하였으며, 빌린 돈을 갚지 않는 등 정직하지 못했다. 당숙에게 부정직함이 있는 것처럼 이 관리소장에게도 불량성이 있음을 이 꿈은 알리고 있었다.

당숙 집 바로 뒤에 선산이 있는 것과 돌아가신 당숙이 사람들을 기다리고 있던 것은 생명의 위험성을 암시한다. 당숙이 기다리고 있는 것은 지난번 저녁 회식 때 그들의 음모를 실현시킬 수 없었기 때문에 이번 동대표 회의를 열었으며, 그 관리소장 등이 저녁에 있을 그 회의 때 나의 참석을 기다리고 있는 것을 암시한다. 나에게 4명의 당숙들이 있으므로 오해하지 않기를 바란다.

나는 이 음모가 있기 전에 이 아파트를 수리하는 사람[영선]과 경비, 청소부로부터 공격의 위험성을 직접 느꼈다. 평상시에 나는 뒷산에 자주 올라갔다.

2009년 8월 24일, 나는 저녁밥을 먹은 후 평상시처럼 산에 올라가고 있는데 영선이 두리번거리면서 누군가를 찾고 있었다. 그는 조그만 그 산을 오지 않는데 저녁에 등산하는 것이 매우 수상했으며, 그가 나를 찾으려고 두리번거렸다고 생각되었다. 나는 등

산을 포기하고 집으로 돌아왔다.

　그 다음날 꿈에 복면을 한 사람이 산에서 나를 공격할 때 간신히 피했다. 평상시에 산에 갈 때 산이 높지 않으므로 등산용 지팡이를 소지하지 않았다. 이 악몽때문에 점심을 먹고 스틱을 갖고 산에 오르는데 어제처럼 선글라스와 모자를 쓴 남성이 내가 자주 가는 길에 있었다. 어제도 이 사람은 검은 색 제복을 입고 있었으므로 나를 추적하고 있음을 알 수 있었다. 자살을 통해 돌아가신 당숙을 꿈속에서 본 것이 첫 번째이고, 이 꿈이 두 번째 경고성 꿈이다.

　꿈에 복면한 사람이 바로 그 사람임을 쉽게 알 수 있었다. 선글라스와 모자는 복면을 상징한다. 나는 스틱을 꽉 쥐고 그의 공격을 대비하면서 그의 옆을 지나갔다. 후방 공격이 염려되어서 뒤를 보기 때문에 그는 쉽게 공격할 수 없었다. 만일 내가 스틱을 소지하지 않았고, 뒤를 돌아보지 않았다면 나는 공격을 받았을 것이다. 그는 나의 산행 길을 미리 알고 그 길목을 지키고 있었던 것이다. 뒤에 안 사실이지만 그는 새로 들어온 청소부였다.

　그로부터 3일 후 초인종이 울려서 누구냐고 묻자 스님이라고 말하면서 포교를 위해서 왔다고 하자 나는 확대경을 통해 밖을 내다봤는데 그 사람은 승복을 입지도 않았고, 그 사람 뒤에 또 한 사람이 있었다.

　관리소장은 내가 불교신자라는 것을 알므로 스님으로 위장하여 나를 해치려고 했다. 몇 번에 걸쳐 나를 해치우려고 하였으나 번번이 실패하였으므로 이번에는 나의 집에서 끝내려고 또 다른 사람에게 사주했던 것이다. 나는 더 이상 이곳에서 살 수 없었으므로 이사를 했다. 꿈의 동일시 현상을 증명하기 위해 장황하게 설명하지 않을 수 없다.

나는 조반을 먹은 후 뒷산을 자주 올랐으며 강노인[95세]과 양노인[86세]을 자주 만났다. 고령인 데도 불구하고 이 노인들 역시 매일 조반 후 산에 올랐었다.

2014년 1월 4일, 나의 꿈에 양 노인이 뗏장 속의 굴에 있으면서 평상시 갖고 있던 스틱으로 돌을 툭툭 치면서 그 옆쪽을 지나가는 나에게 신호를 보내고 있었다. 양 노인은 다리가 아파서 더이상 걸을 수 없다고 말했다.

나는 이 꿈을 꾸고 양 노인이 조만간 돌아가실 것이라고 믿었다. 뗏장 속의 굴은 무덤을 상징한다. 2014년 2월 5일 강 노인이 돌아가셨다는 부고를 받았다. 일주일 전까지도 산에 올랐던 강 노인이 갑자기 사망한 것이다. 강 노인과 양 노인은 매우 친절했고, 신앙심이 깊었으며, 자주 신앙에 대하여 대화를 나누기도 했다.

나의 꿈을 해몽하면 양 노인이 돌아가실 것으로 예상됐지만 현실에서 강 노인이 돌아가신 것이다. 즉 꿈속에서 동일시 현상이 나타난 것이다. 두 사람은 노인이고, 남성이며 같은 종교를 갖고 있다. 이와 같은 요소들이 꿈의 동일시 현상을 일으켰다고 말할 수 있다.

꿈에서 동물이나 사물의 동일시 현상

꿈속에서 뱀 등 동물이 현실에서 사람을 상징할 때가 있다. 이와 같은 현상을 의인시(擬人視)라고 한다. 꿈속의 사람이나 동물이 현실에서 사물, 금전, 사상, 지식 등을 상징하는 것을 의사시(擬事視)라고 한다. 뱀, 소, 돼지, 원숭이 등이 의인시의 주요한 재료이다. 나는 다음과 같은 의인시 현상을 체험했다.

1997년 8월 어느 날 꿈에 독사가 사람이 다니는 길을 따라서 나의 집으로 오고 있었다. 그 다음 나를 아는 사람이 나를 방문하고 싶다고 전화를 했다.

그는 화투를 잘 치고 여러 여성들과 관계를 맺고 있었다. 또한 국내에서 해상절도 사건으로 감옥에 다녀오기도 했다. 그는 독일에서 음식점을 운영하면서 그곳에서 도박판을 벌이고 있었다.

꿈속에서 뱀이 왔던 길을 그는 승용차로 출퇴근할 때 이용했다. 꿈속의 뱀은 이 지인을 상징함을 알 수 있다. 물론 나는 그의 방문을 거절했다.

'관세음보살과 수호신은 있는가?' 편에서 언급하겠지만 강도미수 사건 때에도 꿈속의 뱀이 현실에서 강도를 상징했다. 이 강도 피의자는 내가 어느 섬에서 밤에 잠을 자는 동안 칼로 문을 따고 들어오려다가 악몽 때문에 내가 소리를 질렀고 나의 경계 때문에 들어오지 못했다.

그 후 약 3개월이 지나서 나의 꿈에 독사가 나를 추적하는 장면을 보았다. 이 악몽을 꾼 다음날 실제로 그 강도로 의심받았던 사람이 나를 미행하였으며, 내가 정색을 하고 유심히 그 를 보자, 그는 어색하게 웃으면서 뒤돌아 갔다. 그는 미행이 발각되었기 때문에 쓴 웃음을 지을 수밖에 없었다. 즉 꿈의 동일시 또는 뱀이 강도를 상징하는 의인시 현상이 나타났던 것이다.

일반적으로 뱀은 악독함, 사특함, 교활함 등을 상징한다. 폭력 조직에 몸담았던 박영문씨는 이혼하려는 처의 친정집에 방화를 하려고 했으나 꿈속에서 극락세계와 지옥을 보았고, 신의 목소리를 들었으며, 그의 죄가 기록된 책을 보았다. 신비하게도 그 책 속에 그가 저질렀던 모든 죄가 전부 기록되어 있었다. 가장 큰 죄는 그의 친구가 죽었는데 고의적인 사고가 아니었지만 그것이 가장 큰 죄였다. 물론 이 꿈 때문에 방화를 할 수 없었으며, 그는 폭력 집단을 탈출해 신앙인이 되었다. 그는 그 후 신앙인으로 열심히 전국을 돌아다니면서 포교활동을 했다. 이렇게 신앙생활을 하는 동안 자주 뱀이 꿈속에 나타났다.

그는 꿈속의 뱀이 과거 폭력 집단에서 함께 살았던 폭력배들이라고 고백했다. 뱀의 꿈을 꿀 때마다 그 폭력배들이 그의 집을 방문했다.

꿈속의 집은 사람의 몸 등을 상징한다. 또는 자신의 생활 전체, 즉 가난하면 오두막집, 건강하게 잘 살면 양옥집을 상징한다. 그리고 집은 묘를 상징한다.

나는 이관[耳管 : 유스타키오관] 염증으로 고생을 많이 했다. 이관은 구강(口腔)에서 중이(中耳)로 연결하는 좁은 관으로서 공기가 탁한 곳에 살면 기관지 등 상기도에 분비물이 잘 생기며, 그 분비물을 제거하기 위해 재채기를 한다. 재채기를 할 때 코와 입을 꽉 막으면 상기도에 있는 분비물이 이관을 타고 중이를 통해 머리로 올라간다.

나는 이와 같은 잘못된 습관 때문에 머리 부분에 분비물이 들어 있었으나 지금은 치료되었다. 따라서 재채기가 나올 때 코와 입을 꽉 막지 말고 어느 정도 거리를 두고 수건 등으로 막으면 효과적이다.

나는 1997년 4월 어느 날 다음과 같은 꿈을 꾸었다. 약 40년 전에 돌아가신 할아버지께서 짚가리[볏짚을 함께 쌓아 놓은 것]가 썩어간다고 방에서 호통을 치셨다. 이 말씀을 들은 어머니는 쇠스랑으로 그 썩어가는 볏짚을 걷어 냈다. 그곳에서 수증기와 함께 열이 나왔다.

이 꿈에서 볏짚가리는 나의 몸을 상징하며, 썩어가는 볏짚가리에서 수증기와 열이 나오는 것은 머릿속에 분비물이 들어가서 염증이 생긴다는 것을 암시한다.

사람이 죽으면 육체는 썩지만 영체 또는 영혼은 영의 세계에서 산다. 영혼은 신과 같은 능력을 갖고 있으며, 이 지상뿐만 아니라 이 우주에서 일어나는 일 등을 모두 안다. 특히 영혼은 자손의 건강과 행복 등에 관심이 매우 많다. 죽은 사람의 영혼이 어떤 자손을 생각만 하면 TV화면처럼 그 자손의 건강과 형편, 미래 등이 나타난다.

이와 같은 사실은 스웨덴보그와 많은 임사체험자들이 밝혀냈다.

따라서 돌아가신 할아버지는 나의 머리 염증을 아셨으므로 호통을 치셨다.

그 당시 살아계신 어머니는 이 말씀을 들으시고 썩은 볏짚을 제거했다. 할아버지의 영혼과 살아계신 어머니의 영혼은 서로 정보 등을 교류하므로 어머니가 행동에 나섰다. 이 꿈에서 나의 머리에 염증이 있음을 알았으며, 머릿속에 든 분비물이 제거되면 치유된다는 사실도 알았다. 이 썩어가는 볏짚가리는 나의 몸을 상징한다.

2006년 4월 어느 날 꿈에 다음과 같은 장면이 나타났다. 벽돌로 견고히 지어진 집이 나타났고, 그 새집의 양 발코니를 수리했다. 한 발코니는 잘 수리되었으나 다른 발코니는 좀 더디게, 그리고 늦게 수리되었다. 그리고 친구들과 대화를 하는 도중에 천정에서 많은 분비물이 쏟아져 내렸다.

현실에서 이 벽돌집은 내 몸을 상징한다. 그리고 두 발코니는 양쪽 귀를 상징한다. 수리한다는 것은 나의 자연치료법이 효과가 있어서 머릿속의 분비물이 제거된다는 것을 상징한다. 안방의 천정에서 분비물이 쏟아져 나왔다는 것은 구강[안방을 상징함]을 통해 분비물이 나왔다는 것을 의미한다.

꿈속의 발코니는 현실에서 얼굴의 돌출된 부분인 귀, 코 등을 은유적으로 암시하고 있다. 이 벽돌집의 발코니는 양쪽 귀를 상징한다.

이관과 중이를 통해 머릿속으로 들어간 이물질은 하품을 할 때 이관이 열리면서 구강으로 나온다. 또한 코로 천천히, 깊이 심호흡을 하면 부비강과 상기도에 있는 이물질이 잘 배출된다.

한쪽 발코니는 빨리 수리가 되었으나 다른 쪽 발코니는 느리게 수리된 것은 현실에서 한쪽 이관으로부터 분비물이 모두 제거되었으나 다른 쪽 이관으로부터 분비물이 느리게 제거된다는 것을 상징한다.

1997년 꿈에서 볏짚가리는 내 몸을 상징했으나 2006년 꿈에서 견고한 벽돌집이 나의 몸을 상징한 것은 그만큼 병의 증상이 호전되어서 건강해지고 있음을 은유적으로 나타내고 있다. 즉 볏짚가리는 건강에 이상이 있음을, 벽돌집은 건강을 상징한다.

2008년 5월의 꿈에는 다음과 같은 장면이 나타났다. 머리의 내부가 선홍색으로 선명하고 아름답게 나타났으나 잠시 후 그곳에 흰 액체가 고여 있었으며, 그 액체가 점점 사라져 가고 있었다. 꿈 속에서 빨리 사라져 가기를 바라는 내 모습도 보였다. 그러나 천천히 제거된 후 처음에 봤던 그 아름다운 선홍색 내부가 보였다. 이 꿈은 병의 현재 증상과 앞으로 잘 치료될 수 있음을 보여주고 있다.

나의 정신이나 영혼은 꿈을 통해 머리와 이관 등의 내부 상태를 보여주면서 지금처럼 치료하면 완치될 수 있음을 암시한다.

이 꿈들에서 볏짚가리와 벽돌집이 나의 몸을, 발코니가 나의 귀를 상징함을 알 수 있다. 꿈을 해몽하는 데 의인시와 동일시 현상을 잘 이해해야 한다.

2008년 5월 어느 날, 나의 꿈에 나는 금의환향하는 것처럼 매우 아름다운 옷과 모자를 쓰고 가는데, 문중 선산 부근 밭에서 하얀 옷을 입으신 조상님들이 밭일을 하고 계셨다.

약 3년 전에 돌아가신 어머니도 그곳에서 일을 하고 계셨으며 나를 반갑게 맞아 주셨다. 여자 조상님들은 호미로 김을 매고 있었으며, 남자 조상님들은 일렬로 서서 괭이로 밭을 고르고 계셨다.

마을 입구의 첫 번째 집에 박현수란 집안 동생이 살고 있었고, 그 집에서 선물을 사기 위해 들어갔다. 그 동생의 모습이 까맣게 보였다.

이 꿈을 꾸고 나는 그 동생이 까맣게 보인 것은 그 동생에게 질병이 있음을 암시한다고 생각되었다. 그러나 확인 결과 그 집안 동생이 아픈 것이 아니라 박현술이란 당숙이 위암 절제수술을 받았다. 두 사람 모두 친척이고, 이름이 비슷하므로 동일시현상, 즉 꿈속의 집안 동생이 현실에서 박현술이란 당숙을 상징한다. 꿈의 동일시현상이 나타난 것이다.

나는 그 당숙에게 위암의 재발을 억제하기 위해서 식이요법, 요료법, 운동요법, 식물요법을 말씀드렸다. 특히 요료법의 효능은 탁월하다.

절이나 교회에 다니는 사람은 예수님과 부처님을 꿈속에서 만날 수 있다. 꿈속의 이와 같은 성인들은 현실에서 큰 영향을 주는 사람으로 나타난다. 즉 꿈속의 동일시 현상이 나타난다.

2014년 5월 27일, 나는 한 노인을 공원에서 만나서 많은 이야기를 나눴다. 이 노인[김필순, 77세]은 피로하고 시력이 좋지 않앗으므로 하루에 7가지 약을 먹고 있었다. 그러나 약을 먹은 후 위장이 아프고 질병의 개선 효과가 없었다.

김필순씨의 딸은 사무실에서 근무하지만 컴퓨터 작업을 하기 때문에 눈이 자주 충혈되고 아프다고 했다. 김필순씨는 어젯밤에 꾸었던 꿈을 다음과 같이 말했다.

"나는 절에 자주 다니며 오늘도 절에 가려고 하였으나 버스를 놓쳤으므로 우연히 공원에 와서 선생님[나]를 만났어요."

하고 서두를 꺼냈다. 그리고는 다시,

"꿈속에서 주지스님이 앞에 앉아 계셨으며 나에게[김필순] 노란 색깔의 물이 든 컵을 주므로 나는 옆에 있는 딸에게 이 물을 주었어요. 이 딸은 어렸을 때 모습을 하고 있었어요."

나는 그녀의 꿈을 잘 이해했다. 꿈속의 주지스님은 현실에서 나를, 노란색의 물은 오줌을 상징한다. 즉 동일시 현상이 나타난 것이다.

나는 남성이며, 불교신자이기 때문에 그의 꿈에서 주지스님으로 보였다. 또한 스님들은 법문을 말씀하시며, 나는 그 날 그녀에게 불교에 대한 나의 상식을 말했다. 오줌과 물을 마시면 여러 질병의 예방과 치유 효과가 나타날 뿐만 아니라 눈에도 좋다.

오줌을 컵이나 사발 등에 배설후 조금 지나면 차게 된다. 이 찬 오줌에 충혈된 눈동자를 담그고 안구를 상하 좌우로 굴려주면 눈의 충혈과 통증이 사라진다.

이 말을 들은 김필순씨는 딸에게 이 요료법을 권유하겠다고 말했다. 꿈속에서 김필순씨가 노란색의 물을 딸에게 준 것은 이 요료법 권유를 상징한다고 말할 수 있다.

이 세상에서 모든 것이 필연적이란 생각이 든다. 어젯밤에 꾸었던 이 예지몽이 그 다음 날 현실화 된 것만 봐도 우연이 아니라 불교의 인연법에 의한 필연이란 생각이 든다. 즉 김필순씨와 내가 오늘 만났고, 법담과 건강 상식을 나눈 것도 필연이라고 본다.

꿈의 다의성과 함축성

  2014년 4월 14일, 나는 임플란트 시술을 받았다. 4월 9일과 10일 다음과 같은 꿈을 꾸었다. 박근혜 대통령과 북한 김정은을 꿈속에서 만났다. 꿈속에서 하얀 가운을 입은 박대통령과 역시 하얀 가운을 입은 김정은이 변기 위에 앉아 있는 나에게 무엇인가 말을 했다.

  4월 10일, 나의 꿈에 어떤 여자가 액체가 많은 불결한 음식을 먹으라고 권유했으나 내가 거절했더니 검정색 옷을 입은 사람이 그 음식을 갖고 지하로 내려갔다. 나는 이 꿈들을 치과에 가기 전에 꾸었다. 꿈속의 대통령은 길몽이며 상서로움을 상징한다. 하얀 옷을 입은 박대통령과 김정은은 간호사와 의사를 상징한다. 즉 꿈속의 동일시 현상이 나타난 것이다.

  화장실 변기에 내가 앉아 있는 것은 내가 간호사와 의사로부터 내가 부정직한 말을 듣고 속임을 당한다는 것을 상징한다고 볼 수 있다. 전에도 나는 화장실에 대한 꿈을 꾸었으며, 사람들이 화장실에서 이야기 하는 꿈을 꾸면 그 다음날 내가 속임을 당하는 일이 종종 있었다. 화장실에서는 남에게 보여 주지 못할 일들이 벌어지므로 화장실, 변기는 거짓말이나 사기 등을 상징한다고 볼 수 있다. 실제로 그 간호사는 나에게 과다한 임플란트 시술 받기를 요구했다. 음식물을 씹는데 이상이 없는 데도 그 치아를 뽑고, 저렴한 가격에 임플란트를 해 주겠다고 부추겼다. 나는 치아가 없는 곳에만 하려고 했으나 그 간호사의 말에 동의했다.

4월 10일 꿈은 내가 임플란트 시술 요구를 거절한 것을 은유적으로 표현한 것이다. 앞에서도 여러 번 언급했듯이 꿈속에서 음식물을 먹는 것은 감기, 복통이 실제로 일어날 수 있음을 상징한다. 만일 내가 그 간호사의 말대로 과다한 임플란트 시술을 받는다면 그 시술의 부작용이나 내 체력의 한계 때문에 다른 질병에 걸릴 수 있음을 암시하고 있었다.

이 꿈에서 내가 그 불결한 음식 먹기를 거절하자 검은 색 옷을 입은 사람이 그 음식을 갖고 지하로 내려간 것은 실제로 내가 나의 잘못된 생각으로 간호사와 약속한 것을 파기한 것을 상징한다. 꿈속에서 검정색은 불행이나 질병, 죽음을 상징한다. 더군다나 검은 옷을 입은 사람이 어두운 지하로 그 불결한 음식을 갖고 내려간 것은 나의 약속 파기가 얼마나 나의 건강을 위해 다행스러운 것임을 암시한다.

액체가 많은 불결한 음식은 이를 뽑을 때 나오는 피와 임플란트 시술을 할 때 생기는 피와 사용된 물을 상징한다. 멀쩡한 치아를 뽑은 후 그곳에 임플란트 시술을 할 경우 과다 출혈로 인해 생명이 위험해질 수 있다. 요즈음 병원이나 의원 등에서 간호사들이 사무장으로 일을 하면서 환자의 건강보다 병원 수익을 위해 온갖 전력을 기울이고 있다. 금전 만능주의가 우리 사회를 불행하게 하고 있다.

나는 치아가 없는 곳에만 임플란트 시술을 받았고, 이 시술은 성공적으로 끝났다. 꿈속의 대통령이 실제로 성공적인 이 시술을 상징했다고 본다.

이 같은 꿈의 장면들은 여러 가지 뜻을 담고 있다. 즉 성공적인 시술과 금전 만능주의에 의한 불행, 부정직 등을 암시한 꿈이며, 꿈의 내용이 매우 함축적임을 알 수 있다. 또 이처럼 꿈을 잘 기억하고 해몽하면 사전에 불행을 막을 수 있는 것이다.

2006년 7월 어느 날, 나의 꿈에 형님과 나, 여동생이 밥을 짓고 있는데 돌아가신 어머님이 나타나셔서 우리가 밥 짓는 모습을 보시고 불평을 하셨다. 우리 형제, 자매 사이는 좋았으나 그 부부들 사이는 썩 좋은 관계가 아니었다. 모친은 이 같은 사실을 아시고 형님과 누이의 부부 관계가 좋아지는 것을 원했다.

이 꿈에서 나의 형님과 나와 누이가 함께 밥을 솥에서 짓는다는 것은 함께 식생활을 하는 것을 상징한다. 즉 형님 부부와 누이 부부가 이혼을 하고 삼남매가 함께 산다는 것을 의미한다. 어머니의 영혼은 이것을 아시고 꿈속에 나타나셔서 옳지 않음을 알렸다. 나는 이 꿈을 꾸고 형님에게 알렸다.

돌아가신 분들의 영혼은 이 세상에서 일어나는 일들을 모두 알고 있다. 이 영혼들은 특히 자손들의 행·불행과 옳고 그름을 모두 알며, 이것들을 알리기 위해 꿈에 나타난다. 이 영혼들이 자손들의 행·불행을 알고 싶으면 TV 화면처럼 자손들에 대한 영상이 나타난다. 임사체험자들이나 깨달은 사람들은 이 진실을 증언하고 있으며, 나는 꿈을 통해서 이 사실을 알고 있다. 이처럼 이 꿈의 간단한 장면은 여러 가지 뜻을 담고 있다. 꿈의 다의성과 함축성을 알 수 있는 것이다.

2014년 4월 20일, 나는 어두운 지하 굴로부터 나오는 꿈을 꾸었다. 나뿐만 아니라 2~3명의 사람들도 깊은 지하에서 올라오고 있었다. 그 다음날 담당 치과의사는 임플란트 시술시 사용했던 실을 제거했으며, 시술이 만족스럽게 됐다고 말했다.

이 꿈에서 어두운 굴로부터 나온다는 것은 임플란트 시술이 만족스럽게 됐으며, 부작용이 생기지 않음을 상징한다고 말할 수 있다. 임플란트 시술은 매우 위험함을 이 꿈은 알리고 있었다. 어두운 지하 굴은 질병이나 죽음, 사건, 사고를 상징한다. 이 시술을 할 때 신경을 건드리면 통증이 생기므로 다시 뽑아야 되는 위험성이 있다. 다행히 나는 이 굴로부터 나왔으므로 부작용이 일어나지 않을 것이란 확신이 들었다.

2011년 6월, 어깨 통증이 매우 심하고 위로 들어 올릴 수 없어서 병원에 갔다. 담당 의사는 회전근개 파열이란 진단을 내리면서 당장 수술을 권했다. 병원에 가기 전날 밤 꿈에 나는 여러 의료 기구를 이용하여 검사를 받았으며, 그 후 어두운 미로로 들어간 후 깊은 낭떠러지로 추락하는 장면들이 나타났다.

어두운 미로로 들어간다는 것과 깊은 낭떠러지로 추락한다는 것은 나의 신상에 매우 위태로움이 있을 수 있음을 상징한다. 병원에 가기 전날 밤에 꿈을 꾸었기 때문에 의사의 잘못된 의료적 수술 또는 처치 때문에 현재의 나의 몸 상태보다 훨씬 내 몸이 망가지는 것을 이 꿈은 암시하고 있었다.

이 꿈 때문에 나는 의사의 수술 권유를 거절하고 스스로 치유하기로 했다. 다음 날 나의 꿈에 아픈 쪽 팔이 360° 회전하는 것이 아닌가. 실수로 왼쪽 어깨를 문틀에 강하게 부딪혔기 때문에 회전근개 파열이 일어났다고 생각되었다.

팔을 조금만 올려도 어깨쪽지가 아팠는데 팔을 360° 돌린다는 것, 즉 팔을 한 바퀴 돌린 꿈은 나의 자연적 치료에 의해 치유된다는 것을 암시한다. 나는 초등학교와 중학교를 다녔을 때 자주 했던 맨손 체조 가운데 팔, 어깨 체조를 시도했다. 체조 횟수가 증가할수록 60°에서 90°로 팔을 올릴 수 있었다. 약 2개월이 지났을 때 팔을 여러 바퀴 앞과 뒤로 돌릴 수 있었다.

어깨 통증을 팔, 어깨 맨손 체조로 완치한 후 나는 여래장[정신, 자성, 불성]에 감사하지 않을 수 없었다. 아픈 팔과 어깨를 한 바퀴 돌린 꿈의 장면은 맨손체조를 하면 통증이 치유될 수 있음을 상징한다. 이 꿈의 함축성과 창조성에 대하여 경탄하지 않을 수 없었다. 맨손 체조는 다음과 같이 하는 것이 좋다. 처음 양팔을 앞과 뒤로 굴려가면서 올려준 후 팔을 앞에서 뒤로, 또는 뒤에서 앞으로 돌려준다. 그 다음에 팔을 옆과 위쪽으로 돌려준다. 이 팔, 어깨 맨손체조를 하면 어깨의 통증 예방과 치료 효과를 높인다.

태몽(胎夢)

　　임신부가 자녀를 낳기 전에 태몽을 꾼다. 태몽을 통해서 자녀의 성별, 운명, 수명 등을 어느 정도 알 수 있다. 임신부뿐만 아니라 태아의 조부모, 부, 친척 등에 의해서도 태몽이 꾸어진다.

　　모 대학 박사학위 논문에 다음과 같은 태몽에 대한 논문이 있다. 1명 이상의 자녀를 둔 912명의 부인들이 경험한 1,504개의 꿈 사례 가운데 1,220여 개의 태몽이 남녀의 성별을 가려내는 데 유효했다. 즉 태몽의 89%가 태아 성별을 가려내는데 유효했다는 것이다. 그리고 임신 초기 또는 성 관계 직후 꾸어진 태몽이 1,237건에 달했다. 임신부뿐만 아니라 태아의 가족들은 장래 태어날 아기의 성별, 운명 등에 관심이 매우 크기 때문에 임신부 등의 정이 꿈을 통해서 알려주기 위해서 태몽이 꾸어진다.

　　태몽은 해와 달, 별 등 천체에 의한 상징, 12간지(干支) 등에 등장한 동물에 의한 상징, 신령적인 존재에 의한 상징, 과거 유명한 사람에 의한 상징 등을 통해 꾸어진다. 과일나무나 큰 나무 등 자연물도 태몽의 재료가 된다.

조선 9대 임금인 성종은 그의 어머니가 해를 가슴에 품는 태몽을 꾸고 태어났다. 요나라 태조 야율아보기는 그의 모친이 해가 뱃속으로 들어오는 태몽을 꾸고 태어났다고 한다.

이명박 전대통령은 그의 어머니가 밝은 보름달을 품에 안은 태몽을 꾸고 태어났다고 하며, 보름달처럼 밝다는 뜻에서 명박(明博)이란 이름이 지어졌다고 한다.

세종대왕은 그의 어머니가 용이 여의주를 물고 북한산 꼭대기로 승천하는 태몽을 꾸고 태어났다. 또 이승만 대통령의 경우 용이 어머니의 품안으로 들어오는 태몽을 꾸었다고 한다.

구한말 선승인 만공선사는 그의 어머니가 용이 구슬을 토하자 광명이 발하는 태몽을 꾸고 태어났다고 한다. 또 율곡 이이 선생의 경우 어머니인 사임당 신씨가 선녀가 옥동자를 데려오는 태몽을 꾸었다고 한다. 서산대사의 경우 그의 어머니는 선녀가 아들을 잉태했다고 축하하는 태몽을 꾸었다고 했다.

태양이 품 안으로 들어오면 태아가 생긴다고 말할 수 있지만 어떤 사람의 생명이 위독하다든가 위험하면 해가 서산에 지는 장면이 나타나기도 한다.

나는 막내 동생에게 앞으로 닥칠 교통사고 때문에 불행이 찾아올 때 해가 서산에 지는 장면을 목격했다.

나는 이 예지몽을 꾸고 동생에게 경고함으로써 교통사고를 예방하였고, 죽음을 면하게 되었다. 또한 독일에 살고 있는 한 친구가 불고기를 먹는 동안 의자 뒤로 넘어질 때 해가 서산에 지는 장면을 꿈속에서 보았다. 불고기를 먹기 전 그 친구는 한때 나에게 서

운하게 한 점에 대하여 미안함을 꿈속에서 나타냈다. 기독교인인 그 친구는 여러 교인들과 함께 공원에서 쉬는 날이면 불고기를 자주 먹었다.

나는 불고기의 탄 부분에서 벤조피렌이라는 발암물질이 생성되기 때문에 그가 암으로 사망할 것이란 생각이 들었다. 이 나의 꿈에서 그 친구가 땅에 떨어지면서 해가 서산에 지는 것은 그 친구의 생명이 위험함을 상징했다. 따라서 불고기 등 육류와 알코올 섭취를 억제할 것을 권했다.

태몽은 그 태아의 생명과 운명, 성별을 상징한다. 한 부인[75세]은 남매를 낳았는데, 임신중 다음과 같은 태몽을 꾸었다고 한다. 아들의 경우 큰 개를 집으로 데리고 들어온 태몽을 꾸었다고 한다.

아들은 폭력배가 되었으며, 50세의 젊은 나이에 죽었다고 했다. 개는 주인에게는 충성적이지만 타인에게는 적대적인 경우가 많다.

개의 평균 나이는 약 15년이다. 이 태몽은 그의 운명과 깊은 관계가 있다고 본다. 딸의 경우 금박이 모자를 쓴 남자가 찾아와서 딸을 낳을 것이란 말을 남기고 사라졌다. 이 딸은 장차 커서 경찰관이 되었으며, 그녀의 남편 역시 경찰관이었다. 경찰관은 일반적으로 금박이 모자를 쓰기 때문에 이 태몽을 꾸었다고 말할 수 있다.

나의 어머니는 나와 여동생에 대한 태몽을 말씀해 주셨다. 나의 경우 어머니가 한 도마뱀을 잡으려고 손으로 탁치면 팔딱 뛰고, 또 잡으려고 하면 팔딱 뛰면서 피해가므로 잡을 수 없었던 태몽을 꾸셨다고 한다. 이 나의 태몽은 꿈 때문에 여러 번 죽을 고비를 잘 넘긴 것을 상징한다.

또한 도마뱀이 어머니 품안으로 들어오지 못하고 밖으로 피해 다니는 것은 고향에서 살지 못하고, 독일 등 객지에서 산다는 것을 상징한다고 말할 수 있다. 국내에서 서식하는 도마뱀은 순하고 지혜로워서 어려움을 잘 극복하듯이 나 역시 진리 속에서 행복하게 살고 있다.

여동생의 경우, 어머님은 감이 많이 달린 감나무의 태몽을 꾸셨다고 한다. 감나무가 감을 생산하는 것은 여자가 임신한다는 것을 상징한다. 따라서 이 태몽을 꾸시고 여동생을 낳으셨다.

성경에 예수 그리스도의 탄생이 수백 년 전부터 선지자들에 의해 예지되었다고 기록되어 있다. 그리고 예수의 아버지인 요셉의 꿈에 성령에 의해 예수가 잉태되었으며, 다음과 같이 기록되어 있다.

'한 천사가 나타나서 다윗의 손자인 요셉아, 네 아내 마리아 데려오기를 두려워 말라. 저에게 잉태된 자는 성령으로 된 것이니라. 아들을 낳으리니 이름을 예수라고 하라. 이는 그가 자기 백성을 저희 죄에서 구원할 자이심이라.'

이와 같은 예수의 태몽설은 과학적으로 입증될 수 없으나 인류에게 시사하는 바가 크다. 예수의 탄생은 죄악으로부터 인간을 구원한다는 것을 의미한다.

석가모니 부처님의 어머니인 마야부인[고대 인도 카필라 왕국의 정반왕의 부인]은 6개의 상아를 가진 눈이 부시도록 흰 코끼리가 부인의 오른쪽 옆구리로 들어오는 태몽을 꾸었다고 한다.

인도에서 코끼리는 귀한 동물이다. 눈이 부시도록 하얀 코끼리는 인류에게 지혜의 광명을 주는 것을 상징한다. 코끼리는 다른 동물에 비교하여 매우 영리하고 지혜로우며, 서로 사랑하면서 집단적으로 산다. 또한 코끼리의 평균 수명은 약 50~60년 정도이므로 다른 동물에 비교하여 길다.

석가모니 부처님은 80세까지 사셨으며, 그의 장수는 코끼리 태몽과 관련이 있다고 본다. 그 당시 수명 80세는 지금 100세 정도에 해당된다.

마호메트는 사막 지역인 메카에서 태어났으며, 처음 이슬람교는 교통수단인 낙타를 이용해 사막 지역에 전파된 후 점점 전 세계적으로 전파되었다. 마호메트의 어머니인 아미나의 옆구리로부터 나온 찬란한 빛이 온 사막에 비춘다는 태몽은 이슬람교의 전도를 상징한다고 말할 수 있다.

고려 태조 왕건의 경우 그의 어머니가 곡령에 올라가 남쪽을 향하여 오줌을 누었더니 삼한(三韓)의 산천이 바다로 변했다는 태몽을 꾸었다. 곡령은 지금의 개성에 있으며, 삼한은 상고시대의 마한, 진한, 변한을 말한다.

삼한은 현재 북한의 일부와 남한 전 지역을 말한다. 오줌을 누었더니 삼한의 산천이 바다로 변했다는 것은 태조 왕건이 삼한을 통일했다는 것을 상징한다.

이상에서 본 것처럼 태몽은 그 사람의 운명과 수명, 신앙, 성별 등 다양한 것들을 상징한다. 운명의 운자는 옮길 운(運)이다. 따라서 운명은 숙명과 다르게 변화될 수 있다.

사람들은 종교에서 진리를 찾고 삶의 의미를 찾는다. 진리를 찾으면 예전과 180° 다른 생활을 하게 된다. 진리를 통해 운명이 바

꿰어지는 것이다. 나는 꿈을 통해서 참마음을 알았고, 참마음은
태양처럼 밝은 지혜와 자비심으로 가득 찼다.

사람들은 명상이나 선정 등을 통해 마음이 자신의 본성임을 안
다. 이 경지에 들어서면 천안통(天眼通) 등 6가지 신통력을 가지
며 언제나 즐겁고 행복하다. 운명이 바뀌어지는 것이다.

자극에 의해서도 꿈이 만들어진다

프로이트는 외적 감각자극, 내적 감각자극, 내적 신체자극, 심리적 자극에 의해서 꿈이 만들어진다고 주장하고 있다.

외적 감각 자극

잠자는 동안 의식이 없는 무의식 상태에서 신체가 밖으로부터 어떤 자극을 받으면 그 자극에 의해 꿈이 만들어진다. 예센은「심리학의 과학적 논증에 대한 실험」이란 책을 썼는데 이 책에서 외적 감각 자극에 대해 다음과 같이 썼다.

'천둥치는 소리는 꿈에서 우리를 전쟁터로 데려간다. 삐걱거리는 문소리는 강도가 침입하는 꿈을 꾸게 한다. 이불을 걷어찬 채로 잠자는 버릇이 있는 사람은 벗은 몸으로 돌아다니거나 물속에 빠지는 꿈을 꾼다. 머리가 베개 밑에 깔리면 커다란 바위가 자신을 덮치는 꿈을 꾼다. 정력적인 사람은 방탕한 행동을 하는 꿈을

꾼다. 몸이 아프면 부상당하는 꿈을 꾼다.'

이처럼 잠자는 동안의 무의식은 자극을 받으면 화가가 그림을 그리듯이 다양한 꿈의 세계를 만든다. 문소리 등 어떤 자극이 모든 사람들에게 똑같은 꿈을 꾸게 하지는 않는다. 이처럼 낮은 단계의 무의식에서 만들어지는 꿈은 큰 의미가 없는 허몽 또는 잡몽이다. 낮은 단계의 무의식은 앞에서 언급한 공여래장을 말한다.

내적 감각 자극

음식을 짜게 먹으면 갈증을 느끼고, 적게 먹으면 배고픔을 느낀다. 이와 같은 내적 신체적 느낌을 내적 감각 자극이라고 한다. 잠자는 동안 무의식상태에서 내적 감각 역시 꿈을 만든다.

불교에서 이 내적 감각은 6식(六識)에 들어가며, 6식은 넓은 의미의 정신에 포함된다. 꿈은 무의식에서 만들어지며, 무의식은 대부분의 정신을 지배하므로 잠자는 동안 내적 감각 자극은 꿈으로 나타난다. 이와 같은 꿈은 큰 의미가 없다.

프로이트는 내적 감각 자극을 다음과 같이 설명하고 있다.

'배가 고프다든지 눈이 아프다든지 하는 등의 잠자는 사람의 상태는 자신에게 일정한 영향을 미친다. 이런 자극을 내적 감각 자극이라고 한다. 내적 감각 자극은 다음과 같은 꿈을 꾸게 한다. 잠자기 전에 이상한 머리 모양을 한 괴상한 얼굴의 사람을 반복하여 보게 되면 그 모습이 꿈속에서 나타난다. 그리고 잠에서 깨어서도 그 모습을 기억할 수 있다. 내적 감각이 그 사람을 기억하고 있기 때문이다. 또 음식을 적게 먹어 굶주린 상태에서 얕게 잠든 사람은 음식을 먹는 꿈을 꾼다든가, 다른 사람의 음식을 먹는 모습, 그릇 부딪치는 소리와 포크 움직이는 소리 등의 꿈을 꾼다. 눈이 따끔거리며 아픈 상태에서 잠이 들었을 경우에는 여러 가지 작은 기호들이 펼쳐진 환각을 체험하게 되는데 꿈에서 글씨가 작은 책이 자신 앞에 펼쳐져 있고, 그 책을 읽느라고 졸린 상태에서 무던히 애를 썼던 꿈을 기억한다.'

분트는 그의 「생리학적 심리학의 특성」이란 책에서 내적 감각 자극이 꿈에 영향을 준다고 다음과 같이 말하고 있다.

"꿈의 내용을 착각하게 만드는 결정적인 역할을 하는 것이 시각과 청각이다. 어두운 곳에서 본 밝은 빛이나 귀울림 현상 등은 꿈 속에서 현란한 모습으로 나타난다. 시각 가운데에서도 망막 자극이 큰 역할을 한다. 꿈에서 비슷한 물체가 여러 개 나타나면 이것은 주관적 망막 자극에서 생겨난 경우일 수 있다. 예를 들어 현실에서 불빛에 비친 먼지가 꿈에서는 새나 나비, 물고기, 오색영롱한 진주나 꽃 등 환상적인 형태로 나타난다. 이처럼 먼지로 이루어진 빛 속의 점들이 꿈에서 물체로 바뀌는데, 현란하게 움직이는 빛 때문에 움직이는 대상으로 보인다. 온갖 동물들이 꿈에 자주 나타나는 이유도 이 때문일 것이다. 꿈속에 등장하는 동물이 다양한 까닭은 주관적 감각 자극 때문이다. 빛이나 소리 등을 통한 내적 감각 자극은 꿈에서 아주 특이한 물체와 생물 등으로 나타난다."

불교에서 말하는 여래장은 정신의 대부분을 차지하는 무의식이라고 말할 수 있다. 이 무의식이 꿈을 만든다. 전에도 언급했지만 여래장은 공여래장과 불공여래장이 있다. 여래(如來)는 진여[眞如 : 불성, 우주정신]에서 왔다는 뜻이며, 부처님을 의미한다. 그리고 여래장의 장(藏)은 간직된 곳을 말하므로 여래장을 불성, 자성, 정신, 영체 등을 의미한다. 모든 사람들은 여래장을 갖고 있다.

우리는 과거의 사건이나 생각, 말, 행동 등을 잊어버리는 데 이 망각된 것들은 여래장에 저장된다. 이 여래장을 공여래장이라고 한다. 공이란 비고 없는 것을 의미한다. 불경에서는 오온[五蘊 : 인체, 감성, 이성]이 공(空)하다고 말하였으므로 과거의 망각된 사건, 행동 등은 무(無)이므로 공여래장이라고 한다.

우리의 무의식에도 과거의 망각된 사건이나 행동 등이 저장된다. 공여래장은 무의식의 일부이며, 이것들도 꿈을 만든다. 외적 감각 자극, 내적 감각 자극 등으로 이루어진 공여래장[무의식]에 의해 만들어진 꿈은 큰 의미가 없는 허몽 또는 잡몽이다.

예센의 주장처럼 천둥치는 소리는 우리를 전쟁터로 데려 간다. 현실에서 삐걱거리는 문소리는 강도가 침입하는 꿈을 꾸게 한다. 또한 이불을 걷어찬 채로 잠자는 버릇이 있는 사람은 벗은 몸으로 돌아다니고 물속에 빠지는 꿈을 꾼다.

이와 같은 외적 자극들은 잠자는 동안 공여래장에 고스란히 저장되어지며, 무의식 상태에서 공여래장에 저장되어진 것들이 꿈으로 나타난다. 따라서 이 꿈들은 단순히 자극에 의해 만들어졌으므로 큰 의미가 없는 허몽 또는 잡몽이다.

프로이트가 주장하는 내적 감각 자극들 역시 공여래장에 저장되어진 후 꿈으로 나타난다. 즉 음식을 적게 먹은 상태에서 잠을 얕게 잠든 사람은 음식을 먹는 꿈을 꾼다든가 다른 사람의 음식 먹는 모습, 그릇 부딪치는 소리 등의 꿈을 꾼다.

이 배고픔이란 내적 자극 역시 공여래장에 저장되어지며, 잠자는 동안 무의식 상태에서 먹고 싶은 소망을 충족시키기 위해 음식을 먹는 꿈을 꾼다고 말할 수 있다. 이 꿈들 역시 큰 의미가 없는 허몽이다.

불공여래장은 공여래장과 다르다. 불공(不空)은 비어 있지 않고 지혜와 광명, 자비로 가득 찼다는 뜻이다. 불성, 정신, 자성, 진여 등이 바로 불공여래장이라고 하며, 불공여래장에 의해 만들어진 꿈을 영몽(靈夢)이라고 한다. 이 불공여래장이 융이 말한 자기[자성]와 같으며 무의식과 같다. 무의식은 공여래장과 불공여래장을 모두 포함한다. 예지몽 등은 불공여래장의 작용 때문에 꾸어지는 것이다.

내적 신체 자극

위장병, 대장계통 질환, 간 계통의 질병 등 신체 내부에 질병이 있을 경우 각각의 질병에 따른 증상이 있다. 이 증상의 자극 때문에 꿈이 만들어진다는 논리다. 프로이트는 다음과 같이 말하면서 내적 신체 자극이 꿈을 일으킨다고 주장했다.

"정신은 깨어 있을 때보다 잠을 잘 때 신체 상태를 더 깊고 넓게 자각한다. 그래서 깨어 있을 때에는 전혀 깨닫지 못하는 신체 부위의 자극이나 신체 변화에서 오는 자극을 꿈을 통해 받아들이며, 꿈으로부터 영향을 받는다. 많은 사람들에게 신체 내부기관의 질병이나 장애가 꿈을 자극하는 요인으로 작용한다.

일반적으로 심장 질환이나 폐 질환이 있는 사람들이 악몽을 자주 꾼다. 심장 질환이 있는 사람들의 꿈은 일반적으로 매우 짧으며, 악몽이기 때문에 소스라치게 놀라면서 꿈을 꾼 사람은 잠에서 깨어난다. 또한 끔찍한 상태에서 죽는 꿈을 꾼다. 폐 질환이 있는 사람은 궁지에 몰려 도망가는 꿈을 많이 꾼다. 이를 증명하는 실질적인 예가 있다. 43세의 한 여성은 겉으로 보기에는 매우 건강했으나 몇 년 후 심장병으로 쓰러졌다. 이 여성은 몇 년 전부터 불안한 꿈에 시달려 왔다. 의사가 이 여성을 진단한 결과 이 여성은 심장병의 초기였다. 심장병이 불안한 꿈을 꾸게 했다."

나는 프로이트의 이와 같은 주장에 동의할 수 없다. 우리의 정신 또는 무의식은 어떤 사람이 질병에 걸릴 것을 안다. 따라서 예지몽을 통해서 장래의 환자 또는 그 환자의 가족들에게 알린다. 그 장래의 환자가 예지몽을 통해서 질병에 걸릴 것을 미리 알 수 있다. 또한 장래의 환자 가족들이 예지몽을 통해서 지금은 건강하지만 그 장래의 환자가 미래에 병에 걸릴 것을 알 수 있다.

질병 때문에 일어나는 내적 신체 자극이 없이 우리의 정신은 어떤 사람이 질병에 걸릴 것을 미리 안다. 나는 나의 형제, 자매, 그리고 친척 등의 질병이나 사고 등을 예지몽을 통해 미리 알았다.

친척들이 그 당시 질병에 걸린 것도 꿈을 통해서 알았다.

예를 들면 나의 꿈에 막내 동생의 복부가 까맣게 보였으므로 그 다음 날 동생에게 전화를 걸었다. 그 동생은 과음을 하고 육식을 하였으므로 위, 간, 장에 염증이 있었다. 나는 내적 신체 자극없이 수백 키로 떨어져 사는 동생의 질병을 나의 꿈을 통해서 알았다.

프로이트는 43세 여성 심장병 환자의 예를 들면서 내부 신체 자극이 불안한 꿈을 꾸게 한다고 주장하지만 이 주장 역시 설득력이 약하다.

이 여성은 초기 심장병 진단을 받기 수년 전부터 악몽에 시달렸다. 심장병으로 쓰러지기 전까지 그녀는 건강했다. 즉, 심장병 증상인 내적 신체 자극없이 악몽을 꾸었다.

이와 같은 현상은 내적 신체 자극에 의해서 일어난 것이 아니다. 그녀의 정신 또는 무의식이 심장병에 걸릴 것을 미리 알고 악몽을 통해서 알리려고 했으나 그녀가 그 꿈을 이해하지 못해 심장병을 예방하지 않았으므로 발병된 것이다.

그녀가 초기 심장병 진단을 받기 전 수년 동안 악몽에 시달려 왔던 것은 그녀가 한두 번 악몽에도 불구하고 이 악몽을 깨닫지 못했기 때문에 그녀의 정신이 심장병이 일어날 것을 알리기 위해 계속 악몽을 꾸게 한 것이다. 따라서 어떤 사람이 가위눌림 즉, 악몽을 계속 꾸면 질병 또는 사고가 가까운 장래에 일어날 수 있으므로 조심해야 한다.

우리의 정신 또는 무의식은 너무나 신령스러워서 신처럼 모든 것을 안다. 질병으로 인한 증상[내적 신체 자극]이 있기 전부터 사람들에게 장래에 발병될 것을 악몽 등 꿈을 통해서 알린다.

순수한 심리적 자극

프로이트 등 몇몇 학자들이 깨어 있는 동안 생각했던 순수한 심리적 자극이 잠자는 동안 꿈으로 나타난다고 주장하고 있다. 프로이트는 다음과 같이 말하면서 순수한 심리적 자극이 꿈으로 나타난다는 것을 설명하고 있다.

'꿈은 자극에 의해서 생겨나는데, 그 자극 중에서도 순수한 심리적 자극이 가장 중요하다는 것이 많은 연구자들의 공통된 견해이다. 깨어 있는 동안에 우리가 갖게 되는 관심사가 꿈을 만드는데 이를 순수한 심리적 자극이라고 한다. 즉 평상시에 우리가 생각하는 것이 꿈의 내용을 결정한다는 것이다. 깨어있는 동안 가졌던 관심사가 꿈속에서 나타나는 것은 꿈과 삶을 연결해 주는 심리적 고리이다. 심리적 자극이 꿈의 유래가 된다는 것은 분명해 보이며, 과소평가할 수는 없다. 물론 이와 같은 주장과 반대되는 견해도 알고 있다. 즉 꿈은 잠자는 사람의 주의를 낮 동안의 관심사에서 멀어지게 하며, 낮에 우리를 사로잡았던 사물들이 삶에 절실하게 자극을 주지 않게 된 다음에야 꿈에 나타난다는 것이다. 이런 견해가 틀린 것은 아니지만 좀 더 깊이 꿈의 원인을 살펴보면 심리자극이 1차적인 동기가 된다는 것을 알게 된다. 내적, 외적 자극과 더불어 깨어 있는 동안의 관심사가 꿈의 원인임을 밝힐 수 있다면 우리는 꿈의 요소들이 어디서 온 것인지 만족스럽게 해명할 수 있다. 그러나 실제로 아직까지 꿈을 생기게 하는 심리적 자극과 신체적 자극의 몫을 제대로 밝히지 못해 꿈을 완전하게 해명하지 못하고 있다. 꿈에 있어서 순수한 심리적 자극의 출처는 알려진 것이 없으며, 그래서 많은 사람들은 꿈을 생기게 하는 요인으로 심리적 자극의 몫을 가급적 축소시키려고 한다. 명망 있는 철학자 분트 등 중립을 지키는 사람들은 대다수의 꿈에 신체적 자극과 더불어 알려지지 않았거나 낮은 관심사로 알려진 심리적 자극이 함께 작용한다고 생각했다.'

그러나 융학파는 자기가 꿈을 만들기 때문에 순수한 심리적 자극이 꿈을 만드는데 중요한 역할을 한다는 것에 동의하지 않는다. 물론 심리적 자극도 정신과 무의식에 영향을 주므로 꿈을 만드는데 조금 도움이 되지만 핵심적 역할을 할 수 없다고 본다.

융이 말하는 자기는 정신이다. 이 우주와 만물에는 정신 또는 영혼이 있다고 믿는 사람들이 많으나 정신 또는 영혼은 형이상학[形而上學 : 사물의 본질 또는 존재의 근본원리에 관한 학문]적인 문제이기 때문에 과학적으로 규명될 수는 없다. 그러나 꿈을 해몽하면 정신, 무의식 또는 영혼의 작용을 이해할 수 있다.

융학파의 자기는 인생에게 나침반 역할을 한다. 이 자기는 꿈을 통해서 사람의 갈 길을 알려 준다. 따라서 해몽만 잘하면 자기의 운명을 알 수 있다. 융학파의 자기는 불교에서 말하는 자성, 불성, 진여, 여래장이며, 힌두교에서 말하는 아트만[영혼, 정신, 진아]과 같다.

수년 동안 참선을 하지만 깨닫지 못하는 스님들이 많다. 또한

148

일반 사람들 역시 자신의 마음을 잘 모르며 보고, 듣고, 학교에서 배우는 것만이 진리라고 생각한다. 그러나 참마음을 모르면 진리를 알 수 없다.

우리는 매일 밤 꾸는 꿈을 잘 해석하면 참마음을 알 수 있다. 그리고 개인, 사회, 국가, 국제적 사건 등 미래에 일어날 것을 훤히 알 수 있는 천리안(千里眼)을 갖게 된다.

순수한 심리적 자극 즉 현실에서 갖고 있는 관심사가 꿈을 만들지만, 정신[자성, 영혼, 여래장]이 꿈을 만드는데 핵심적 역할을 한다.

색깔과 꿈

　꿈속에서 색깔은 건강과 죽음, 질병, 성공, 승리, 절망 등을 상징한다. 일반적으로 총천연색 꿈을 꾸면 건강하고 행복해질 수 있고, 검은색 꿈을 꾸면 사망이나 위험, 질병 등 불행한 일이 생기는 경우가 많다.

　2010년 6월 29일, 나는 다음과 같은 꿈을 꾸었다.

　푸른 가지가 매우 많은 큰 나무의 가지 사이마다 하얀 꽃이 쭉쭉 솟아오르고 있었다. 이 꿈을 꾸고 민주당이 6. 29선거에서 압승할 것을 확신했다. 그 당시 민주당의 로고는 잎이 무성한 나무였다. 수많은 가지는 각 지역구를 상징한다. 그 가지 사이사이에 흰 꽃이 피어오르는 것은 성공 또는 승리를 말해준다.

　일반적으로 꽃이 피는 것은 가능성이 열리고, 전망이 밝다는 것을 상징한다. 또한 가문의 번영, 운세가 좋아짐을 의미한다.

　실제로 민주당은 2010년 6. 29 선거에서 강원도, 서울, 인천, 충청남북도, 전라남북도, 광주에서 한나라당을 누르고 승리했다.

　2009년 12월 어느 날 나의 꿈에 큰 사발에 동물의 심장과 신장,

간 등의 장기가 들어 있으며 밖에서 밀려오는 물결에 의해서 그 사발 속으로 물이 들어가고 있었다. 그 사발이 넘칠 정도로 많이 들어왔다. 그곳에서 조금 떨어진 곳에는 매우 어두웠고 지열이 심해서 주전자의 물이 끓고 밥도 짓는다.

그 어둡고 열기가 심한 곳에 둘째 동생의 어릴 때 모습이 나타났다. 동생은 매우 초췌한 몰골을 하고 있었다. 내가 이쪽으로 와서 밥을 지으라고 말하였으며, 나의 말을 잘 들었다.

이 꿈을 꾸고 동생의 건강에 이상이 있음을 확신했다. 그 다음날 동생에게 전화를 걸었다. 평상시에는 아프지 않은데 운동을 하면 심장에 통증을 느끼며 약을 먹고 있다고 했다.

심장, 신장, 간, 위장 등 장기가 들어 있는 사발에 물이 들어 온 것은 심장, 신장, 간 등의 질병 때문에 체내의 수분 배출이 억제되어 몸이 붓는 것을 은유적으로 표현한 것이다. 어둡고 지열이 심한 곳에 동생이 서 있다는 것은 질병 때문에 체온이 높으며 혈액 순환과 신진대사 작용이 억제되어 어두운 혈색으로 변해가고 있음을 상징한다.

이 꿈에서 검은 색은 동생의 질병이 점점 위독함을 알리고 있었다. 성인인 동생이 어릴 때의 모습으로 나타난 것은 타인의 도움, 즉 나의 도움이 필요함을 암시한다. 동생은 나의 지시에 따라 밥을 짓는 것은 나의 처방을 따르는 것을 상징한다.

그 당시 동생은 고기 안주에 술을 많이 마셨으며, 밥 대신에 우유와 빵을 먹었다. 이와 같은 나쁜 식습관이 심장병 등을 일으켰던 것이다. 나는 이 나쁜 식습관을 버리고 그 대신 잡곡밥과 채소,

해조류, 과일, 들기름 등을 권했다. 또한 물과 오줌을 하루에 각각 3컵씩 공복에 시차를 두고 마실 것을 권했다. 그러나 동생은 오줌 마시기를 거부함으로써 물을 충분히 마실 것을 권했다.

약 일주일 후 나의 꿈에 그 동생이 낭떠러지의 어둡고 깊은 곳으로 추락하는 장면이 나타났다. 또 다른 꿈에 고향 집 뒤에 있는 밭에서 돌아가신 부모님들이 함께 땅을 파고 있었으며, 그 동생이 오줌을 먹어야 한다고 말씀하셨다. 그 때 그곳에서도 어릴 때의 동생의 모습이 나타났다.

낭떠러지의 어둡고 깊은 곳으로 떨어지는 것은 동생의 병이 심각해서 불구가 된다든가 죽음을 은유적으로 표현한 것이다. 즉 충분한 물 섭취와 식이요법 개선만으로 치료될 수 없음을 암시한다. 이 꿈에서도 검은 색은 불행과 절망, 죽음을 상징한다. 부모님이 땅을 파고 있는 것은 동생이 죽은 후 매장될 것을 뜻한다.

나는 형님에게 전화를 걸어 그 동생이 오줌을 마시도록 설득하기를 원했다. 형님은 오줌과 물을 마시고 위와 대장의 염증이 완치되었으므로 누구보다도 오줌의 효능을 잘 알고 있었다. 물론 지금도 실천하고 있다.

오줌 마시기를 거절했던 동생도 형님과 나의 간곡한 권고를 받아들여 실천하고 있다. 그 동생은 약 6주 동안 요료법과 식이요법, 운동을 통해서 오랜 질병을 완치했으며, 지금은 심장 약도 끊었다.

이 꿈들 속에 등장하는 검은 색들은 동생의 질병을 상징함을 알 수 있다.

2008년 7월 5일 꿈에 집 내부가 모두 타서 숯처럼 검은 색으로 변했다. 밖으로 나가려고 하는데 커다란 숫소가 길을 막고 있어서 나갈 수가 없었다.

그 다음날 오전 9시경 등산을 하기 위해 층계를 내려가는데 3층 집 문 틈새로 밥 타는 냄새가 심하게 났다. 약 2년 전에도 3층 그 집에서 밥 타는 냄새가 심하게 난 후 그 집 여주인이 와서 창문을 활짝 열어젖힌 일이 있었다. 이번에도 그 안주인이 건망증 때문에 가스 불을 끄지 않고 밖에 나갔다는 생각이 들었다.

나는 4층에 살고 밥 타는 집은 3층이며, 2층 집 사람에게 알려서 가까스로 가스 불을 껐다. 이 꿈에서 가구 등이 숯처럼 검은 색으로 변한 것은 화재가 났을 경우 실제로 이렇게 된다는 것을 은유적으로 나타내고 있다. 뿔이 구부러지고 순한 암소가 우리에 들어오면 재물이 생기는 것을 상징하지만 뿔이 크고 사나운 숫소는 생명의 위험을 암시한다. 만일 내가 이 꿈을 무시하고 2층 집 사람에게 알리지 않았다면 대형 가스 폭발사고가 일어났을 것이다.

이 꿈에서도 검은 색은 화재, 불행, 죽음을 암시한다. 3층집 여성은 나의 신고 답례로 떡을 선물해서 함께 먹기도 했다. 그 여성은 가스불로 밥을 지으면서 빨래까지 그 불로 말리고 있었다. 출근하기 전에 가스 불을 끄는 것을 잊어버렸던 것이다. 그녀가 2층 집 사람의 신고를 받고 왔을 때 밥뿐만 아니라 빨래까지 타고 있었다.

2009년 9월 어느 날 나의 꿈에 멀리 떨어진 곳이 암흑처럼 매우 어두웠다. 그 어두운 곳에서 검은 모습을 한 사람이 내가 있는 곳으로 오고 있었다. 공포심을 느낀 나는 검은 형태를 한 사람으로부터 피하기 위해 불빛이 밝은 곳으로 돌아왔다.

그 다음날 유럽에서 사는 한국인으로부터 전화를 받았다. 내가 독일에서 일할 때 함께 근무했던 사람이었다. 20여 년 동안 만나지 못했으므로 반가웠다. 그는 도박을 좋아했고, 여자 관계가 복잡했으며, 이혼을 당한 상태였다. 그는 전에 함께 일했던 사람들끼리 친목회를 만들기를 원했다.

가만히 생각해보니 꿈속에서 본 검은 사람이 이 사람임을 알 수 있었다. 그 당시 유럽의 여러 나라들은 미국의 부동산 부실 채권 파문으로 부도 위기에 봉착해 있었다. 꿈속에서 멀리 떨어진 어두운 곳은 경제적 위기에 몰린 유럽의 나라들을 상징한다.

불빛이 밝은 곳은 우리나라를 상징한다. 그런대로 다른 나라와 비교하여 나라 빚도 적고, 나와 국가의 경제 사정이 좋기 때문에 꿈속에서 밝게 빛나고 있었다. 이 꿈을 꾸고 나는 그의 제안을 거절했으며, 한국에 사는 다른 사람들에게도 그와의 만남이 바람직하지 않음을 설명했다.

2005년 1월 어느 날 꿈에 현재 50세인 막내 동생이 어렸을 때 모습을 하고 있었다. 또한 그 행색이 매우 초라하게 보였다. 그 다음 날 꿈에 그 동생이 옛 고향 집 방에 누워 있었고, 뱃속이 까맣게 보였다.

성인인 동생이 어렸을 때 모습으로 나타난 것은 나의 도움이 필요함을 은유적으로 표현한 것이다. 일반적으로 아이들은 어른의 도움이 필요하기 때문에 나의 정신은 꿈을 통해서 이와 같은 표현 수단을 쓰고 있다.

고향의 옛집은 기둥이 썩어 쓰러졌으며, 그 집에서 동생이 누워 있었고, 그의 복부가 까맣게 보인 것은 위장 등 복부의 질병으로 동생이 죽을 수도 있음을 상징한다.

그 다음날 나는 동생에게 전화를 걸었다. 동생은 잦은 복통으로 고생하고 있었으며, 변에서 냄새가 고약하게 난다고 말했다. 병원에서 진단을 받은 결과 위와 장에 염증이 있음이 밝혀졌다. 이 꿈에서 동생의 배가 까맣게 보인 것은 위, 장에 질병이 있음을 상징한다.

2012년 4월 어느 날 나의 꿈에 초록색 들판이 아름답게 펼쳐져 있었다. 특별한 일이 없을 때 나는 매일 뒷산에 올랐다. 나에게는 두 가지의 산책 길이 있었는데 뒷산에 오르는 것과 들판으로 가는 길이 있다. 어떤 이유 때문에 나는 수년 동안 들판으로는 가지 않았다.

뒷산은 꽤나 가파라서 등산할 때 조심을 많이 해야만 했다. 한 번은 내려올 때 미끄러져서 얼굴과 다리에 부상을 입기도 했다. 그리고 산에서 내려올 때 무릎이 아플 때가 있기도 했다.

꿈속에서 보리, 밀 등이 연푸른 색을 띠며 지평선을 이루는 풍광이 너무 아름다워서 산책길을 바꾸기로 했다. 수년 동안 안 왔던 이 초록색 들판을 걸어보니 상쾌하고 즐거웠다.

봄이 되면 식물은 초록색을 띠면서 자라고, 검은 나무들도 연푸른 옷으로 갈아입는다. 꿈속의 초록색, 연푸른 색은 생명과 건강, 즐거움, 행복을 상징한다. 더군다나 나이가 많아지는 나에게 가파른 산행보다 구릉도 있는 이 들판이 더 좋았다. 등산을 할 때는 무릎이 아팠지만 이곳을 걸을 때는 그렇지 않았다.

나는 이 길을 명상을 하며 걷는다. 코로 천천히, 길게, 폐 속 깊숙이 숨을 들이쉬고 입으로 내쉬면서 마음을 이 호흡 소리에 집중한다. 싱그러운 공기를 통해 나는 우주와 교감하고 있다. 나의 정신과 우주의 정신이 같음을 알 수 있다. 무한한 기쁨과 행복감을 느끼며 걷고 있다.

1996년 전주에서 실제로 있었던 일을 소개하고자 한다. 한 초등학교 교사 부인의 꿈에 선생님인 남편이 선산에서 누워 있는데, 남편의 몸이 까맣게 변해 갔다.

이 꿈은 남편이 죽을 수도 있음을 암시한다. 그 당시 남편이 건강하기 때문에 갑자기 죽는다는 것은 상상할 수 없었다. 그러나 그녀의 꿈이 너무나도 생생하기 때문에 하루 결근계를 내고 출근하지 않았다. 그날만은 남편은 집에 머물기로 약속을 했다. 그러나 손자가 방에다 설사를 하여 냄새가 나므로 남편은 밖으로 나가 버렸다. 어느 정도 시간이 지났을 때 병원에서 전화가 왔다. 남편이 교통사로로 죽은 것이다. 이 꿈속에서 선산에 누워 있는 남편의 몸이 까맣게 변한 것은 죽음을 상징한다. 시간이 지나면 시체는 썩으면서 검정색으로 변한다.

범죄는 밤에 또는 남의 눈에 잘 안띄는 어두운 곳에서 자주 일어난다. 이와 같은 이유 때문에 꿈속에서 검정 색은 죽음을 상징한다고 말할 수 있다.

2008년 5월 어느 날 꿈에 나의 이관[유스타키오관]과 머리 내부가 선홍색으로 선명하고 아름답게 나타났다. 그런 다음 그곳에 흰 액체가 고여 있었으며, 그 액체가 점점 사라져 가고 있었다. 마지막으로 그 액체가 사라지자 다시 붉은 색으로 빛나고 있었다.

정신 또는 영혼은 꿈을 통해서 이처럼 육안으로 볼 수 없는 머리 내부 등을 보여 주고 있다. 그리고 그곳에 있는 액체가 사라지고 있었으며, 결국에는 선홍빛으로 된 그곳을 보여 줌으로써 건강해진다는 것을 말해 주고 있다.

피는 붉은 색이며, 신체의 혈액 순환이 잘되면 신체 조직은 빨강색을 띤다. 그러나 죽은피는 검다. 풀이나 나무 등 식물들은 원래 초록색이지만 죽으면 검게 변한다. 또 노랑, 파랑 흰색, 빨강 등의 색을 띤 꽃들은 아름답게 빛나지만 시들고 죽으면 검정색으로 변한다.

이와 같은 자연적인 현상을 정신은 꿈을 통해 상징적으로 보여 주고 있다. 즉, 인간이나 자연이 건강하고 평화로우면 꿈에서는 천연색으로 나타나고, 사망이나 질병, 불행, 절망 화재 등이 있을 때는 회색빛 또는 검정 색으로 나타난다.

재물과 꿈

1976년 9월 어느 날 나는 돼지 두 마리와 함께 비행기에서 내리는 꿈을 꾸었다. 이 꿈을 꾼 날로부터 약 2주 후에 파독 광부 시험날이었다.

체력검사를 위해 모래 가마니를 들고 달리기, 간단한 영어시험, 광부 경력 확인시험, 신체검사에 합격해야 최종적으로 독일에서 광부로써 일할 수 있게 된다.

나는 이 같은 꿈을 꿨기 때문에 모든 시험에 합격할 수 있다고 확신했다. 돼지는 돈 등 재물을 상징한다. 또한 공항을 통해 돼지를 데리고 내린 것은 독일에서 돈을 벌어 고국으로 귀국한다는 것을 은유적으로 표현한 것이다.

나는 예상대로 파독광부 시험에 합격했고, 약 3개월 동안 독일어 교육을 받은 후 드디어 1977년 6월 21일 김포공항을 출발했다.

1982년 9월 어느 날 나의 꿈에 수많은 지폐들이 바람과 함께 날아가고 있었다. 나는 그 당시 약 3년의 광산 근무를 끝내고 병원에서 남자 간호원으로 근무중이었다.

어떤 지인은 독일의 첨단 계측기를 한국에 수출해서 짭잘한 수익을 얻고 있었다. 그러나 그 지인은 사업상 돈이 필요하다며 나에게 돈을 빌려달라고 했다. 돈을 빌려 줄 생각은 없었으나 나는 그로부터 수출 정보를 얻기 위해 부득이 돈을 빌려 주려고 했다.

이 꿈에서 수많은 돈들이 날아갔을 뿐만 아니라 광산에서 힘들게 해서 번 돈을 현찰로 꾸어준다는 것에 두려움이 생겨서 수표로 끊어 주기로 하고 약속 장소로 갔다. 그곳에서 계측기를 가져온 독일인에게 그 수표를 주었는데 그 독일 매도인은 현찰이 아니기 때문에 수표 수령을 거절하면서 그 계측기 역시 주지 않고 되돌아갔다.

이 한국 사람인 지인은 전에 물건을 가짜 수표를 이용해 샀기 때문에 매도인인 이 독일 사람은 현금과 같은 나의 수표를 인정하지 않았다. 나에게는 천만다행한 일이었다. 더군다나 영수증도 없이 그에게 돈을 빌려주려고 하는 것에 대해 자책을 했다. 뒤에 알게 된 일이지만 이 무역업을 하는 지인은 신용도가 매우 낮으며 돈을 빌려 가면 안 갚는 것으로 잘 알려져 있었다.

그 당시만 해도 꿈의 신뢰도가 낮았다. 수많은 지폐들이 바람을 타고 나로부터 멀리 사라지는 꿈은 내가 많은 돈을 사기 등을 통해 잃어버리는 것을 상징한다.

나는 수표를 소지하고 그의 차를 타고 돌아오는 길이었다.

내가 차에서 내리는 순간 그는 급발진을 시켜 나를 해치려고 하였으나 내가 재빨리 내렸으므로 그 위험을 피했다. 그 급발진 때 나는 굉음 때문에 많은 사람들의 시선이 그의 차에 집중되었다.

정말 10년 감수할 일이었다.

꿈을 통해서 국가 경제 성장과 하강을 예측할 수도 있다. 미국 발 금융 위기로 인해 유럽 경제가 흔들릴 때 나는 다음과 같은 꿈을 꿨다. 도시의 큰 도로에 수많은 자동차들이 한 방향으로 달리고 있었다.

이때 한 곳에 쌓여진 어마어마한 쓰레기들이 홍수처럼 큰 도로로 밀려 들어와서 질주하는 자동차들의 후미부터 덮치기 시작했다. 이 쓰레기 홍수가 수많은 자동차를 휩쓸어버렸지만 중간이나 앞에 가는 차들을 덮치지는 못했다.

이 무렵 스페인, 포르투갈, 그리스, 이탈리아 등 국가들이 IMF로부터 재정 지원을 받게 된다. 이 꿈에서 알 수 있듯이 큰 도로에서 승용차들이 질주하면 국가의 경제가 성장하고, 이와 반대로 차들이 쓰레기 더미 등에 파묻히면 경제 위기가 올 수 있다.

또한 주차장에 차가 많이 주차되었으면 경제가 호황이고, 반대로 주차장에 차들이 없으면 경제 불황을 상징한다. 지갑에 돈이 많이 있으면 유류비를 걱정할 필요가 없으므로 사람들이 승용차를 타고 다니지만 돈이 없으면 기름 값을 아끼기 위해 차들이 차고에서 잠을 잘 수밖에 없다.

따라서 많은 차들이 큰 도로에서 질주한다든가, 주차장에 많이 주차되었으면 경제가 호황이고 그렇지 않은 꿈을 꾸면 경제 불황을 예측할 수 있다.

미국발 금융 위기 초기, 독일 경제도 EU국가들의 경제가 좋지 않았기 때문에 흔들거렸다. 소비가 살아나지 않으므로 독일 자동차 생산도 저조했다. 그 무렵 독일 회사들의 주차장마다 차들이 없었으며, 매우 썰렁하고 공허한 꿈을 꾸었다.

나는 꿈속에서 나의 신분증을 제시하자 사무실 직원이 손바닥만 한 금괴를 주었다. 이 꿈에서 주차장에 차가 없다는 것은 경제가 불황인 것을 상징한다. 그럼에도 불구하고 독일연금공단은 나에게 연금을 줄 수 있음을 꿈속에서 받은 금괴가 상징했다.

주식 시세도 꿈속에 나타난다. 2007년 말부터 시작된 미국발 금융 위기는 우리 경제에도 큰 영향을 미쳤다. 그 당시 코스피 주가 지수가 2000까지 갔었으나 약 2~3개월 동안 약 1,100까지 떨어졌다. 미국의 금융 위기가 있기 약 2주 전에 나는 다음과 같은 꿈을 꾸었다.

한 주식 객장에서 한 사람이 나에게 주식에 대한 지식을 가르쳐 주겠다고 말하면서 그와 나는 백화점 등에 설치된 에스컬레이터를 타고 올라갔다.

3층으로 구성된 주식 객장에는 사람들로 가득 찼으며, 주식 전광판은 주가가 오르기 때문에 붉은색으로 물들었다. 3층에 와서 수직 엘리베이터를 타고 내려 갈 때 그렇게 많던 사람들이 모두 사라졌고 주식 전광판도 꺼졌다.

나는 이 꿈을 꾸고 조만간 주가가 폭락할 것이란 예상을 가졌다. 나의 예상은 적중했다. 경사진 에스컬레이터를 타고 올라갈 때 객장에 사람들이 많다는 것은 2007년 3분기까지만 해도 코스피, 코스닥 지수가 상승 국면에 있었으나 2007년 4분기부터 미국

발 금융 위기 때문에 폭락해서 코스피 지수가 1,100까지 내려갔다. 수직 엘리베이터를 타고 내려갈 때 객장에 사람이 없다는 것은 주가의 폭락을 상징한다.

이처럼 전체 주식 시세는 꿈을 통해서 알 수 있으나 개별 종목에 대한 주식 시세는 꿈을 통해서 알기가 쉽지 않다. 층계 또는 계단도 경제의 성장, 둔화, 하강을 상징한다. 수많은 사람들이 층계 또는 계단을 올라가면 경제가 성장하고 내려가면 불황 국면에 접어든다.

그리스, 스페인, 포르투갈, 이탈리아가 IMF로부터 재정 지원을 받고, 독일 등의 경제가 휘청거릴 때 나의 꿈에서 수많은 사람들이 계단에서 내려가는 장면을 보았다.

1996년 5월 어느 날 나의 꿈에 큰 돼지들이 고래고래 소리를 지르면서 무언가에 쫓기면서 달아나고 있었다. 그 당시 나는 독일에 있으면서 여생을 보낼 곳을 찾고 있었다. 그 가운데 마음에 드는 곳이 스페인의 휴양지인 마요카란 섬이었다.

마요카는 제주도만한 크기의 섬이며, 지중해 연안에 있어 기후가 매우 좋아 전 세계적으로 잘 알려져 있다. 특히 독일, 영국 사람들이 여행지로써 가장 선호하는 곳이기도 하다.

나는 팩스를 통해 집 구입 의사를 먼저 밝혔다. 수많은 곳에서 마요카에 있는 집을 팔겠다고 전화가 걸려 왔다. 그때 국영 방송 TV 시사 프로그램 가운데 마요카에 대한 집중 분석이 있었다.

사람들이 너무 좋아하는 곳이기 때문에 집값이 폭등했으며 부동산 매매할 때 사기, 폭력 사건이 자주 발생한다고 설명했다. 집을 살려고 대금을 지불했으나 가짜 주인에게 돈이 지불되는 등 많은 사람들이 사기를 당해 거지가 됐다고 했다.

나의 이 돼지꿈은 나 역시 사기를 당해 거지가 될 수 있음을 알리고 있었다. 사람들은 돼지꿈을 꾸면 재물이 생긴다고 생각하지만 잘못된 해몽이다. 돼지가 자기 집 우리 안에 들어오면 재물이 생긴다. 그러나 돼지가 밖으로 나가면 오히려 재물을 잃는다.

이 꿈에서 돼지들이 고래고래 소리를 지르는 것은 만일 그 섬에서 집을 구입해서 거주할 경우 사기를 당한다든가 재물을 잃게 된다는 것을 은유적으로 표현한 것이다. 그 국영 방송 TV는 마요카에 사기와 폭력 등이 많기 때문에 해적의 섬이라고 불렀다.

1997년 4월 어느 날 꿈에 나는 나의 검은 지갑을 잃어버렸다. 꿈속에서 나는 그 지갑을 찾으려고 애를 태웠다. 그러나 찾으려고 했던 그 지갑을 나의 문 앞에서 발견했다.

그 다음날 나는 가벼운 자동차 추돌사고를 일으켰다. 그 당시 나의 시력이 좋지 않았으므로 5년마다 한 번씩 시력검사를 받아야 한다는 규정이 나의 자동차 면허증에 기록되어 있었다. 사고가 났을 때 다행히 나는 면허증을 소지하지 않았었고 신분증만 갖고 있어서 교통경찰은 이 사실을 알 수 없었다. 만일 경찰이 내가 시력 검사를 받지 않은 것을 알았더라면 사고의 책임이 보험사가 아니라 나에게 있다는 것을 알 수 있었다.

이 꿈에서 지갑은 재물을 상징한다. 만일 이 면허증을 사고 당시 갖고 있었더라면, 그리고 경찰이 밝혀냈더라면 나는 이 사고 때문에 상당한 금액을 손해 볼 수밖에 없었다. 이 지갑을 문 앞에서 발견한 것은 이 사고가 무사히 끝난 것을 상징한다.

2013년 4월 어느 날 지갑이 나의 손에서 사라졌다가 간신히 내 손으로 들어왔다. 나는 시내버스를 탔을 때 지갑에서 돈을 꺼내서 지불하고 앉았다. 내가 첫손님이었다.

나는 내 뒤에 버스를 탔던 한 소녀가 운전석 바로 옆에서 신용카드를 줍는 것을 목격했다. 내가 첫손님이기 때문에 그 신용카드의 주인이 나라는 생각이 들어서 지갑을 살펴보았으나 없었다. 내가 버스 요금을 지불할 때 그 신용카드를 분실한 것이었다.

이 꿈에서 지갑은 신용카드, 즉 돈을 상징한 것이다. 나는 그 소녀에게 조금 사례를 하고 신용카드를 돌려받았다.

제2부
꿈의 상징적 의미

나의 꿈과 새만금

　단군 이래 최대의 토목공사라며 전국을 떠들썩하게 했던 새만금 간척사업은 전북 부안과 김제시, 군산시 일원에 다목적 용지를 만드는 공사였는데, 지금은 완공되어 끝도 없이 방조제가 조성되었다.

　동진강과 만경강 하구의 약 100키로 해안선과 비응도, 고군산 군도, 변산반도까지 약 33키로의 바다를 막는 방조제 사업으로 여의도의 약 140배에 달하는 면적이 육지가 되었고 우리나라 지도가 바뀌기도 했다. 이 서해안의 바다를 막는 방조제 공사가 약 80% 진행되었을 때 소송에 휘말리게 되었다.

　이 새만금 방조제 사업을 반대한 원고 측은 이 방대한 제방을 만들면 이 서해안 쪽으로 흐르는 동진강과 만경강이 오염되어 생태계가 파괴된다는 논리를 주장하고 있었다.

　원고 측의 논리를 합리화시키는 공사가 바로 시화호 공사였다. 그 당시 언론들도 원고 측의 논리를 합리화 시키고 있었다.

　시화방조제(始華防潮堤)는 경기도 시흥시 정왕동 시화호 간척지대와 안산시 단원구 대부동 대부도를 잇는 방조제이다. 시화호 방조제 사업 역시 거대한 방조제로 막았기 때문에 내륙에서 서해안으로 흐르는 물길이 막혀 매립지와 하천이 썩어가고 있었다. 결국 바다를 막았던 이 방조제 일부를 개방해 하천의 물이 바다로 흐르도록 했다.

피고 측인 전북도와 농어촌공사는 원고 측의 논리를 반박할 대안을 찾지 못했다. 단지 피고 측은 산업단지 조성과 주택 건립 때문에 농지와 국토가 매년 심각하게 줄어들기 때문에 새만금 방조제 사업이 절대 필요하다고 주장만 했다.

2005년 나는 노무현 대통령과 대법원 인터넷 게시판에 다음과 같은 글을 올렸다.

'전국토의 70%가 산이며, 약 30%만이 평야인 우리나라에서 주택 조성과 산업 단지 조성 때문에 농경지가 계속 줄어들고 있는 것은 심각한 문제다. 새만금 방조제 공사를 통한 거대한 간척지 개발 사업은 필수적이다.

나는 방조제 공사를 해도 동진강과 만경강, 그리고 이 공사로 인해 새로 만들어진 간척지가 오염이 되지 않는 방법을 알고 있다. 방조제를 건설함과 동시에 이 방조제에 두 개의 큰 수문을 만들어 바닷물과 강물을 서로 입출입시키면 물이 오염될 수 없다.

시화호가 오염된 것은 방조제에 이와 같은 수문이 없었기 때문에 일어났다. 오염된 시화호는 시화호 방조제의 일부를 개통함으로써 생태계가 살아나는 등 정상화 되었다.

나는 새로 생긴 간척지에 대단위 풍력발전 단지 조성을 건의했다. 바다에도 풍력발전기를 세울 수 있지만 육지에 세울 때보다 건설비가 약 2배 정도 더 많이 든다.

일본의 후쿠시마 원전 사고, 구 소련의 체르노빌 원전 사고, 미국의 쓰리마일 원전 사고 등은 국민의 원전에 대한 불신을 크게 확산시키고 있다. 대부분의 국민은 풍력, 태양열 등을 이용한 신재생 에너지 생산에 지대한 관심을 갖고 있다.

영원히 사용해도 고갈되지 않는 이 자연 에너지를 이용해 덴마크, 독일 등 국가들은 전체 에너지의 20~30%를 생산하고 있으며, 약 30년 이내에 약 70%까지 생산할 계획을 세우고 있다. 이 나라들은 신재생 에너지 산업을 통해 수만 내지 수십만 일자리를 만들고 있다. 특히 서해안 지역은 우리나라 어느 지역보다 풍속이 가장 강한 곳으로 조사 결과가 밝혀졌다. 또한 풍력을 이용한 전력 생산은 태양열을 이용한 것보다 건설비는 절반 정도가 들고 전력량은 약 2배 정도 많다.'

나는 독일에서 살 때 1995년 무렵 동아일보에 풍력 등 신재생 에너지 생산의 필요성을 강조한 기고를 했으며, 실제로 독자란에 실렸다. 그 후 우리나라의 신재생 에너지 생산기술은 급속도로 발전하여 미국에까지 수출하고 있다. 이 거대한 방조제를 통하여 확보된 간척지에 풍력 발전단지, 농경지, 산업단지 조성을 건의하기도 했다.

이 글을 청와대와 대법원 홈페이지에 올린 후 약 일주일이 지난 뒤 나의 꿈에 지평선처럼 펼쳐진 간척지에 수많은 풍력발전기가 돌아가고 있었으며, 그곳에 금, 은, 보석으로 덮여 있어 밝게 빛나고 있었다.

이 꿈을 꾼 지 3일 후에 대법원은 피고인 농어촌공사의 손을 들어주었다. 즉 새만금공사는 계속 진행되어야 한다고 판결을 내렸다.

이 꿈에서 새로 생긴 간척지 위에 금, 은, 보석으로 덮여 있어 밝게 빛난다는 것은 새만금 사업이 계속 진행되어서 성공할 것을 상징한다. 그리고 풍력발전 단지가 조성될 것을 암시한다. 실제로 이명박 정부는 대단위 풍력발전 단지, 산업단지, 농경지 조성 계획을 세웠으며, 많은 기업들이 이 산업단지 등에 입주하고 있다.

대법원 판결이 있은 지 수년 후에 새만금 방조제 사업은 성공적으로 끝났으며, 그 방조제에 거대한 수문들이 설치되어서 밀물 때에는 바닷물이 유입되고 썰물 때에는 빠져나가 동진강과 만경강의 물이 오염되지 않고 청정하다. 또한 거대한 방조제가 건설됐음에도 불구하고 새로운 갯벌이 자연적으로 만들어지고 있다.

나는 청와대와 대법원 홈페이지에 올린 글의 내용을 전북 도청에 알렸다. 한 도청 공무원은 새만금 사업에 대한 나의 관심과 조언에 대해 감사함의 편지를 나에게 보내 왔다. 당시 상공부[현 지식경제부] 장관인 정세균 국회의원으로부터 역시 감사의 편지를 받았다.

이 나의 꿈에서 거대한 들판이 금, 은, 보석 등으로 덮여 있어 밝게 빛나고 있던 것은 새만금 사업이 크게 번창한다는 것을 상징한다.

나의 꿈과 IMF

김영삼 대통령 임기 말쯤 우리나라는 국가 부도 위기에 몰렸다. 우리나라가 외국으로부터 빌린 돈이 너무 많아서 갚을 능력이 없었다. 또한 수입은 많고 수출은 적어서 수입 초과현상이 매년 지속되므로 국가의 외화 자산이 급격히 줄어들었다.

특히 대기업들이 외국 금융사들로부터 많은 돈을 빌렸고, 정부가 이 채무에 대해 보증을 섰으므로 국가 빚이 크게 증가했다. 삼성, 현대, LG, 대우 등 대기업의 부채는 자산 대비 약 300~400%에 달했다.

그 당시 독일에서 살았던 나는 대기업 등 기업의 임금 산정에 큰 문제가 있음을 알았다. 특히 과다한 상여금 제도 때문에 기업들의 채산성이 크게 악화되었다.

당시 대기업들의 평균 상여금은 600~800%에 달했다. 그러나 외국 기업들은 상여금 대신에 성과급을 채택하고 있었다. 기업이 이익을 많이 창출할수록 더 많은 성과급을 지불하고, 이익이 줄어들면 성과급은 줄어든다.

우리 기업들의 상여금은 기업의 채산성에 관계없이 일률적으로 지불되고 있었다. 그리고 성과급을 채택한 외국 기업들은 연봉제를 유지하고 있다.

우리 기업들의 과다한 상여금제도가 국가와 기업들에게 막대한 빚을 안겼다고 본다. 나는 그 당시 김영삼 정부시절 청와대에 나의 이와 같은 의견을 진정서를 통해 전달했다. 그 후 대기업을 비롯한 기업들은 과다한 상여금 대신에 성과급과 연봉제를 채택하고 있으며 지금까지 성공적으로 잘 유지되고 있다. 현재 대기업들은 수백 조에 달하는 자금을 쌓아놓고 있다고 한다.

1998년 초에 나는 다음과 같은 꿈을 꾸었다.

국민들과 외국인들이 전국 곳곳에서 나무를 심고 있었으며, 그 묘목들이 울창한 숲을 이루고 있었다. 그때가 봄이었으며 햇빛에 반사되어 끝없이 펼쳐진 숲의 신록 물결이 너무 아름답게 빛나고 있었다.

나는 이 꿈을 꾸고 우리나라가 IMF로부터 빌린 돈을 모두 갚고, 경제가 크게 발전할 것을 확신했다. 꿈에 우리 국민과 서양인이 묘목을 심는 것은 IMF[국제통화기금]로부터 금융 지원을 받아 빚을 갚는다는 뜻이다.

일반적으로 나무를 심는 꿈은 국가, 사회, 개인의 발전과 성장을 상징한다. 나라의 동량[기둥과 들보]은 나라의 큰 인물을 상징한다.

지난 대선 때 안철수 의원의 인기가 높을 때 나뭇가지와 줄기가 쭉쭉 뻗으면서 성장했다. 초기에 묘목을 심었던 나무가 기둥과 들보감이 되도록 성장했다. 잠시 시간이 지나면서 쭉 뻗었던 가지가 축 처지고 가운데 줄기가 툭 부러짐과 동시에 안의원이 땅바닥에 엎어졌다.

그 당시 박근혜 후보와의 양자 대결에서 안철수 의원이 약 5% 앞섰을 때 이와 같은 꿈을 꿨다. 안의원은 국가의 동량이 될 수 있었으나 문재인 후보에게 양보했다. 이 꿈에서도 나무는 나라의 큰 인물을 상징한다.

묘목들이 성장하여 큰 숲을 이뤘다는 것은 IMF에게 빌린 돈을 갚았을 뿐만 아니라 우리나라의 경제가 크게 성장하고 발전하는 것을 상징한다.

지금 현재 우리나라의 경제 규모는 세계 10위권에 당당히 든다. 이 나의 꿈에서 거대한 신록의 물결이 햇빛을 받아 아름답게 빛나고 있다는 것 역시 경제적 성장과 발전을 상징한다. 즉 연푸른 신록의 빛은 미래에 한국이 크게 발전할 것을 은유적으로 표현한 것이다.

나의 꿈과 나로호

2010년 6월 무렵, 처음에 흰나비가 하늘로 올라가는 꿈을 꾸었다. 조금 지나서 이번에는 검은 나비가 오르고 있었다. 이 꿈을 꾸고 한국형 인공위성 나로호의 발사가 실패할 것이란 생각이 들었다.

나라호의 1차 발사가 실패했으므로 2차 발사에 대한 기대가 매우 컸었다. 나비는 나로호를 상징한다. 나비는 인공위성처럼 날고 비상한다.

꿈에서 글자나 글귀 소리의 유사점이 상징성을 갖는 경우가 매우 많다. 저명한 해몽가인 한건덕 선생은 꿈속에서 명칭, 이름, 지명 등 소리의 유사성이 갖는 상징성을 다음과 같이 설명하고 있다.

가령 꿈속의 글귀가 '삼정리 벌판에서 일을 했다'라고 할 경우 삼정리를 음운의 유사점에서 현재 존재하는 삼성사로 해석한다는 것이다.

프로이트는 그의 대표적인 저서인 「꿈의 해석」에서 해몽가인 모리에 대하여 다음과 같이 서술하고 있다. 모리는 꿈에서 나타나는 현상의 결합이 무질서하고 자유로운 점을 중요하게 여겼다. 꿈속에서 생활이나 모습이 일종의 정신 장애와 비슷하다고 보았다.

모리는 발음이 비슷한 낱말들이 작용을 하면서 꿈을 만드는 두 가지 꿈을 꾸었으며, 그 가운데 한 꿈은 다음과 같다. 예루살렘으로 떠나는 순례[펠리나제]의 꿈이었다. 꿈속에서 모리는 많은 모험을 겪고 화학자 펠르티에를 만났다.

펠르티에는 모리와 대화를 나눈 후 아연으로 만든 삽[펠르]을 주었다. 이 꿈이 이어지면서 그 삽은 칼날이 넓은 큰 칼로 변했다. 이 꿈에서 순례[펠리나제]와 화학자 펠르티에와 아연으로 만든 삽[펠르]은 모두 발음상으로 비슷한 낱말들이다.

나비의 나는 나로호의 나와 같다. 꿈은 이처럼 이름이 비슷해도 동일시 현상을 일으킨다.

지난번 꿈에서 집안 동생인 박현수의 배가 까맣게 보여서 박현수가 질병 때문에 고생하리라고 생각했는데 현실에서 당숙인 박현술씨가 위암으로 고생하고 있었다.

이 꿈에서도 이름이 비슷하기 때문에 동일시 현상, 즉 나로호가 나비로 보인 것이다. 하얀 나비가 오르는 것은 성공 가능성이 낮은 것을 상징한다. 흰색은 상서로움과 길조, 성공, 결백, 소박, 청렴 등을 상징한다.

나의 지난 번 꿈에서 큰 나뭇가지마다 흰 꽃이 피었다. 이 흰 꽃은 2010년 지방선거에서 민주당의 압승을 상징한다. 녹색 나무는 민주당의 상징이며 이 나무에 흰 꽃이 핀 것은 민주당의 성공과 승리를 은유적으로 표현한 것이다. 그러나 나비는 천천히 나르므로 성공 가능성은 낮다.

검은 나비가 나는 꿈은 나로호의 2차 발사 역시 실패할 것을 상징한다. 검정색은 실패와 사망, 절망, 부도덕, 질병, 범죄 등을 상징한다.

6월에 있었던 나로호 2차 발사는 소화기 이상으로 연기되었다. 그 후 3차 발사는 수개월이 지난 뒤 실시됐으며 성공했다.

반복적인 꿈

사람들은 꿈을 반복적으로 꾸는 경우가 많다. 부모들은 자식들이 말을 잘 안 들으면 바른 길을 가기 위해서 되풀이 해서 말을 하듯이 인간의 잠재의식[정신, 영혼]도 위험한 일 등이 있을 때 반복적인 꿈을 통해서 인간에게 알리려고 노력한다. 나 역시 여러 번 반복적인 꿈을 꿨다.

앞에서도 언급했듯이 내가 독일에서 살 때 약 3일 동안 누군가 나의 목을 조이는 꿈을 꾸므로 나는 잠자는 동안 벌떡 일어날 수밖에 없었다. 이 악몽을 꾼 후 아는 사람이 김치를 만들어서 가져왔는데, 이 김치에 다량의 수면제가 들어 있었다.

나의 정신이 내가 매우 위험함으로 여러 번 악몽을 꾸게 함으로써 생명의 위험[과다한 수면제]을 나에게 알린 것이다.

나는 한번 그 김치를 먹고 나의 몸에 이상이 있음을 알았고, 반복된 악몽 역시 나의 생명이 위태로움을 알렸으므로 나는 그 김치를 버릴 수밖에 없었다.

이 지인은 먼저 나에게 돈을 빌리려고 했으나 내가 거절하자 이

끔찍한 일을 벌였다. 나의 정신은 그의 음모를 미리 알고 이 반복적인 악몽을 통해 나에게 알린 것이다. 반복적인 꿈을 꿀 때 한 가지 방법만으로 꿀 수도 있지만 2~3가지 꿈의 형식을 통해 꿀 수도 있다.

이상의 예에서 보았듯이 목을 조이는 한 가지 꿈을 여러 번 꾸었다. 그러나 2013년 10월 16일부터 3일 동안 형님에 대한 3번 반복적인 꿈을 꾸었다. 이때에는 뒤에 언급하듯이 3번 꿈이 모두 달랐다. 3번의 꿈들은 형님의 대장에 용종이 있다는 것을 알리기 위해서 꾸어졌다.

첫 번째 꿈에서는 형님과 내가 기차를 함께 타고 가는 도중에 내가 차창 밖으로 손을 내밀므로 기차가 정차됐다. 기차, 버스, 비행기 등을 타고 가는 것은 저승행을 상징하지만 내가 손을 내밀므로 꿈속에서 정차시킨 것은 식이요법, 물, 요료법 등으로 형님의 변비증을 치유시키고 병원에서 종양 제거수술을 통해 치료된 것을 상징한다고 말할 수 있다.

두 번째 꿈에서 형님의 하의를 수선해야 한다는 꿈을 꾸었고, 세 번째 꿈에서 형님이 어두운 지하로 내려가는 꿈을 꿨다. 이 3가지 꿈 모두 꿈의 형식은 다르지만 3일에 걸쳐 꿈을 꾼 것은 형님의 대장 용종이 위험함을 알리기 위한 것이었다.

이 나의 꿈 때문에 형님은 대장 내시경검사를 받아서 용종이 새롭게 발견되었으며 제거 수술을 받았다. 그리고 나의 권유로 식이요법과 물, 요료법을 다시 실천함으로써 건강을 찾았다.

이 3가지 꿈들은 각기 다르지만 한 가지 목적[형님의 질병을 치료하는 것]은 같으므로 반복적인 꿈의 범주에 들어간다.

2009년 12월 중순부터 나는 둘째 동생의 질병에 대해 3번 꿈을 꿨다. 첫 번째는 '큰 사발에 동물의 심장, 신장, 간 등이 들어 있으며, 밖에서 밀려오는 물결에 의해 그 사발 속으로 물이 들어가고 있다.' 그리고 '지열이 매우 심하고 어두운 땅에 둘째 동생의 어릴 때 모습이 나타났다'의 꿈을 나는 꾸었으므로 동생이 심장병 등의 질병에 걸린 것을 알았다.

충분한 물 섭취와 식이요법, 운동 등으로 동생의 질병이 치유되지 않으므로 나의 정신은 두 번 더 꿈을 꾸게 했다. 약 3주일 후 나는 동생이 끝이 보이지 않는 낭떠러지로 떨어지는 꿈을 꾸었다. 그리고 마지막에 나는 돌아가신 부모님들이 밭에서 땅을 파고 있었으며, 그 동생이 오줌을 먹어야 한다고 말씀하시는 꿈을 꾸었다.

꿈속에서 끝이 보이지 않는 낭떠러지로 동생이 추락한다는 것은 동생의 질병이 심각함을 상징하며, 돌아가신 부모님들이 땅을 판다는 것은 동생의 죽음을 상징한다. 부모님들이 오줌을 먹으라고 말씀하신 것은 오줌을 먹으면 동생이 치료될 수 있음을 뜻한다. 결국은 물, 요료법, 식이요법, 운동요법 등을 통해서 동생은 완치됐다. 이 3가지 꿈들은 제각각 다르지만 그 동생의 질병과 치유에 대한 꿈이므로 반복적인 꿈이다.

1912년 4월 5일, 영국 선적 초호화 여객선인 타이타닉호는 처녀 출항하는 동안 빙산과 만나 침몰했다. 영국의 사업가인 존오크너는 영국에서 미국을 가기 위해 10일 전부터 선표를 예매했다.

존오크너는 출항 약 일주일 전에 타이타닉호가 침몰하여 수많은 선객과 선원들이 물속에서 살려달라고 아우성치며 소리 지르는 꿈을 꾸었다. 그러나 그는 세계 최강국인 영국이 야심차게 만든 이 배가 침몰되는 것을 믿지 않고 여행 준비를 하고 있었다.

그는 또 다시 배가 침몰하여 자기뿐만 아니라 수많은 사람들이 물속에서 죽어가는 꿈을 꾸었으므로 선표 예매를 취소했다.

침몰하기 전 타이타닉호 모습

실제로 타이타닉호는 미국 근해인 대서양에서 빙산과 만나 침몰했으며 1513명의 선객과 선원들이 이 사고로 죽었다. 첫 번째 이 여객선이 침몰될 것이란 예지몽을 꾸었을 때 그는 이 예지몽을 믿지 않았으므로 그의 잠재의식 또는 정신은 이 여객선의 침몰로 인해 사람들이 죽어가는 참혹한 모습을 꿈을 통해 다시 보여 주었다. 이 반복된 꿈 때문에 그는 결국 선표 예매를 취소했다.

실제로 근래에 있었던 반복적인 악몽에 대한 사건이 있었다. 2014년 3월 어느 날부터 시어머니 김말순씨는 밤마다 그녀의 목을 죄는 악몽을 자주 꾸었다.

그 당시 시어머니 김말순씨와 며느리 이하늘 사이에 소위 고부 갈등이 매우 심했다. 이 시어머니는 며느리가 음식을 잘못 만든다고 핀잔을 주고, 며느리 친정의 잘못된 교육 때문에 예의가 없다고 며느리를 자주 나무랐다.

며느리 이하늘은 시어머니만 없으면 가정이 행복해질 수 있는데 이제 친정 가정교육까지 들먹이므로 이 시어머니에게 공포심을 주기로 결심했다.

긴 머리를 풀어헤치고 하얀 소복을 입은 이 며느리는 잠을 자는 시어머니 방에 살며시 들어갔다. 이 귀신처럼 보이는 며느리 형상이 시어머니에게 목을 죄는 꿈을 꾸게 했다.

한 번은 시어머니가 악몽에 시달릴 때 이 며느리가 시어머니의 목을 두 손으로 조였으며, 시어머니가 눈을 뜨고 이 며느리를 보았다. 곧바로 며느리는 도망을 쳤다.

도저히 이 며느리와 함께 살 수 없었던 시어머니는 둘째 아들에게 이 악몽을 호소했으며, 차남은 형수 모르게 감시 카메라를 설치함으로써 형수의 이 괴상한 행동이 발각되었다. 결국 며느리는 존속살인 미수죄로 구속되었으나 시어머니의 용서와 화해로 풀려났다. 이 며느리의 시어머니에 대한 적대감과 괴이한 행동이 시어머니에게 반복적인 악몽을 꾸게 했다.

이처럼 반복된 꿈은 가까운 장래에 꿈을 꾼 사람뿐만 아니라 그의 친척이나 주변 사람들의 불행이 올 것을 강조하기 위해서 꾸어진다. 각별히 조심해야 한다.

18대 대통령선거와 나의 꿈

　박근혜님이 역사의 소명을 받고 대통령에 당선되었다. 박근혜님이 새누리당 대통령 후보로 뽑히기 하루 전 나는 다음과 같은 꿈을 꾸었다.

　박정희 대통령과 나는 방에서 함께 같은 방향으로 누웠었다. 박대통령과 나는 함께 벌떡 일어나서 복도로 나가려다 주춤거리며 방에 머물렀다.

　나의 경험에 의하면 돌아가신 분들은 신처럼 지상에서 벌어지는 자손의 길흉화복을 미리 알고 있다. 따라서 박대통령이 자신의 딸이 새누리당 대통령 후보뿐만 아니라 대통령에 당선될 것을 미리 알고 나의 꿈속에 나타났다고 믿는다.

　불경뿐만 아니라 성경에도 사람이 죽으면 심판이 있다고 기록되었다. 아마 박대통령은 경제 발전에 대해서 매우 높은 점수를 받았을 것이나 지역 갈등 해소를 위해 좋은 점수를 받지 못했을 것이다. 따라서 이 문제 해결을 위해서 박근혜님이 당선되길 간절히 기원했을 것이다.

기보배 양궁 여자 선수가 런던올림픽 경기에서 2관왕이 되기 전날 밤 기보배 아버지 꿈에 기보배 할아버지가 나타나서 두 개의 구술을 주므로 손을 펴서 보니 두 개의 구술에서 황금빛이 빛나는 것을 보았다.

탱크로 잘 알려진 최경주 골프 선수가 수십억 상금이 걸린 세계 선수권 대회에서 우승하기 전날 밤 그의 어머니 꿈에 어마어마하게 큰 돼지가 조그마한 골프 구멍 속으로 들어가는 장면이 나타났다.

이처럼 돌아가신 분들이나 살아계신 부모님의 정신은 경기 우승을 미리 알고 알려주기 위해서 꿈에 나타난다. 여기에서 돼지는 재물을 상징한다. 그리고 두 개의 황금빛 구술은 금메달을 상징한다.

18대 대선에서 안철수 후보의 바람이 거세게 불었다. 여러 여론 조사에서 박근혜, 문재인, 안철수 후보들의 3자 대결에서는 박근혜 후보가 가장 앞섰지만 양자 대결에서는 일반적으로 안철수 후보가 박근혜 후보보다 조금 앞섰다. 만일 박근혜, 안철수 대결 구도로 갔었다면 안철수 후보가 당선될 수도 있었다.

안철수 후보의 인기가 가장 높았을 때 안철수 후보가 문재인 후보를 제치고 최종적으로 대통령 후보가 될 수 없는 꿈을 꾸었다.

꿈속에서 안철수 후보가 시골인 고향 선산에서 묘목을 키우고 있었다. 그때 안철수 후보의 주변 한 소나무에 이상한 변화가 일어났다. 축 처진 가지들이 하늘을 향해 펴지고 그 소나무가 점점 커지고 있었다. 잠시 후 그 소나무 중간 부분이 툭 부러지더니 안 후보가 동시에 땅 위에 넘어졌다. 안 후보를 지지하던 한 무리의 사람들이 산을 돌고 돌아왔는데 그 가운데 안후보의 모습이 안보였다.

소나무 등 큰 나무는 큰 인물을 상징하며, 처진 나뭇가지가 펴지고 나무의 쪽쭉 커가는 모습은 안 후보의 인기가 급상승함을 은유하고 상징한다.

그 소나무의 중간 부분이 툭 부러지고 동시에 안후보가 땅위에 넘어진 것은 대통령 후보 좌절을 상징한다고 말할 수 있다. 그리고 안 후보를 지지했던 사람들 가운데 안후보가 없었던 것은 그들이 안 후보 대신에 문재인 후보 등을 지지한 것을 상징한다고 말할 수 있다.

나는 이 꿈을 꾸고 안 후보가 최종적으로 대통령에 당선될 수 없을 것을 주변 사람들에게 말을 했으나 잘 믿으려 들지 않았다.

관세음보살과 수호신은 있는가?

불경[관세음보살 보문품]에 어떤 사람이 큰 불속에 있다든가, 큰물에 빠져 표류할지라도 살인과 강도의 위험에 있을지라도 악한 귀신이 괴롭힐지라도 관세음보살의 이름을 부른다든가 관세음보살을 생각만 해도 관세음보살이 나타나서 그를 구해 준다고 기록되어 있다.

관세음보살은 천 개의 눈과 천 개의 손을 갖고 계셔서 이 세상 어느 곳에서나 어려움에 고통 받는 것을 알고 도움을 준다고 부처님은 말씀하셨다.

1993년 가을, 오랫동안 외국에 있다가 서울에 와서 숙소에서 깊은 잠을 자는 동안 강도를 만났다. 나의 방은 1층에 있었으며, 공기 유통을 위한 화장실의 조그마한 문이 밖으로 나 있었다. 2~3시경 나는 깊은 잠에 떨어졌는데도 '혹시 잘못 들어오지 않았느냐?' 한 강도가 다른 동료 강도에게 묻는 말을 내가 듣고서 '잘못 들어왔어' 하고 말을 했다.

이 말을 했을 때 나는 누워 있었다. 강도가 들어온 것을 알았더라면 벌떡 일어났어야 했음에도 불구하고 누워 있으면서 이 말을 했다. 내 말에 깜짝 놀란 강도들은 차마 내 방에 들어올 수 없었다. 그들은 밖으로 연결된 작은 화장실 문을 통해 들어와서 내 방 앞을 지나서 여관의 복도로 나갔다.

조금 지나서 여자의 비명소리가 들렸다. 그 강도들이 내 방에 침입할 것을 목적으로 들어왔으나 '잘못 들어왔어'라는 소리에 놀라서 나의 방에는 못 들어오고 복도를 가다가 다른 방을 덮친 것이었다.

여자의 비명소리는 곧 그쳤다. 내가 외국에서 왔기 때문에 돈을 많이 갖고 있다고 믿었고, 여관 일을 봤던 사람과 강도들이 공모한 사건이라고 나는 생각한다.

화장실 환기를 위한 그 조그마한 문을 통해 그들이 들어와서 속삭이듯이 '잘못 들어오지 않았어?' 묻는 말을 내가 들었던 것, 그리고 '잘못 들어왔어'라고 무의식상태에서 말한 것은 관세음보살이나 수호신의 가피라고 생각한다.

가족이 없는 나는 혼자 여행을 하는 경우가 많다. 따라서 위험성도 높다. 2001년 겨울 어느 섬 지역을 여행할 때도 예외는 아니었다.

1개월 이상 체류하기 위해서 15만원 정도 가는 침구를 살 때 100만원권 수표로 지불했는데 그 가게 주인은 나에게 돈이 많이 있는 것으로 보았다. 내가 어느 집에 가서 투숙하는 것도 상점 주인은 알고 있었다. 내가 거주할 곳은 버스터미널 부근의 식당 2층이었다.

술을 많이 마시고 밤에 내 방에 들어온 식당 주인은 나에게 돈을 갖고 있으면 아침에 수금하러 다니는 사람이나 은행에 맡기라고 충고까지 했다. 그리고 밖으로 나가는 문, 3층에 있는 장독대 등 주변 환경까지 자세히 설명했다. 아마도 술을 마시는 동안 나에 대한 소문을 들었으며, 버스터미널 부근의 불량한 놈들이 그날 밤에 자기 식당에 올 것을 예감하고 나에게 경고를 했던 것이다. 그러나 나는 심각하게 생각하지 않고 대충 들었으며 무거운 짐과 긴 여행 때문에 매우 피곤했으므로 깊은 잠에 빠졌다.

밤 2시경 꿈에 두 놈이 칼로 문을 여는 장면을 보고 비명소리를 지르면서 잠에서 깼다. 소위 가위눌림을 꾸었다. 전에도 이와 비슷한 악몽을 꾸고 생명의 위험성을 겪었으므로 매우 위급한 상황임을 알고 전등을 켜놓은 채 잠을 안자고 경계 태세에 들어갔다. 불행하게도 방에 있는 전화기가 고장이 나서 파출소로 전화를 할 수조차 없었다.

약 3시 30분경에 다시 인기척이 있었으므로 내가 지금 잠을 자지 않고 있음을 알리기 위해 나도 쇳소리를 내면서 경고를 보냈다. 그 뒤 밖으로 나가는 문소리가 들렸으나 계속 잠을 자지 않고 버텼다.

장기 체류를 목적으로 그 식당 2층 방을 빌렸으나 강도의 위험성 때문에 조반을 먹고 나오는데 덩치가 큰 한 젊은이가 나를 보고 웃고 있었다.

나는 직감적으로 이놈도 이 사건에 개입했다고 확신했다. 나는 그의 웃음의 의미를 알 수 있다. 내가 갑자기 자는 동안 악몽 때문에 소리를 지른 후 전등을 켜놓고 잠을 안자는 것에 대하여 매우 신기하게 생각했을 것이다.

나는 그곳에서 조금 떨어진 곳으로 숙소를 정했으며 약 1개월 후 뱀이 나를 추적하는 꿈을 꾸었다. 살모사처럼 독이 있는 징그러운 뱀이었다.

그 다음 날 나는 하룻밤을 잤던 그 식당 주변에 갔다. 그곳에서 나를 주시하고 추적한 사람과 마주쳤다. 내가 그 젊은 놈을 유심히 보자, 그는 추적이 발각됨을 알고 이상야릇하게 웃으면서 돌아섰다. 그 젊은 놈 역시 1개월 전 내 방을 침입하려고 했던 놈이란 걸 알 수 있었다. 꿈속의 뱀은 바로 이놈을 상징한다고 말할 수 있다.

사람들은 악몽을 싫어하고 저주한다. 그러나 악몽은 악몽을 꾼 사람에게 사망 등 매우 중대한 일이 일어날 것을 암시한다. 악몽을 꾸므로 꿈의 내용을 명확히 기억할 수 있으며, 꿈을 잘 해몽함으로써 위기를 벗어날 수 있다. 따라서 악몽을 무서워할 것이 아니라 잘 받아들여야 한다. 무의식상태에서 알고 있는 것을 의식이 알 수 있도록 악몽을 꾼다. 무의식은 정신이며, 결국 나의 정신이 악몽을 꾸게 한다.

일반적으로 꿈을 꾼 사람이 그 꿈을 누구보다 더 잘 해몽할 수 있다. 일반적으로 공식화된 꿈의 상징성을 어느 정도 알면 해몽하는데 큰 도움이 된다.

이 꿈에서 강도들이 칼로 문을 따는 장면은 전혀 상징성을 갖고 있지 않다. 사실 그대로 일어날 것을 보여주고 있다. 그러면 이와 같은 현상이 관세음보살이나 수호신의 도움 때문에 일어나는가, 아니면 내 마음의 무한한 능력 때문에 나타나는가 하는 의문이 생긴다.

나는 심즉시불(心則是佛)이란 말씀에서 답을 찾고 싶다. 사람 마음이 곧 부처님이란 이 뜻은 석가모니 부처님이 깨달았을 때 자기뿐만 아니라 모든 사람 등 중생[일체의 생물]이 부처의 능력, 지혜, 덕을 갖추고 있다는 말씀에서 왔다. 관세음보살이나 수호신의 능력은 우리 마음 또는 정신의 능력과 같다.

이 뿐만 아니라 나는 여러 번 절체절명의 순간에 꿈 또는 마음의 능력으로 구제되었다. 한번은 독일에서 있을 때였다. 내가 거주하는 곳에서 조금 떨어진 곳에 한국인 K씨가 가족과 함께 살고 있었는데 돈을 꾸어달라고 하였으나 나는 정중하게 거절했다. 독일에서는 직업만 있으면 은행에서 돈을 쉽게 대출받을 수 있다고 말을 해주었다. 그러나 그의 표정은 썩 좋지 않았다.

1986년 가을 어느 날 꿈에 누군가 내 목을 양손으로 죄므로 도와달라고 외치면서 꿈속에서 깨어났다. 그 당시 기독교를 믿었으므로 십자가를 그리면서 다시 잠을 자도 또 다시 내 목을 죄는 꿈을 꾸므로 잠을 잘 수 없었다.

그 다음 날 K씨는 자기 부인이 만든 김치 단지를 가져왔으며, 첫날에는 이상이 없었다. 그러나 그 김치를 먹은 둘째 날 이상 증상이 나타났다. 그 무렵 야간 근무를 하였으므로 낮에 잠을 자는데 이와 같은 악몽이 계속 꾸어지므로 잠을 잘 수 없었다. 그리고 알 수 없는 원인에 의해서 머리가 아프고 현기증이 났으며, 다리는 떨리고 힘이 없었다.

그 당시에는 꿈에 대한 신뢰감과 불가사의한 능력에 대해서 부정적인 생각을 갖고 있었다. 그러나 반복적인 악몽은 나의 신변에 심각한 위험이 도사리고 있을 것이란 생각을 나게 했다.

또한 수면제를 먹고 잠을 푹 못자면 머리가 아프고 현기증이 나며 다리가 떨리고 무기력해진다는 사실을 알고 있었으므로 그 김치에 수면제가 들어간 것으로 추정해서 버릴 수 밖에 없었다. 그 김치를 버림으로써 악몽은 그쳤으며 잠도 잘 자고 건강도 회복되었다.

그로부터 5일이 지나서 K씨는 나의 동태를 살피기 위해서 나를 방문했으나 나는 시치미를 떼고 잘 먹었다고 감사함을 표했다. 그런데 그날 그의 옷차림이 이상했다. 춥지도 않았는데 두꺼운 점퍼를 입고 있었으므로 그 점퍼 속에 무기를 숨기고 들어온 느낌이 들었다.

그 후로 그는 동전 몇 개를 빌리기 위해 방문하거나 야밤에 그의 차를 타고 가기를 권하는 등 이상한 짓거리를 하였으며, 전에는 나의 집에서 커피와 차를 잘 마셨으나 김치를 가져 온 이후에는 차 마시기를 거절했다.

나는 속으로 그의 범행을 확신하고 있었다. 따라서 나는 그와의 관계를 끊었다. 이처럼 반복적인 악몽은 꿈을 꾼 사람이 중대한 위험이나 사건을 알지 못했을 때 경각심을 일으키기 위해서 꾸어진다.

역사적으로 반복적인 꿈 때문에 생명을 건진 실례가 많다.

1912년 3월 어느 날 존 오크너처럼 뉴욕의 변호사인 아이작프뢴살(Issac. c. Fraunthal)도 유럽을 여행하는 도중에 꿈에 그가 타고 가려던 타이타닉호가 침몰해서 아비규환과 같은 장면을 목격했다. 또 다시 이와 비슷한 악몽을 꾼 이 변호사는 그와 함께 여행하던 동생들도 이 타이타닉호 선표 예약을 취소함으로써 3명의 생명을 구했다.

사람들은 허망한 꿈을 믿는다고 비웃었으나 타이타닉호는 결국 1912년 4월 5일 침몰하여 1,513명과 함께 수장됐다.

꿈 전문가들은 꿈은 잠재의식 또는 무의식의 작용이라고 한다. 마음을 이해하기 위해서 무의식 세계를 알아야 하고 무의식 세계를 알기 위해서 꿈을 잘 알아야 한다. 결국 꿈을 잘 이해하면 성불할 수 있다.

만해 한용운 선사가 일제시대 만주 지역에서 만행하는 도중에 독립군으로부터 일제 첩자로 오인받아 공격을 당한 적이 있다. 만해 선사가 만주 독립군 군관학교를 방문한 후 돌아가는 길에 산에서 총으로 저격을 당해서 쓰러졌다.

정신이 혼미한 선사 앞에 관세음보살이 나타나서 빨리 이곳을 떠나 피신하라고 말씀을 한 후 사라졌다. 피투성이가 된 선사가 간신히 중국인 집으로 도망치자 공격했던 그 독립군 군인들이 그 중국집까지 찾아왔으나 더 이상 공격을 하지 않아서 생명을 건질 수 있었다.

그 독립군들이 1차로 총으로 공격을 한 후 그가 쓰러지자 돌로 다시 공격하기 위해 돌을 찾으러 간 동안에 선사가 도망을 친 것이다. 그 당시 군관학교 교장은 이희영씨였는데 그 미망인은 이 문제에 대하여 모 TV 대담에서 매우 잘못됐음을 인정했다. 선사의 수필에 의해 이와 같은 사실이 알려졌다.

이희영씨는 초대 부통령을 지낸 이시영씨의 형님이며, 일본 제국주의를 공격하기 위해 만주에 군관학교를 세웠다. 국내의 전 재산을 팔아서 전 가족이 만주로 이주한 애국자였으나 애석하게도 이 저격사건에 개입한 것으로 추정되었다.

선사의 불교에 대한 믿음이 돈독했기 때문에 꿈과 같은 상태에서 관세음보살상이 나타나서 구명을 했다고 할 수 있겠다. 불성, 아미타불, 관세음보살, 정신, 참마음, 우주정신은 이 우주에 가득 차서 도움이 필요할 때 나타난다고 말할 수 있다.

만해선사는 이 특이한 체험을 한 후 '님의 침묵'과 같은 주옥같은 시들을 남겼다. 또한 만해는 '독립선언서'에 서명한 33인 가운데 한 분이셨으며, 서명 후 대부분 서명자들이 일제에 매수되었지만 오직 선사만은 추상같은 곧은 애국정신으로 일제와 싸워서 이기셨다.

이처럼 관세음보살과 부처님, 여래장, 정신, 영혼, 참마음은 같으며, 이 우주 모든 곳에 있으면서 특히 꿈을 통해서 또는 현현가피[顯現加被 : 현실적으로 관세음보살 등이 나타나서 도와 줌]를 통해서 도와준다. 나는 몽중가피[夢中加被 : 꿈을 통한 부처님의 도움]를 많이 입었다.

자신도 모르는 사이에 일어나는 은중가피(隱中加被)도 있다. 나는 독일에서 고생해서 번 돈으로 서울에 집을 샀다. 1990년대 중반까지만 해도 해외 동포들이 산 집들이 동포나 교민들이 모르는 사이에 국내 사기꾼들에 의해 매매되는 사례가 신문을 비롯한 언론에 의해 알려졌다. 또한 해외 동포들이 국내 부동산 투기를 해서 큰돈을 번다는 사실이 알려졌다. 그 당시 김영삼 정부는 해외 교민들의 부동산 투기를 억제하기 위해서 특별법까지 만들었다. 따라서 교민들이 부동산 거래를 할 때는 해당 대사관의 거주 확인서 등을 요구했다.

사기를 당한 나의 친척은 나의 집 주소를 나로부터 알아낸 후 서류를 조작해 나의 집을 매매하려고 했으나 대사관에서 서류 등을 취득하지 못해 사기 매매를 할 수 없었다.

이와 같은 사실은 나의 꿈속에서도 나타났다. 김영삼 정부가 이 특별법을 만들지 않았다면 나도 모르게 나의 집은 사기 매매되고 말았을 것이다. 이와 같은 신이나 우주정신의 도움을 은중가피라고 한다.

나는 수많은 사람들의 질병들을 나의 자연치유법에 의해 완치시켰다. 나의 형제자매들의 질병들을 물·요료법, 식이요법 등을 통해서 치유시켰다. 특히 꿈을 통해서 질병이 있음을 알았으므로 몽중가피(夢中加被)라고 여겨진다. 즉 관세음보살 또는 정신이 형제자매들의 질병을 꿈을 통해서 알려주었기 때문에 내가 치유시켰다.

치질 수술을 받은 한 부인은 일반 약물로 잘 수술 부위가 아물지 않았으나 나의 독특한 요료법에 의해 완치됐다. 이 치료는 그녀의 수호신이나 관세음보살의 가피라고 생각할 수 있다. 사람과 사람 사이의 만남은 우연이라고 생각할 수 있지만 나는 운명이라고 믿는다. 특히 질병 치료 등을 위한 만남은 관세음보살이나 정신의 전지전능한 작용이라고 믿는다.

원인 불명의 기침과 위장병, 관절염 등 수많은 사람들의 질병이 나의 도움으로 완치되었다. 이 치료들 역시 정신 또는 관세음보살의 도움 때문에 가능했다.

약 250년 전 스웨덴보그는 스웨덴 수도 스톡홀름에서 살았으며, 회의 참석 때문에 수도에서 약 150키로 떨어진 고덴버그로 갔었다. 그는 친구 집에서 점심을 먹고 있는 동안 갑자기 얼굴이 창백해지고 기진맥진 상태가 되었다.

그의 친구는 그가 장거리 여행 때문에 지친 것으로 믿고 침대에 눕혔다. 그러자 스웨덴보그는 '화재다! 화재! 스톡홀름에 화재...' 라고 외치기 시작했다.

그의 영체[영혼]가 자연적으로 육체로부터 분리된 뒤 스톡홀름으로 날아가서 화재 현장을 보고 있었다. 불길은 바람을 타고 거세게 그의 집 쪽으로 퍼지고 있었다. 그 때 하늘에서 천사들이 나타나자 바람의 방향이 90°로 바뀌면서 약해지더니 화재가 잡혔다. 이 화재는 그의 집으로부터 셋째 집까지 퍼졌다. 이 천사들이 스웨덴보그를 위해 화재를 잡은 것이다. 이 천사들이 관세음보살의 역할을 했다고 말할 수 있다.

이 불가사의한 사건이 스웨덴 신문에 의해 보도되었으며, 전 유럽뿐만 아니라 미국 등 북미 지역까지 알려졌다. 그 당시 독일의 철학자 임마누엘 칸트[Immanuel Kant, 1724~1804]는 그의 역작인 「순수이성비판」에서 다음과 같이 말했다.

"인류 역사상 스웨덴보그와 같은 인물이 있으리라고는 상상조차 못했다. 또한 미래에도 그런 인물이 나타나리라고 생각지 않으며, 이 수수께끼 같은 그의 초능력에 대해 놀라울 뿐이다."

이 화재는 천사들의 도움으로 진화되었다고 본다. 인간의 이성으로써 납득이 가지 않지만 역사적 사실임에 틀림없다. 그 당시 스웨덴의 집들은 나무로 건축됐으므로 화재에 매우 취약했다.

수많은 집들이 잿더미로 변했지만 왜 스웨덴보그 집 바로 앞에서 진화 됐느냐? 천사 또는 관세음보살, 신의 가피를 믿지 않을 수 없다.

2008년 11월 3일, 나는 부당한 아파트 관리문제 때문에 관리소장과 동대표 등과 사이가 매우 좋지 않았으므로 부득이 평택에서 이곳으로 이사를 올 수밖에 없었다.

평택에서 이곳까지 약 400키로가 됨으로 이삿짐 운송 사장은 짐을 오후에 실어서 그 다음날 아침 일찍 출발할 것을 권유했으나 나는 다음과 같은 불길한 꿈을 꾸었기 때문에 그 사장의 권유를 부득이 거절했다. 그 대신 이사 가는 날 아침 일찍 짐을 차에 싣고 갈 수밖에 없었다.

이사를 가기 이틀 전날 나는 다음과 같은 꿈을 꿨다. 내가 새 집으로 들어가기 전에 내가 살 아파트를 보는데 나를 주시하고 엿보는 무리들이 그 아파트 담 아래에 숨어 있었다.

불길함을 느낀 나는 나의 새 아파트로 들어가지 않고 비행기를 타기 위해 공항으로 갔다. 수많은 사람들이 비행기 표를 사기 위해 일렬로 서 있었고, 나 역시 표를 구입하기 위해 대열에 섰다.

만일 내가 이삿짐 사장 말대로 저녁이나 오후에 차에 이삿짐을 실었으면 내가 위험해질 수 있는 예지몽이었다. 현재 이삿짐 회사들이 너무 많으며 경쟁이 심하다. 그리고 임금은 낮고 매우 고된 육체노동이기 때문에 기피 직종에 해당된다. 따라서 이와 같은 직종에 근무한 사람들은 범죄의 유혹에 취약할 수밖에 없다. 만일 이삿짐을 저녁이나 오후에 실으면 관리소장 등은 이 이삿짐 사람들을 알 것이고, 이들이 공모하면 독신인 나는 쉬운 범죄 대상이 될 수 있었다.

이 꿈에서 담 밑에서 나의 동태를 엿보고 주시하는 무리들은 이 이삿짐 사람들로 추정되었다. 또한 꿈속에서 비행기 등을 탄다는 것은 저승행을 의미한다. 이 예지몽 때문에 나는 부득이 이삿짐을 당일 아침에 싣게 했던 것이다. 따라서 관리소장 등과 이삿짐 사람들과의 사이에 공모할 시간을 주지 않았다.

부동산 사장이 관리비 정산을 위해 관리소장을 만났을 때 이 관리소장이 부동산 사장에게 이삿짐 회사 이름을 물었으나 알지 못하므로 대답할 수 없었다고 부동산 사장이 나에게 말했다. 그러면서 이 부동산 사장도 자기들과 아무런 관계가 없는 이삿짐 회사 이름에 대한 질문에 대해 의구심을 가질 수밖에 없었다.

전에 내가 이 관리소장, 경비 등으로부터 여러 번 공격을 당할 뻔했으나 잘 넘겼다. 내가 이사를 가는 것도 이 때문이다.

이 꿈처럼 정신은 내가 어떻게 하면 위험을 피할 수 있음을 꿈을 통해서 알려 준다. 정신[영혼, 자성, 불성, 여래장, 진여]의 전지전능한 능력에 대해 경탄하지 않을 수 없다.

이사하기 전날 꿈에 돌아가신 아버님과 어머님이 나타나셨다. 두 분이 함께 나타나셨으므로 이삿날에 매우 조심해야 함을 알리는 예지몽을 꾼 것이다.

일반적으로 관리비 등 정산을 하지 않으면 이삿짐 차량이 아파트 단지를 빠져 나갈 수 없다. 아직 관리비 정산이 끝나지 않았을 때 경비들이 소장실로 들어간 순간 이삿짐 사장 등이 재빨리 이삿짐을 싣고 아파트 단지를 빠져 나갔다. 이사장은 나와 관리소장 사이가 좋지 않은 것을 알고 있었다.

또한 관리비 정산을 위해 내가 관리소장실에 들어가야 했으나 이 예지몽 때문에 나대신 부동산 사장을 보냈다. 3일 전 예지몽에서 공항에 많은 사람들이 있는 것은 임종을 기다리는 사람들이 많다는 것을 상징한다.

이 예지몽에서 보더라도 예지몽이 사실로 실현된다는 것이 아니라 실현될 수 있으니 조심하라는 경고성이라고 나는 믿는다.

부모님의 도움으로 나는 무사히 이사를 끝낼 수 있었다. 이곳 아파트 관리는 매우 공정하게 처리되고 있었으며 현재 내가 사는 아파트는 남향이고 넓다. 신은 나의 정의로운 행위에 대한 보상으로 이 안락과 평화를 주셨다고 확신한다.

이와 같은 사실들과 나의 악몽 등을 고려할 때 관세음보살 또는 관세음보살과 같은 참마음의 능력을 믿지 않을 수 없다.

허운선사[許雲禪師 : 1840~1959]는 신심이 돈독해 문수보살을 감동시킨 유명한 스님으로 널리 알려져 있다.

스님을 태운 호랑이가 집으로 들어오는 태몽을 꾼 어머니는 허운 스님을 낳았지만 산후증으로 얼마 안 되어 돌아가셨다. 19살에 출가한 스님은 부모님의 은혜를 갚기 위해 문수보살이 자주 나타난다는 오대산에 들어가 참배하기로 원력을 세웠다. 그때 스님의 연세는 43세였다.

남해의 보타산 법화암에서 오대산까지는 약 4,000키로나 되는데 향로와 무거운 짐을 지고 세 걸음마다 한 번씩 절하면서 청나라 말 1882년 봄에 출발했다. 서울에서 부산까지 거리가 약 400키로이며, 법화암에서 오대산까지는 이 거리의 약 10배나 되므로이 성지순례 여정에 생사를 넘나드는 역경이 도사리고 있었다.

삼보일배를 하면서 악전고투 끝에 이듬해 섣달[12월]에 황하의 철사 나루터를 건넜으나 인가가 없었다. 단지 초라하고 허술한 헛간이 있어서 이곳에서 몸을 의지하고 있었으나 추위와 배고픔 그리고 피로 때문에 지쳐서 거동할 수조차 없었다. 이렇게 3일 동안 아미타불을 간절히 생각하면서 염불을 했다. 밖에서는 눈보라가 치고 방향조차 가늠할 수 없었으며 몸은 지쳐서 질병까지 얻었다.

홀연히 나타난 걸인이 눈 속에 누운 선사를 보고, 누구냐고 물었으나 대답할 힘조차 없었다. 얼어붙은 선사의 몸을 녹이고자 이 걸인은 헛간에 쌓여있던 마른 풀로 불을 피우고 기장쌀로 죽을 만들어 공양을 올리니 선사는 기운을 차렸다. 걸인이 물었다.

"스님은 어디서 옵니까?"

"남해에서 옵니다."

"어디로 갑니까?"

"오대산에 참배하러 가오. 그런데 당신은 누굽니까?"

"문길(文吉)이라고 합니다."

"어디로 가시오?"

"오대산에서 오는데 장안(長安)으로 갑니다."

"오대산에서 온다니 사찰에 자주 다니겠구려?"

"나를 아는 이가 매우 많지요."

날이 샌 뒤에 문길이 기장죽을 쑤려고 솥에 눈을 퍼 넣으면서 물었다.

"남해에도 이런 것이 있습니까?"

"없습니다."

허운선사는 문길의 도움으로 기운을 회복한 뒤 다시 3번 걷고 한 번 절을 하면서 순례를 시작했다. 회경부에 이르렀으나 음식을 잘못 먹어서 이질에 걸려 설사를 계속했다. 복통과 설사를 참아가면서 이틀을 더 걸어 화사령에 도착했으나 더 이상 걸을 수 없어서 성황당에서 밤을 새며 병이 나아지기를 바랬다. 그러나 하루에도 수십 번 설사를 하므로 극도로 쇠약해져서 죽기를 기다릴 수밖에 없었다. 더군다나 이곳은 왕래하는 사람도 없어서 도움을 받을 수도 없었다.

밤이 깊었는데 담장 밑에서 불을 피우는 사람이 있어 자세히 보니 문길이었다. 너무 기뻐서 "여보시오"하고 불렀더니 문길도 알아보고, "웬일이오. 당신이 어째서 여기에 있습니까?" 물으면서 약을 주고, 똥물에 더러워진 옷을 빨아 주며, 기장죽을 쑤워서 공양을 올렸다. 며칠이 지나니 점점 기력을 회복하고 이질도 나아졌다. 그제서야 선사가 찬찬히 물었다.

"당신은 어디서 옵니까?"

"장안에서 옵니다."

"어디로 가는 길이오?"

"오대산으로 가는 길이오."

"나는 병이 완쾌되지 못하고, 또 절을 하면서 가는 터이라 당신을 따라 갈 수가 없어 안타깝구려. 당신이 먼저 가서 기다리시오."

선사의 이 말씀에 문길이 다음과 같이 대답했다.

"당신이 지난 섣달부터 지금까지 여기에 겨우 왔구려. 절하면서 걷는 길이라 많이 걷지 못하니. 언제 오대산까지 가겠습니까? 게다가 병까지 걸려서 몸은 쇠약하고 길은 머니 그곳에 도달하기 어렵겠습니다. 보살께 예배만 해도 마찬가지니 굳이 오대산까지 갈 것은 없지 않소?"

그러나 선사는 결연한 의지를 굽히지 않으며 다음과 같이 대답했다.

"당신의 염려에 감사합니다만 나를 낳은 어머니는 출산하자마자 돌아가셔서 뵙지 못하였고, 외아들을 둔 아버지는 출가한답시고 도망친 아들 때문에 벼슬자리를 그만 사직한 후 일찍 돌아가셨습니다. 보살께 예경하고 가피를 입어 돌아가신 부모님의 영혼이 극락세계에 가기를 발원할 것입니다. 가다가 죽더라도 나의 혼이라도 살아 오대산까지 가서 나의 소원을 이루고자 합니다."

문길은 놀라면서 다음과 같이 대답했다.

"부처님도 당신의 효성에 대해 감동하겠습니다. 나에게 바쁜 일이 없으므로 내가 스님의 짐을 지고 갈 터이니 스님은 절을 하면서 오십시오."

이렇게 며칠 동안 스님의 짐을 나른 문길은 허운선사에게 말했다.

"여기서 오대산은 멀지 않습니다. 내가 먼저 갈테니 스님은 천천히 오십시오. 그리고 스님의 짐을 실어다 줄 사람이 있을 것이오."

문길의 말처럼 호남성에 산다는 이를 만나서 출발한 지 3년만에 고행을 원만히 회향하셨다.

허운선사는 오대산 여러 사찰을 돌아다니면서 문길에 대하여 물었으나 그를 아는 사람이 없었다. 한 노스님이 문길은 문수보살의 화현일 것이라고 말씀하셨다.

선사는 그 말씀을 듣고 두 번 큰 절을 했다. 두 번이나 죽음의 경계를 넘나들었을 때 보살은 두루 살피어 알아보시고 나타나서 정성껏 도와주신 것을 선사는 실감하셨다.

「화엄경」여래현상품에서는 부처님은 온 세상 모든 곳에 다 계신다고 말씀하신다. 따라서 부처님은 문수보살이나 관세음보살을 통해 선사를 도와주셨다고 믿는다. 지혜의 문수보살과 자비의 관세음보살은 모두 불성에서 나오기 때문이다.

8세기 당나라 무착선사와 법조스님 역시 문수보살을 친견한 것으로 잘 알려졌다. 다음은 무착선사가 어떻게 보살을 친견하였는지 서술하기로 한다.

무착선사는 매우 영특하고 선량하였으며, 신앙이 돈독하고 학법이 뛰어나서 득도한 지 20년에 스님의 법을 계승했다. 스님은 오대산 화엄사에 머물면서 좌선을 하는 도중 잠깐 잠이 들었다. 소를 모는 소리를 듣고 깨어보니 어떤 노인이 칡베옷을 입고 소를 끌고 앞으로 지나가고 있었다. 스님은 노인에게 예를 올리고 물었다.

"노인장은 어디서 오십니까?"

"산중에서 동냥 나가는 길이오."

이번에는 노인이 무착스님에게 물었다.

"그대는 어디로 가려는가?"

"금강굴을 찾아 가는데 길을 모릅니다."

"내 처소에 가서 쉬면서 차나 한잔 마시세."

무착스님은 노인을 따라 약 50보쯤 가니 아담한 암자가 하나 있었다. '군제야!'하고 부르니 동자가 나와서 소를 끌고 들어가고 노인은 스님을 데리고 방으로 들어갔다. 방안은 더없이 정결하고 방안의 장식품들은 세상에서 볼 수 없는 희귀한 것들이었다.

이때 동자가 차를 가지고 와서 한 잔은 스님 앞에 놓고 한 잔은 노인에게 드렸다. 노인이 스님에게 물었다.

"사찰의 대중들은 얼마나 되는가?"

"3백 내지 5백 명 됩니다."

이번에는 스님이 노인에게 물었다.

"여기는 불법이 어떻게 유지됩니까?"

"앞에도 셋씩, 뒤에도 셋씩."

노인이 또 물었다.

"무슨 일을 하는가?"

"항상 마음공부를 하려고 하오나 요령을 얻지 못하였습니다."

"얻지 못하는 것이 요령인걸."

노인이 다시 물었다.

"그대 처음 출가하여서부터 무엇을 구하는가?"

"성불하기를 원합니다."

"첫 마음에 얻느니라."

무착스님은 하직하면서 물었다.

"어떻게 하면 해탈할 수 있겠습니까?"

"사람이 잠깐 동안 선정에 드는 것은 칠보탑을 쌓는 일보다 나으니라. 칠보탑은 필경 티끌이 되지만 선정은 깨달음을 이루게 하리."

게송을 마치자 동자에게 무착을 바래다주라고 했다. 무착스님은 동자에게 물었다.

"아까 노인 말씀에 '앞에도 셋씩 뒤에도 셋씩'이라고 하셨는데 그게 얼마인가?"

"금강신의 등 뒤에 것입니다."

스님은 이해할 수 없어 어리둥절하여 자리를 떠나면서 동자에게 물었다.

"금강굴이 어디 있는가?"

"이것이 반야사입니다."

무착스님은 그 말을 듣고 돌아보니 동자도 절도 간 데 없고 다만 산 빛이 푸르게 빛나고 숲만 우거졌을 뿐이다.

스웨덴보그는 이 세상과 영계를 뜬 애드벌룬[광고를 위해 공중에 뜬 기구]에 비유했다. 이 지구는 애드벌룬처럼 작고 영혼의 세계는 허공처럼 광대무변하며, 영계의 태양은 태양처럼 우주 법계뿐만 아니라 지구인 애드벌룬 속을 밝게 빛을 비춘다.

의식의 세계에서는 알 수 없으나 의식이 없는 세계[무의식의 세계]에서는 영혼은 육신으로부터 자유로우므로 신처럼 모든 것을 알 수 있고 문수보살, 관세음보살도 만날 수 있다. 인간은 꿈속에서도 지구인 애드벌룬을 탈출하여 영계와 교감할 수 있다.

사람은 꿈속에서 뿐만 아니라 만해선사와 허운선사처럼 사경을 헤맬 때 무착선사처럼 수면 직후 정신이 몽롱할 때 오히려 영혼은 제 기능을 발휘하여 보살도 만나고 신통력을 일으킨다. 영혼은 스웨덴보그처럼 이승과 저승의 경계인 애드벌룬을 통과하여 영혼의 세계를 알 수 있다.

2016년 5월 어느 날 KBS 뉴스에서 특이한 교통사고를 전했다. 한 할머니가 꽃이 만발한 저택을 찾아가다 자동차에 치었다. 그러나 그곳에는 이와 같은 화려한 집은 없었고 차들이 질주하는 큰 도로만 있었다.

이 할머니는 다행히 큰 부상은 안 입었으며, 이와 같은 황당한 말을 했다. 항간에서는 이 경우를 귀신에 씌운 것이라고 말을 한다.

약 60년 전 나의 고향에서 실제로 악령의 유혹 후 사망한 사건이 있었다. 두 친구가 만취한 상태에서 밤에 장에서 집으로 돌아오는 길에 한 친구가 '저기에 아름다운 여자들이 춤을 추고 있으니 그 연회장으로 가자'고 말을 하면서 그곳에 가서 죽었다. 그가 말한 연회장은 연못이었으며, 몇 년 전에 이곳에서 어떤 여자가 자살했다. 이 경우들은 의식이 혼미한 상태에 있을 때 악령의 장난으로 인한 불행한 사건들이다. 이와 같은 경우를 환시라고 하며 환청에 의해서도 사고가 난다.

우주의 정신이며 불성인 아미타 부처님[영계 태양]은 사람들의 마음을 모두 알므로 만해, 허운선사들을 사경에서 구해주셨다. 그러나 지나친 음주 등 문란한 생활을 하는 사람들은 선한 신들로부터 보호를 받지 못하고 악령의 공격을 받아 불행하게 된다. 환시에 의한 사고가 독일에서도 있음을 TV영상을 통해 알았다.

그러면 무착선사는 어떻게 실제로 없는 보살, 군제동자, 암자 그리고 소를 보았을까? 이 모든 환상들이 사라진 다음 하늘을 바라보니 구름이 사방으로 퍼지면서 둥근 광명이 거울처럼 비쳤다. 여러 보살들이 오락가락하고 연꽃, 사자, 육환장들이 어렴풋이 보이지 않는가.

부처님은 성불하고자 하는 무착선사의 간절한 마음을 아시고 신심을 돈독하게 하기 위해서 이와 같은 말씀과 모습들로 설법을 하셨다. 여기에서 둥근 광명은 지혜의 보살을 연꽃, 사자들은 문수보살을 상징한다. 지혜의 보살이 문수보살이다.

나는 보통 사람들도 신기루와 같은 환상을 볼 수 있다고 믿는다. 내가 수많은 꿈을 꾸고 해몽함으로써 생명과 건강, 그리고 재물을 지켰다.

스웨덴보그는 신령스러운 꿈은 보살들이 만든 작품이라는 사실을 보살[천사]들로부터 알았다. 이 꿈도 일종의 환상이다. 그리고 만해선사를 도운 관세음보살이나 허운선사를 도운 문길이도 보살들이 만든 환상이다. 부처님은 이 환상들을 통해 도와준다.

한 개인택시 기사는 2일을 근무하고 하루 쉴 때 친구들과 함께 무등산에 가서 약초 등을 채취했다. 2011년 봄 어느 날도 이 산에 가서 친구들과 멀리 떨어져 있을 때 약 100여 미터 거리에 한 암자와 여러 대중들을 보았다.

이 대중들은 스님과 일반 신도처럼 보였다. 약 5분 정도 지나자 이 암자와 대중들이 감쪽같이 시야에서 사라지고 그 자리에 푸른 나무와 연분홍 철쭉꽃이 있었다. 그 당시 이 암자에서 대중들은 물건들을 나르며 왔다갔다 했다.

KBS 전국노래자랑에서 오랫동안 MC 역할을 하면서 전국민의 사랑을 받고 있는 송해씨가 금강산 관광을 할 때 안내원이 만물상 앞에서 기도를 하면 돌아가신 부모님 등을 만날 수 있다고 말했다. 이 안내원의 말처럼 고향이 황해도이고, 21세에 부모님과 이별한 송해씨가 모친을 그리워하며 만물상 앞에서 간절히 기도를 한 후 하늘을 바라보니 모친의 모습이 달덩이처럼 나타났다고 불교 TV[BTN]에서 말했다. 그때 MC인 이상벽씨가 어떻게 이런 불가사의한 현상이 일어날 수 있을까 놀라움을 나타냈다. 2014년 '이상벽과의 대화'방영할 때 이와 같은 송해씨의 모친 상봉이 전해졌다.

58세 때 허운대사는 어머니를 천도하기 위해 부처님 사리가 있는 아육왕사(阿育王寺)에 가서 매일 방석을 사용하지 않고 3천배를 한 뒤에 연지를 하며 부처님께 공양했다. 대사는 매일 새벽 3

시부터 밤 잠자기 전까지 불전에서 3천배를 했다.

어느 날 밤 좌선을 하는 가운데 의식이 없는 상태에 접어들었을 때 금빛 용 한 마리가 사리전 앞 연못에서 대사 앞으로 날아오는 것을 보았다. 대사는 용의 등에 타고 공중으로 날아올라 궁전에 이르렀다.

이곳은 산수가 수려하고 화려한 꽃들이 만발했다. 궁전과 누각이 장엄하고 기묘하였으며, 모친은 이 누각 위에서 사방을 둘러보고 계셨다. 대사는 큰 소리로 모친을 부르면서 이 용을 타고 극락세계로 가시길 기원했다. 허운대사를 낳자마자 돌아가셨기 때문에 이때 처음 모친을 뵈었다.

이와 같은 불가사의한 현상은 꿈과 같은 무의식 상태에서 영혼[불성]이 육신으로부터 자유로워지므로 부처님과 같은 또는 신과 같은 능력이 있기 때문에 나타난다. 물론 부처님 또는 보살들의 가피 때문에 인간의 이성으로써 알 수 없는 현상들이 일어난다.

56세 때 강소성 고민사(高旻寺)에서 대사가 선정에 들었을 때 득도를 했다. 대사가 밤에 선정을 마치고 눈을 뜨니 갑자기 큰 광명이 비추어 대낮처럼 밝았으며, 안팎의 경계가 사라져서 모든 것을 보고 알 수 있었다. 방과 방 사이에 벽이 있었는데도 벽이 없는 것처럼 옆방의 스님들의 모습을 볼 수 있었고, 방에 앉아 있었는데도 멀리 강 가운데 배가 지나가는 모습 등 모든 것들을 볼 수 있었다.

청화[淸華 : 1922~2003] 큰 스님도 선정에 들었을 때 어두운 선방이 수분 동안 광명으로 가득찼음을 보았다. 우룡[雨龍 :

1932~]큰스님은 육자주문(六字呪文)으로 이루어진 광명을 보았다.

우룡 큰스님은 출가하면서부터 '옴마니반메훔'을 시간이 날 때마다 외웠다. 15살에 출가한 우룡 큰스님은 입산한 지 1년이 지난 어느 초겨울 '옴마니반메훔'을 외우며 해인사 대적광전 축대 위에 서서 극락전을 바라보는 순간 시간이 멈춘 듯 하였고, 갑자기 눈 앞의 모든 것도 사라졌다. 앞의 산, 대적광전, 마당, 건물 등 모두 시야에서 없어지고 수천만 키로의 끝없는 평지가 펼쳐졌다.

황금색을 띤 대지가 경계 없이 쭉 전개되었으며, 그 대지의 끄트머리에 범자(梵字)로 된 '옴마니반메훔' 여섯 글자가 해돋이처럼 뻘겋게 솟아나 공중에 떠있었다. 이 진언은 원래 해석되어서는 안 되지만 '옴마니반메훔'의 근본 뜻은 부처님의 위대한 광명을 뜻한다. 또한 관세음보살의 근본 마음인 자비와 지혜를 뜻한다.

이처럼 위대한 스님들이 깨달았을 때 보았던 대광명은 영계 태양인 아미타불 부처님 또는 비로자나 부처임이라고 나는 믿는다. 이 부처님들은 원래 하나의 태양과 같은 광명이며, 모든 생명과 영혼들의 본원(本源)이고 원천(源泉)이다.

우주의 정신인 불성은 이 스님들의 대원력인 성불(成佛)을 이루기 위해 아미타 부처님과 같은 광명을 보여 주었다. 지금도 온 세상에서 부처님과 관세음보살, 문수보살 등 보살들이 두루 살피며 지혜와 자비를 베풀고 있다.

허운대사는 인도, 파키스탄, 티벳트 등에 있는 성지를 걸어서 순례했다. 1953년, 스님 연세 114세 때까지 설법을 하셨고 수많은 사찰을 세우시고 중창했다. 대사는 곡물과 채소가 아니면 공양을 거절할 정도로 철저한 채식주의자였다. 120세에 돌아가실 때 대사는 다음과 같은 말씀을 하셨다.

"100년의 진로(塵勞)가 꿈과 환상 같습니다. 어찌 더 살기를 바라겠습니까? 태어나는 것은 죽음의 시작이니 지혜로운 사람은 조속히 정신을 차려서 머리에 붙은 불을 끄듯이 일심으로 공부해 나가야 합니다. 어느 여가에 세속 사람들의 흉내를 내겠습니까? 계율을 철저히 지키고 선행을 많이 하며 자주 선정과 지혜를 닦아야 합니다. 그리고 탐욕, 화, 어리석음을 제거해야 합니다."

나의 꿈속에 나타난 대사건들

김일성과 김정일의 죽음, 그리고 1995년 북한의 대홍수, 천안함 폭파사건 등이 발생하기 전에 나의 꿈에 나타났는데 왜 나의 꿈에 나타났는지 매우 의아스럽게 생각되었다.

아마도 나의 참마음 또는 정신은 불성이나 우주정신이기 때문에 이 세상에 일어날 일들을 미리 알아서 꿈을 통해서 나의 의식에게 알려 준다고 말할 수 있다. 참마음 또는 정신[무의식]은 무한대의 능력을 갖고 있다.

1994년 나는 독일에서 살고 있었는데 다음과 같은 꿈을 꾸었다. 김일성이 수행원들과 함께 조상의 선산을 방문하기 위해 38선을 넘어왔다.

그의 선산 주변에 오두막집이 있었고, 그 안에 김일성과 수행원들, 그리고 나의 모친과 내가 있었다. 국군이 이 사실을 알고 공포탄을 쏘면서 빨리 밖으로 나오라고 재촉했다.

이와 같은 꿈을 꾼 지 약 6개월 후 김일성의 사망 소식을 뉴스를 통해 알았다. 이 꿈에서 선산(先山)은 죽음을 상징한다. 그리고 국군이 사용한 총 역시 죽음을 암시할 수 있다. 그 오두막집에 계셨던 모친은 약 2년 후에 돌아가셨고, 나 역시 생명이 위험했으나 꿈을 통해 정보를 알았으므로 죽음을 모면할 수 있었다. 실제로 김일성은 전주 김씨이며 전주 김씨 시조 묘는 전북 완주군에 있다고 한다.

김일성이 죽은 후 1995년 북한에 대홍수가 발생하여 북한의 곡창지대인 서해안 주변의 농경지가 쑥대밭이 되었다. 나는 이 대홍수도 꿈속에서 봤으며 그 꿈의 내용은 다음과 같았다.

경상북도 내륙 지방에서 군인들의 폭동으로 사상자가 발생했다. 그 군인들이 충남 서해안 지역으로 이동을 한 후 계속 해안선을 따라 이북 쪽으로 북상하기 시작했다. 압록강까지 진격이 끝난 후 북한 서해안 지역 농경지가 황폐화 된 장면이 나타났다. 북한의 황해도에서 압록강까지 해안의 일정 부분 농경지가 완전히 피폐되었다.

이 같은 꿈을 꾼 후 꿈속에서 군인들이 비록 북진을 했으나 38선 전 지역에서 일어나지 않고 서해안 지역에서만 일어났으므로 전쟁을 일으킨 것이란 생각이 안 들었다.

약 2주 후에 이 꿈이 북한의 대홍수를 알리는 예지몽이란 것을 알게 되었다. 경북 지역에서 시작한 폭풍은 영주 지방에서 산사태를 일으켜 많은 사상자를 냈으며, 이 강력한 폭풍은 충남 서해안 지역으로 이동해서 많은 피해를 입혔다. 그리고 이 폭풍이 서해안 지역을 따라 북상하면서 북한 서해안 지역에 대홍수를 일으켰다.

군인들의 폭동은 영주 지역의 산사태를 상징하며, 군인들의 진격은 태풍을 상징한다. 이 홍수로 인해 북한 지역에서 수백만 명이 굶어 죽었으며, 이와 같은 일련의 참상을 북한에서는 소위 '고난의 행군'이라고 했다.

2010년에 발생한 천안함 폭파사건도 이 사건 발생 3일 전에 나의 꿈속에 나타났다. 꿈의 내용은 다음과 같았다. 해안 주변에 있는 큰 나무가 뽑히면서 꽹음[큰소리]이 났다. 그리고 그 자리에서 두 그루의 나무가 높이 올라간 후 동시에 옆으로 각각 반대 방향으로 쫙 퍼지듯이 쓰러졌다.

이 꿈을 꾼 후 이 꿈이 무엇을 의미하는지 도저히 알 수 없었다. 그러나 천안함 폭파사건에 대한 뉴스를 듣고 이 꿈이 그 폭파 사건을 상징하는 것을 알 수 있었다.

멀쩡한 큰 나무가 스스로 위로 솟구치며 뽑히고 동시에 꽹음이 난 것은 천안함[큰나무]이 폭파된 장면을 그대로 보여주고 있다.

그때 폭파될 때에도 엄청난 폭음이 났다고 그 함선에 탔던 장병들은 증언을 했다. 그리고 두 그루의 나무가 동시에 쭉쭉 올라간 후 각각 반대 방향으로 동시에 쫙 소리를 내면서 쓰러진 것은 천안함이 폭파되어 두 동강이 난 장면을 상징한다.

항간에서는 천안함 폭파사건은 미군에 의해 조작된 것이라고 주장한다. 그 근거로 그 당시 미군과 우리 해군이 그 해역에서 훈련 중이었고, 구조된 군인들에게 함구령이 내려졌기 때문이다. 그러나 수색대가 어뢰의 파편을 발견하면서 북한의 소행임이 확인되었다. 즉 그 무기의 파편 속에 ㉠㉡ ㉮㉯ 등 기호가 발견되었다.

이 기호들 역시 미군이 조작했다는 억측이 나돌았지만 연평도 포격사건으로 완전히 해명되었다. 연평도 포격사건때 발견된 무기 파편에도 이와 같은 기호들이 표식되어 있었다.

북한은 NLL[해상 경계선]을 부정했으며, 연평도 등을 점령하면 대남전략에 유리하기 때문에 이와 같은 만행을 저질렀다.

나의 꿈과 대운하 건설

이명박 대통령은 2007년 대통령 후보일 때 4대강 준설공사를 대선공약으로 내걸었다. 특히 한강과 낙동강을 연결해서 수도권 물동량을 이 운하를 통해 부산항에 운송할 계획을 세웠다. 그리고 이 운하 주변 하천 부지에 대규모 아파트 단지와 위락 시설을 계획했다는 언론 보도를 읽었다.

나는 한강과 낙동강을 연결하는 운하 건설이 큰 재앙을 가져올 것이란 예지몽을 꾸었다. 꿈의 내용은 다음과 같았다.

보의 물이 얼었으며, 그 얼음에 구멍이 뚫리자 쌀을 씻을 때 나오는 쌀뜨물 같은 흐린 물이 솟구쳐 나왔다. 보 옆에 큰 하천이 있었고 하천의 양 뚝방 위에 많은 사람들이 모여서 일직선으로 된 큰 폭의 하천을 가득 채운 큰물이 도도히 흐르는 장면을 보고 있었다. 하천의 뚝방 옆에는 아파트들이 즐비하게 들어섰는데, 뚝방 위로 물이 넘쳐 아파트 단지가 물속에 잠겼다.

그곳에 사는 사람들은 못이 박힌 나무판자 등을 갖고 아파트로 올라가는 장면이 나타났다. 이 하천을 떠나 집으로 가는 도중에 코가 삐뚤어진 한 아이가 역시 코가 삐뚤어진 한 아저씨에게 길을 묻고 있었다.

이 꿈의 해몽은 다음과 같다. 보의 얼음 위로 쌀뜨물과 같은 흐린 물이 솟아 나오는 것은 보의 물이 오염될 것을 상징한다고 말할 수 있다.

실제로 작년 여름 더운 날에 녹조가 생겨 보의 물이 많이 오염되었다. 코가 삐뚤어진 아이와 아저씨는 오염된 물로 인한 부작용을 상징한다고 볼 수 있다.

꿈속의 일직선으로 된 큰 폭의 하천은 원래 곡선인 하천이 준설로 인해 일직선으로 변형된 것을 상징한다. 일반적으로 자연적 형태인 곡선의 하천에는 물살이 빠르지 않기 때문에 홍수가 잘 생기지 않지만 준설로 인해 직선으로 변형될 경우 물살이 빨라 홍수가 날 수 있다. 이 때문에 꿈에서도 홍수가 발생하여 둑방 위로 물이 넘쳐 아파트 단지가 물에 잠겼다.

못질을 한 판자를 들고 아파트로 들어가는 장면은 아파트 내부로 물이 들어오기 때문에 그물을 막기 위한 도구를 상징한다고 볼 수 있다.

이 꿈은 한강과 낙동강을 연결하는 대운하 건설이 큰 재앙을 일으키는 것을 은유적으로 나타내는 것으로 판단하고 청와대에 진정서를 보냈고, 두 번이나 전화를 했다.

대통령에 당선된 뒤 이명박 대통령은 대운하 건설은 실행하지 않았다. 단지 보를 신설하고 하천의 밑바닥을 깊이 파는 등 준설 공사를 했으며, 원래 하천의 곡선을 그대로 유지했다.

만일 대선공약대로 한강과 낙동강을 연결하는 대운하를 건설하고, 배의 속도를 높이기 위해 곡선의 하천을 일직선으로 변경했다면 큰 국가의 재앙이 될 수 있었다. 물론 이와 같은 대선공약 불이행은 나의 충고 때문에 됐다고는 생각하지 않는다.

나는 오랫동안 독일에서 살면서 매년 비가 많이 오면 라인강 등이 범람하여 홍수가 나서 쾰른 등 대도시가 물바다가 되는 장면을 자주 목격했다.

독일은 원래 곡선인 강줄기를 준설공사를 통해 직선으로 바꿨으므로 특히 여름철 비가 많이 오면 라인강 등이 범람하여 피해를 많이 보고 있다.

꿈속의 내용이 현실에서 그대로 실현되는 경우가 매우 많지만 대운하 건설처럼 일부는 실현되고 일부는 실현이 안 된다든가 모두가 실현 안 되는 경우도 더러 있다.

대운하에 대한 나의 꿈의 일부는 실제로 나타났다. 즉 한강, 낙동강, 영산강, 금강에 건설된 보에 많은 하자가 발생하고 있다. 특히 보의 물 유통이 잘 안되므로 더운 여름철에 녹조가 많이 생겨 국민의 건강을 심각하게 위협하고 있다.

나의 꿈속에서 얼음이 꺼지면서 쌀뜨물처럼 뿌연 오염된 물이 솟구쳐 나온 것은 이 녹조를 상징한다고 말할 수 있다. 그리고 코가 삐뚤어진 어린이가 코가 삐뚤어진 어른에게 길을 묻는 장면은 이 오염된 물을 먹고 알레르기성 비염 등 질병에 걸린다는 것을 상징할 수 있다.

나의 꿈과 RO사건과 세월호 침몰

　북한은 천안함 폭파사건을 일으킨 후 다시 2011년 연평도 포격 사건을 일으켰다. 그럼에도 불구하고 한미연합군은 연평도 등 서해 5도 해역에서 군사훈련을 감행했다. 이 군사 훈련에 대하여 북한은 또다시 보복 공격을 공언했다.

　대한민국의 허를 찌르는 북한의 공격 수법이 매우 특이함으로 모든 국민이 전전긍긍하고 있을 때 나는 다음과 같은 꿈을 꾸었다.

　내가 사는 남쪽 지역에서 멀리 떨어진 충청권을 지나 수도권에서 소위 불바다 장면이 나타났다. 지진이 나듯이 땅이 폭파되면서 꺼지고, 큰 빌딩이 쓰러지면서 다른 낮은 건물들을 덮치고, 온 도시 전체가 폐허로 변해가고 있었다.

　큰 빌딩이 천천히 쓰러지는 장면이 매우 인상 깊었다. 그 빌딩은 파괴되지 않고 온전하지만 지진이 있을 때처럼 지면이 파괴되어 꺼져 가라앉으므로 그 빌딩이 쓰러지면서 다른 건물들을 덮쳤다.

　이와 같은 폭파와 파괴는 폭격기나 미사일 등에 의한 공격 때문에 일어난 것이 아니고 도시가스 파이프 등이 파괴되어서 일어났다고 추정했다. 만일 미사일 등에 의해 그 빌딩이 공격을 당했다면 빌딩의 외벽 등이 파괴되겠지만 쓰러지지는 않았을 것이다.

나는 이 꿈을 꾼 후 KBS와 MBC에 북한의 도시가스 파이프 등 공격 가능성을 전화로 알렸다. 현재 북한에는 수십만 명의 특수부대 군인들이 있다. 이들은 기습적으로 침투해서 한국의 후방을 공격할 목적으로 맹훈련을 받고 있다고 한다.

나는 행정안전부 모 차관에게도 알렸다. 전화를 받은 차관은 가스폭파 가능성이 인터넷에 뜨고 있다고 말했다. '인터넷에 뜬 것은 내가 두 방송국에 이미 알렸기 때문이다'라고 대답했다.

차관과 전화 통화 후 2~3일이 지나서 그 차관이 직접 나에게 전화를 걸어 와 경찰관이 나를 방문할 것이라고 말했다. 실제로 경찰서에서 전화가 와서 내가 직접 경찰서를 방문했다.

경찰서에서 한 조사관이 그 꿈의 진위 여부, 나의 직업 등 신상에 관해서 질문을 해왔고, 나는 꿈의 신빙성에 대해서 자세히 설명해 주었다.

또 경찰관은 그의 집안사람이 행정고시에 합격했는데, 고시 시험문제와 답이 시험 전날 꿈속에 나타나서 시험을 잘 치뤘기 때문에 합격했다고 말하면서 내 꿈의 신뢰성을 인정해 주기도 했다.

나의 신고 후 예비군 훈련이 있을 때마다 큰 건물 등에 있는 가스 파이프 등 도시가스 시스템에 대한 보안 훈련이 있었다. 적을 알면 백번 싸워서 백번 이긴다는 속담이 있듯이 적의 비밀 계획을 앎으로 적은 도시가스 시스템 등에 대한 공격을 할 수 없을 것이다.

이 같은 나의 꿈과 세상을 떠들썩하게 했던 RO사건은 서로 관련성이 있다고 생각된다. 북한은 원래 특수부대를 이용하여 남한의 가스 시설, 유류 시설 등을 폭파하려고 하였으나 특수부대를 남파시키는 것은 쉽지 않은 일이다. 따라서 종북파들인 이××등을 이용하려고 했으나 폭파 계획이 사전에 탄로됨으로써 수포로 돌아간 것이다.

여담으로서 경찰서 방문 전날 밤 꿈에 빨간색 상의와 초록색 하의를 입은 난쟁이 같은 두 사람이 나의 등과 옆구리에 찰싹 달라붙는 장면을 보았다. 물론 모자도 썼다. 이와 같은 의복과 모자는 경찰관의 제복을 상징하며 내 몸에 찰싹 달라붙는 것은 내가 감시 대상임을 상징한다.

선의의 나의 행위가 감시받게 됨을 초래하다니 아이러니가 아닐 수 없었다. 나는 전화번호를 바꿀 수밖에 없었다.

말레이시아 항공기 실종 사고와 세월호 침몰사고가 함께 발생하여 세상을 온통 뒤집어 놓았다. 2014년 4월 8일 말레이시아 수도 쿠알라룸푸르를 떠난 이 항공기가 중국 수도 베이징으로 향하는 도중에 실종되었다.

이 사고가 있기 3일 전인 4월 5일 나의 꿈에 수백 명의 사람들이 잠자는 장면이 떠올랐다. 꿈속에서 잠을 잔다는 것은 죽음을 의미한다.

나는 크림반도 분쟁 때문에 러시아와 우크라이나 사이에 전쟁이 일어나서 많은 사람들이 죽을 것이라고 예상한 바 있다. 이 무렵 크림반도 분쟁이 톱뉴스로 자주 등장했다. 그러나 비행기 안의 제한된 공간에서 사람들이 죽는다는 것은 전쟁때문이라기보다는 항공기 사고라고 보여졌다.

실제로 4월 8일 말레이시아 국적 항공기가 약 240명의 승객과 승무원을 태운 채 행방불명이 되었으며, 나의 꿈에 이들이 모두 죽은 것으로 나타났다. 행방불명이 된 지 10일이 지났지만 아직까지 그 기체를 발견하지 못하고 있다.

2014년 4월 9일, 세월호는 진도 앞바다에서 침몰되었는데 사망자와 실종자가 약 300명에 달하는 대형사고였다. 세월호 침몰 하루 전날 밤 나의 꿈에 시야가 불투명한 어두운 곳에서 사람들이 김밥을 주고받으며 먹고 있었다.

꿈에 검정색, 어둠 등은 죽음이나 사고, 질병, 불행 등을 상징한다. 김밥은 소풍 또는 나들이 갈 때 챙기므로 단원고 학생들의 수학여행을 상징한다고 말할 수 있다. 만일 내가 세월호 선표를 샀더라면 나의 정신은 이 배에 승선하지 말라는 다른 예지몽을 꾸게 하였으리라.

실제로 영국인 존 오크너는 타이타닉호 침몰을 예지몽을 통해서 알았고, 예약된 선표를 취소함으로써 그의 생명을 구하기도 했다.

세월호가 침몰된 시간은 아침이며, 김밥이나 도시락을 먹을 때였다. 어두운 곳에서 김밥을 주고 받으며 먹는 장면은 단원고 학생들의 참사를 상징한다고 말할 수 있다.

꿈과 건강

    우리는 위나 장, 심장, 폐, 등에 암 등 질병이 있을 때 CT 등 촬영을 통해 어느 정도 알 수 있지만 그렇지 않고서는 알 수가 없다. 그러나 우리의 참마음[정신, 무의식]은 암뿐만 아니라 여러 질병을 미리 알아서 꿈을 통해 알려준다. 꿈을 잘 꾸고 해몽을 잘하면 수술의 성공 여부, 질병의 치료, 임플란트 시술 성공 여부 등을 꿈을 통해서 알 수 있다.

    정신세계의 대부분을 차지하는 무의식[잠재의식]은 잠잘 때 더욱 맑고 밝아져서 가족과 지인들의 질병뿐만 아니라 국제, 국가, 사회, 가족, 개인의 관심사를 꿈을 통해서 알려 준다.

    희랍의 철학자 아리스토텔레스는 질병으로 인한 통증 등이 자극을 줌으로써 그 질병이 꿈을 통해 알려진다고 말했다. 즉 통증 등 자극이 꿈을 꾸게 함으로써 그 질병을 알 수 있다고 했다. 그는 또 '의사는 낮에는 볼 수 없는 신체 변화의 첫 징후를 꿈을 통해서 알 수 있을 것이다'라고 말했다.

    희랍의 의성 히포크라테스는 각종 질병과 꿈의 관계를 그의 저서에서 기술했고, 고대 희랍에서는 아스클레피오스 신전에서 몽점(夢占)이 이루어졌다. 그리고 시베리아의 샤먼이나 아메리카의 인디언들은 꿈을 해몽함으로써 신체적, 정신적 질병을 치료했다.

지그문드 프로이트는 아리스토텔레스와 비슷한 의견을 표명했다. 그에 의하면 정신은 깨어 있을 때보다 잠을 잘 때 신체 상태를 더 깊고 넓게 자각한다. 신체 내부기관의 질병이나 장애가 꿈을 꾸게 한다. 예를 들어 심장 질환이 있는 사람의 경우 꿈이 매우 짧으며, 소스라치게 놀라면서 꿈에서 깨어나기 쉽고, 매우 고통스러운 상태에서 죽는 꿈을 많이 꾼다. 폐질환이 있는 사람의 경우 질식하거나 궁지에 몰려 도망가는 꿈을 많이 꾼다.

미국의 저명한 심리학자이며 꿈 전문가인 제레미 테일러는 의식세계에서 사람들이 건강과 안녕에 지대한 관심을 갖고 있듯이 의식보다 훨씬 깊고 넓은 정신세계[무의식세계]에서도 건강과 안녕에 큰 관심을 갖고 있다고 말했다.

우리의 참마음[무의식, 정신, 불성]은 꿈을 통해서 알린다. 즉 꿈의 여러 상징과 은유, 그리고 그 병의 실상을 통해 그 사람에게 알려 준다.

한국의 유명한 꿈 전문가인 한건덕 선생은 사람이 건강할 때 앞으로 병에 걸릴 것을 알리는 예지몽을 꿀 수 있다고 말했다. 꿈은 상징뿐만 아니라 사실 그대로 발병 원인, 발병 부위, 병세의 진행 그리고 치료 수단 등을 보여줌으로써 알린다. 따라서 꿈에 대한 많은 관심을 갖고 올바르게 해석하는 능력만 갖춘다면 질병의 진단도 가능하다고 말했다.

실제로 나는 예지몽을 통해서 어깨 통증의 치료 방법을 알았고, 이 방법을 이용해서 완치시켰다. 앞에서도 언급했지만 오줌을 마시면 장내에서 발효되어 유익균과 효소가 다량 생성됨으로 여러 질병의 치유 효과를 높인다는 사실도 나의 꿈을 통해서 알았다.

아리스토텔레스와 프로이트는 질병의 증상이 신체에 자극을 줌으로써 꿈을 꾸게 한다지만 나는 나의 형제자매들의 질병을 이와 같은 자극 없이도 꿈을 통해서 알 수 있다. 아미타 부처님이나 관세음보살과 같은 능력을 갖고 있는 나의 정신이 형제 자매들의 질병을 꿈을 통해서 나에게 알리고 있다.

음식을 먹는 꿈

중국에서 황사가 날라 올 때나 날씨가 매우 추울 때, 또는 환절기에 기온 차가 심할 때 나 혼자 또는 여러 사람들과 함께 음식을 먹는 꿈을 꾸는 경우가 많다. 나뿐만 아니라 다른 사람들도 꿈에 맛있는 음식을 잘 먹으면 독감이나 심한 감기에 걸릴 수 있다는 사실을 잘 알므로 특별히 미리 예방하면 안 걸릴 수 있다.

예를 들어 황사가 오는 날에는 외출을 자제한다. 매우 추운 날에는 실내에서 운동을 하거나 실외에서 운동을 한 후 땀이 날 때에는 햇빛을 쬐면서 내의가 마를 때까지 기다렸다가 귀가하면 예방된다. 그러나 운동 후 땀이 난 상태에서 찬바람을 맞으면 감기에 걸리기 쉽다. 특히 봄철에 내몽고 지방에서 황사가 많이 날라 오는데 황사가 날라 오는 전날 나뿐만 아니라 많은 사람들이 음식을 먹는 꿈을 꾼다. 일반적으로 잘 먹으면 심한 감기 등에, 잘못 먹으면 가벼운 감기에 걸릴 수 있다. 나 혼자 먹으면 나만 감기에 걸리고 많은 사람들이 함께 먹으면 많은 사람들이 걸린다.

꿈에 음식을 먹는다는 것은 외부에서 신체 내부로 들어온다는 것을 의미한다. 감기나 독감에 걸린다는 것은 외부의 바이러스가 체내로 침투하거나 또는 들어온다는 뜻이다.

복통 등 소화기 질병도 세균에 감염된 상한 음식이 몸 안으로 들어오기 때문에 발병된다. 따라서 꿈에 음식을 먹는다는 것은 바이러스나 세균에 감염됨을 상징한다고 말할 수 있다.

자동차 고장

매실과 설탕으로 매실 발효액을 만든 후 남은 매실에 청주를 부어 매실주를 만들어서 먹으면 술만 마실 때보다 건강에 좋다는 말을 믿고 직접 그렇게 만들어서 먹으려고 할 때 꿈에 나의 차가 고장이 나서 움직이지 않았다. 자동차는 나 자신을 상징한다.

자동차가 잘 굴러가면 건강하고 생활형편이 좋음을 상징한다. 그러나 잘 가지 않으면 건강에 이상이 있을 수 있다든가 형편이 어려울 수 있다. 자동차 전조등[헤드라이트]에 이상이 있으면 눈 건강에 이상이 있을 수 있다. 이 같은 꿈을 꾸고 아깝지만 그 매실주를 버릴 수밖에 없었다. 그 후 신문과 방송 보도에 의해 이와 같은 방법으로 만든 매실주는 건강에 해롭다는 것을 알게 되었다.

추락사고

2011년 가을 어느 날 다음과 같은 꿈을 꿨다.

나는 소나무 등이 있는 숲에서 어지럽고 현기증이 나며 추락했다. 또한 돌아가신 부모님이 나타나셨다. 누워 있는 어머니 옆에 내가 누울 곳이 마련됐으며, 조금 떨어진 곳에 아버님도 계셨다.

이 꿈을 꾸고 조심해야 된다는 생각이 들었다. 더군다나 돌아가신 부모님들이 나타났으므로 위험성이 매우 크다는 것을 짐작케 했다.

나는 습관적으로 하루 두 번 식사 후 집 뒤에 있는 산에 올랐다. 2~3일이 지나도 신변에 이상이 없었으나 4일째 되던 날 실제로 나는 산에서 내려오는 길에 큰 소나무들이 있는 곳에서 조그마한 나무뿌리에 걸려서 엎어지고 말았다.

약 7~8년 전에도 어지럽고 현기증이 나는 꿈을 꾸었는데 그 때도 쇠줄에 걸려서 엎어졌으며, 무릎에 부상을 입은 적이 있었다. 실제로 엎어지거나 넘어져서 사고가 나면 정신이 몽롱하고 현기증이 난다. 나는 이 사고로 얼굴에 부상을 입었고 의치의 손상까지 입었으나 큰 부상은 아니어서 다행이었다. 앞에서도 언급했지만 돌아가신 조상들은 신처럼 자손들의 행, 불행을 미리 알아서 꿈을 통해서 알려 주신다. 사고 당한 날 조그마한 야산이지만 슬리퍼를 신고 산에 올랐으니 꿈의 경고성을 무시한 큰 보상이었다.

임플란트 시술

2009년 봄에 나는 임플란트 최종 시술을 받았다. 2008년 초가을에 먼저 치아를 심는 시술을 받기 전 다음과 같은 꿈을 꾸었다.

도시에서 모처럼 고향을 방문하는데 논과 밭에 파란 보리와 밀이 무성하게 자라고 있었다. 이처럼 꿈에 파랗게 보리며, 벼, 밀이 자라는 모습은 건강과 성장, 안녕, 희망, 원기, 젊음을 상징한다.

흰색의 경우 결백과 소박, 청렴을 상징하고, 붉은 색의 경우 정열과 연정, 기쁨, 명예를, 검정색의 경우에는 죽음과 질병, 가난, 음탕, 비밀, 범죄, 부도덕 등 부정적인 것을 일반적으로 상징한다.

이 꿈을 꾸고 나는 오늘 무사히 시술이 끝날 것으로 예상했으며, 실제로 만족스럽게 끝났다. 처음 이를 심을 때 시술비의 50%, 나머지 50%는 심은 그 치아에 의치를 끼우는 작업이 끝나면 지불하기로 계약을 했다.

치아를 심은 지 약 6개월 후 의치를 그곳에 끼우기 위해 그 의사의 점검이 실행되었다. 의사의 표정이 밝지 못했으며, 간호사는 의치를 끼우기 전 잔액을 모두 지불하기를 요구했다. 나는 계약상 의치를 끼운 후 50% 잔액을 지불하기로 한 것을 지킬 것을 주장했다.

그 의사는 자기가 심은 치아가 잘못됐으며, 그 심은 치아에 의치를 끼워도 불만족스럽게 될 것이라고 간호사에게 이야기 했으므로 그 간호사는 시술이 완전히 끝나기 전에 잔액을 요구했던 것이다.

나는 그 의사가 점검하는 전날 밤에 다음과 같은 꿈을 꾸었다.

226

그 의사가 나의 발에 맞지 않는 신을 끼웠으므로 내가 이의를 제기함으로 그 의사는 다른 신을 갖고 끼웠으나 역시 안 맞았다. 이 꿈에서 발은 심은 치아를, 신은 의치 즉 심은 치아에 덮어씌우는 금니를 상징한다. 이 꿈은 만일 이 의사가 심은 치아에 금니 씌우는 작업을 계속한다면 두 번이나 실패할 것을 상징한다.

나는 점검 후 의사의 실망한 표정과 간호사의 부당한 요구, 그리고 시술이 잘못될 것을 암시하는 꿈 때문에 그 치과 의사에게 더 이상 마지막 시술을 맡길 수 없었다. 따라서 다른 치과 의사의 도움으로 성공적으로 임플란트 시술을 끝냈다. 치아를 심는 것도 중요하지만 의치를 끼우는 시술 역시 매우 중요함을 알 수 있었다. 처음 시술한 그 의사는 본을 뜨고 의치를 조립하는데 덜 숙련된 것으로 생각된다.

일반적으로 꿈을 꾼 사람이 그 꿈을 잘 이해하고 해몽할 수 있다. 그러나 이 꿈의 경우 다른 사람도 해몽하는데 큰 어려움이 없을 것이다.

심장병

2008년 12월경 추위가 심해지면서 가슴이 아프고 어깨와 손의 힘이 빠지는 증상과 약간 얼굴이 붓는 증상을 가졌다. 나의 심장에 이상이 생겼음을 느꼈다.

나는 그 무렵 다음과 같은 꿈을 꾸었다. 매우 넓고 큰, 푸른 대밭이 있는데 이상하게도 대부분의 대 끝부분이 칼로 자르듯 없었다. 그러나 대들은 푸르고 크며 울창했다.

나는 그 대밭을 뒤로 하고 어두운 미로 속으로 들어가고 있었다. 그런 다음 다시 그 미로로부터 밝은 쪽으로 향하고 있었다. 나는 끝부분이 잘려 나간 푸른 대밭이 나의 폐와 심장을 상징한다고 생각한다. 대들의 끝부분은 비록 없지만 대들이 푸르고, 크며, 울창한 모습은 본래 폐와 심장은 건강하다는 것을 말한다.

나는 식이요법과 운동요법, 물, 요료법을 매일 실천하고 있었으므로 심장에 관한한 건강에 자신이 있었으나 이와 같은 증상으로 볼 때 심장에 이상이 있음을 알게 되었다. 나는 이 꿈을 통해 그 원인을 알 수 있었던 것이다.

나는 자동차 배기가스나 담배 연기가 심하면 숨을 쉬지 않고 참았다. 이 습관이 장기화 되면서 심장과 폐의 기능이 약화됐다. 호흡을 잠시 정지한 후에는 심호흡을 해야 하는데 그렇지 않았으므로 폐활량이 작아져서 맑은 피를 충분히 심장에 공급할 수 없어 이와 같이 심장이 아팠다.

대나무 끝 부분이 잘려진 모습은 폐의 기능이 약화되고, 폐활량이 작아진 것을 상징한다. 만일 내가 그 원인을 알지 못했다면 질병과 고통 속에서 살 것이다.

꿈속의 미로는 이 질병과 고통을 상징한다. 그리고 꿈속에서 어두운 미로로부터 밝은 곳으로 나온다는 것은 내가 그 원인을 알아서 실천함으로 치료됨을 상징한다.

지금은 공기가 나쁜 곳에서는 얕은 호흡을 하며, 공기가 좋은 곳에서는 심호흡을 한다. 지금은 완치됐으며 아무리 추운 날에 운동을 해도 심장 통증이 일어나지 않는다.

참고로 심장이나 폐, 간, 위장, 췌장 등 내장기관과 몸 전체 건강을 위해서 식이요법과 운동요법, 물, 요료법을 실천하고 금연을 하며, 금주를 한다.

식이의 경우 육식을 억제하고 잡곡, 채소, 해조류, 견과류, 씨앗류, 식용유로써 들기름을 조금씩 먹으면 건강해진다. 설탕이 든 커피, 탄산음료, 주스, 과자 등은 체내에 나쁜 세균의 증식을 촉진하고, 살을 찌개 하여 당뇨, 고혈압 등 여러 질병을 일으킨다.

식사를 하기 전에 바나나, 사과, 배, 귤, 오렌지 등 과일을 먼저 먹으면 혈당이 천천히 흡수됨으로 당뇨나 비만의 위험성이 적고, 식사량이 줄어들며, 각종 비타민이나 미네랄, 항산화 물질 등을 음식을 통해 충분히 섭취할 수 있다. 그러나 설탕이나 엿, 시럽 등은 혈당과 인슐린 수치를 빠르게 상승시키므로 비만, 당뇨, 고혈압 등 소위 생활습관 질병의 발병률을 높인다.

육류에는 포화지방이 들어 있어 피를 흐리게 하고, 혈액의 점도를 높여 혈전[핏덩어리, 피떡] 생성을 촉진한다. 혈전은 뇌 등의 모세혈관을 막아 뇌졸중 등 여러 질병을 일으킨다. 또한 육류에는 아라키돈산이 들어 있어 여러 염증성 질병을 촉진한다. 그리고 섬유질, 비타민, 미네랄 등이 육류에는 매우 적게 들어 있으므로 활성산소[암 등 질병의 원인]의 생성을 촉진하여 암 등 여러 질병을 일으킨다.

현미, 조, 수수, 콩, 채소, 해조류에는 각종 비타민 미네랄, 항산화 물질 등이 풍부하게 들어 있어 피를 맑게 하고 활성산소의 생성을 억제함으로 혈액순환과 신진대사 작용을 촉진한다. 따라서 비만이 해소되고 면역력이 증강되어 암 등 여러 질병에 잘 안 걸린다.

생선의 기름은 오메가 - 3가 많이 들어 있어 건강에 좋으나 생선의 단백질 역시 동물성 단백질이므로 몸에 해롭다. 동물성 단백질의 소화과정에서 질산, 요산, 초산, 유산 등 산독성 물질이 만들어져 혈액을 흐리게 함으로 알레르기성 체질이 되기 쉽고, 암 등 질병에 잘 걸린다. 특히 동물성 단백질에는 섬유질이 부족함으로 고등어 등 생선을 많이 먹으면 변비증에 걸리기 쉽다.

운동은 필수적이다. 밥을 먹듯이 걷기 등 유산소 운동과 근육을 키우는 윗몸 일으키기 등 근력운동을 할 것이며, 아침식사 전에 몸과 마음의 긴장을 풀어주는 맨손체조를 해야 한다. 날씨가 안 좋으면 실내에서 심호흡과 함께 제자리 걷기를 한다.

운동을 하면 혈액순환이 촉진됨으로 약 100조나 되는 세포에 산소와 영양소가 잘 공급되어 활동할 수 있는 에너지가 잘 만들어지고 면역력이 증강되어 질병에 잘 안 걸린다. 또한 내장에 쌓인 지방 등 체지방 분해가 활성화 되므로 비만이 해소되어 날씬해진다.

물을 충분히 마셔야 한다. 물을 적게 마시면 피의 점도가 높아져 피가 끈적끈적해지므로 혈류와 대사작용이 억제되어 고혈압이나 동맥경화, 심장병, 당뇨병 등 여러 질병에 잘 걸린다. 중증 고혈압, 심장병 환자들이 하루에 1.5~2리터 물이나 보리차 등을 마시면 치료될 수 있다. 물론 혈당도 내려가고, 체지방 분해가 촉진되어 비만증이 해소될 수 있다.

위 통증이 있을 때마다 물을 마시면 통증이 사라지고 위궤양 등 위장병이 치료된다. 역시 역류성 식도염, 변비증 치료에 큰 도움이 된다. 물을 하루에 약 1.5리터 마신 위궤양 환자와 역류성 식도염 환자가 자연적으로 치료된 것을 나는 여러 번 확인했다.

오줌은 만병 치료약이라고 해도 과언이 아니다. 오줌에는 혈전 용해작용과 혈관 확장작용, 혈류 촉진작용을 하는 성분이 들어 있으므로 특히 심장병, 고혈압, 동맥경화에 잘 듣는다.

단식과 함께 오줌과 물을 마시면 약으로 완치가 안 되는 여러 불치병들이 잘 치료된다. 따라서 식이요법, 운동요법, 물·요료법을 병행하면 무병장수할 수 있다.

꿈과 질병으로 인한 전직과 위기일발

　1990년대부터 독일에서는 자연치유학이 각광을 받고 있다. 현대의학만으로 만성비염, 이물질에 의한 뇌의 염증 등을 치료할 수 없음을 알고 이와 같은 나의 질병을 치료하기 위해, 그리고 약 없이 치료하는 방법을 알기 위해 자연치유학을 배우기로 결심했다. 따라서 간호원으로서 직업을 포기할 수밖에 없었다.

　1996년 10월 어느 날 꿈에 물이 가득찬 방죽의 둑이 무너지므로 나와 동료들은 간신히 무너진 곳을 막았으나 이미 유출된 물이 흐르는 곳마다 땅이 푹푹 꺼져가므로 아슬아슬하게 피해 다녔다. 만일 내가 땅의 꺼진 곳을 밟으면 땅 속에 파묻힐 것만 같았다.

　이 물줄기는 내가 가는 곳마다 흘렀으며 한곳에서 다른 곳으로 옮길 때마다 흘렀다. 이 꿈은 현재와 미래를 은유하고 상징한다는 것을 뒤늦게 알았다.

　나는 독일의 한 병원에서 남자 간호원으로 밤 근무를 했으며 쉴 때는 가벼운 음식과 함께 차와 커피를 마셨다. 물을 끓이는 기구는 직접 수도관과 연결되었으므로 전기 스위치를 켜기만 하면 물이 자동으로 끓여졌다.

나는 겉으로는 건강하고 멀쩡하게 보였으나 두통 등으로 병가를 내어 자주 쉬었다. 여하튼 나에게 불만을 품은 누군가가 내가 이 기구를 이용하여 물을 마시는 것을 알고 수면제 등을 넣었다고 생각했다. 실제로 한 간호원이 고장도 나지 않았는데 이 기구를 수리했다는 것을 알았다.

나는 약간의 음식과 함께 차를 마신 후 집에 와서 잠을 많이 잤으며, 위의 통증을 느꼈다. 평상시에는 마늘을 먹어도 괜찮았으나 마늘 등 매운 음식을 먹으면 위의 통증을 느꼈다. 물을 하루에 7컵씩 많이 마심으로써 위통은 사라졌다.

터진 둑을 막는 꿈은 이 사건을 은유했다. 이 꿈에서 방죽의 둑은 수도관과 연결된 물 끓이는 기구 등을 상징할 수 있다. 터진 둑의 물을 막았다는 것은 나의 위나 신체 조직이 수면제와 다른 독성물질을 먹었어도 별탈없이 치유되었음을 상징한다. 그리고 꿈에서 유출된 물이 흐르는 곳마다 땅이 함몰되어간 것은 내가 간호원 기숙사에서 다른 곳으로 이사 간 곳에서 일어났던 사건들을 상징한다.

나는 의심받는 그 간호원의 여동생과 함께 밤 근무를 했으며 쉬는 동안 나의 꿈과 위통증 등 증상을 말했다. 며칠 후 그 간호원은 다른 병동으로 옮겼다.

나의 꿈에서 방죽이 터져서 그 유출된 물이 흐르는 곳마다 땅이 꺼진다는 것은 앞으로 나의 미래에 불행이 닥쳐올 것을 암시한다.

이 유출된 물은 머리나 이관 등에 있는 분비물을 상징한다. 이 분비물을 제거하기 위해 코를 풀 수밖에 없으며, 이 코를 풀 때 나는 소리가 이웃 사람들에게 불쾌감을 주며, 그 사람들로부터 공격을 일으킨다. 그리고 나는 꿈속에서 땅 밑으로 추락하는 것을 피해서 다녔는데, 이 꿈은 이웃 사람들의 공격을 잘 막음을 상징한다.

실제로 나는 3번의 공격을 피했다. 나의 질병 때문에 이 사건들이 일어났으므로 나의 주변 사람들에게 책임을 전가하지는 않는다.

1997년 1월 어느 날 꿈에 죽었던 친구들이 나타났다. 초등학교, 중학교 동창 중 죽었던 친구들과 역시 죽었던 이종사촌 형이 똑같은 크기의 원판을 들고 나에게 보이면서 일렬로 서 있었다. 나는 이 원판들이 무엇을 상징하는지 알 수 있었다. 그리고 이 원판들 때문에 내가 죽을 수도 있음을 알았다.

앞에서도 이야기했지만 이관을 통해 뇌까지 들어간 이물질[액체] 때문에 뇌 등에 염증이 생겼다. 이관에서 중이 그리고 머리의 여러 군데에 염증이 있었으며 이 원판들은 그 염증을 상징했다. 그리고 염증들 사이 사이에 액체가 있으며 하품을 할 때 이관이 열려서 구강으로 내려 왔다. 따라서 자주 코를 푼다든가, 입 밖으로 내뱉었다.

중학교 동창들과 이종사촌 형은 신처럼 나의 머리에 있는 염증을 알고 있었다. 스웨덴보그가 밝힌 것처럼 죽은 사람의 영혼이 죽은 자나 산 사람을 생각만 하면 TV 화면처럼 나타난다. 그 영혼들은 질병뿐만 아니라 사람들의 마음까지도 안다.

병원 사택에서 살았던 나는 그 근방의 한적한 곳으로 이사를 가서 자연치유학을 공부할 계획을 갖고 있었다. 독신인 나는 욕실과 부엌, 방 2개가 있는 소형 아파트로 이사를 갔다. 비록 자연치유학을 공부한다고 하지만 독일에서 외국인이 실직 수당을 받으면서 사는 것을 독일인은 매우 싫어했다. 더군다나 나의 질병 때문에 코를 자주 풀어야 했으므로 옆방에 사는 사람들에게 불쾌감을 줄 수 있었다는 점에서 여간 죄송한 마음을 금할 길 없었다.

또한 내가 사는 아파트는 독신자 아파트로서 질이 좋지 않은 사람들도 살고 있어서 항상 조심해야만 했다. 한번은 아파트 뒷면을 돌아볼 기회가 있었는데 깨진 유리창과 파괴된 문들이 있어서 두려움을 느꼈다.

1997년 4월 어느 날 꿈에 맞은 편 방에 사는 사람이 탄환[탄알]을 갖고 있었다. 연붉은색의 탄알이 노란색 탄피에 박혀 있는 모양이 선명하게 보였다. 그 다음 날 나는 독일을 떠날 수밖에 없음을 확인하고 고국행 비행기표를 예약했다. 바로 독일의 축제 다음 날이었다.

위험한 꿈을 꿨기 때문에 방문을 여는 소리가 나지 않게 조심스럽게 닫은 후 복도를 살금살금 걷고 있을 때 앞 집 문틈을 통해 아주 약한 불평소리가 들렸다. 그는 내가 문을 열자마자 공격하려고 노심초사 기다리고 있었다. 내가 꿈을 통해 그 낌새를 알고 방문을 열고 나와서 복도를 걷고 있었기 때문에 공격의 기회를 놓쳤던 것이다.

나를 공격하려고 한 사람은 그곳에서 청소를 하며 매우 힘이 센 사람이었다. 그때도 나는 산책을 자주 했으며, 나의 신발에 묻은 흙이 복도를 약간 더럽게 함으로 불만을 품고 있었다. 더욱이 그의 눈에 나는 실업 수당을 받고 놀고먹는 외국 사람이므로 제거되어야 할 대상으로 보였다. 나중에 안 일이지만 그 청소부와 공모한 자들이 3~4명에 달했다. 그 자들은 나의 방 가까운 곳에 살고 있었다.

오늘은 독일에서 큰 축제가 있었다. 폭죽을 터뜨리고, 가면을 쓰고 춤을 추는 등 야단법석을 벌였다. 통계에 의하면 축제 날 오히려 범죄가 증가한다. 가면을 쓰고 살인, 강도를 하는가 하면 폭죽소리가 총소리와 구분이 안 되기 때문에 총에 의한 살인, 강도가 축제날에 더 많이 발생한다.

아니나 다를까 오후 5시경 총소리가 우리 아파트 내부에서 들렸다. 나는 이 자들이 나를 공격하기 위해 사격 연습을 한다는 것을 곧바로 알 수 있었다. 그리고 오늘 저녁이 매우 위험하다는 것도 알았다.

이 아파트의 구조는 옆집에서 발코니를 통해 다른 집으로 건너갈 수 있게 되어서 범죄에 매우 취약했다. 언젠가 발코니를 통해 옆집 사람의 얼굴을 볼 수 있었는데 타인에게 두려움을 줄 정도로 비친화적이었다.

나는 가스총을 소지하고 있었는데 전에 시험적으로 쐈는데 진짜 총소리처럼 들렸다. 그날 밤 나도 총을 갖고 있다는 신호를 보내기 위해 가스총을 쏠까 망서렸으나 주변 사람들에게 불안감을 줄 것 같아서 차마 쏠 수가 없었다.

병원에 근무할 당시 꿨던 꿈이 그래도 위안감을 주기 때문에 예의에 어긋난 일을 하고 싶지 않았다. 이미 언급했듯이 그 꿈에서 이미 유출된 방죽의 물이 흐르는 곳마다 땅이 꺼지고 함몰되어 갔으나 용하게 나는 그곳에 빠지지 않고 아슬아슬하게 피하면서 지나갔다.

밤 11시경 천정의 전등을 끄는 순간 휘파람 소리가 들렸다. 밖에 있는 공모자들이 이웃에 사는 사람에게 내가 불을 껐다는 신호를 보내는 것 같았다. 나는 이례적으로 탁상용 전등을 유리 창문을 향해 비췄다. 불빛이 발코니를 비추므로 발코니를 통해 공격해 오면 노출되기 때문에 범죄를 예방할 수 있다고 생각했다.

또한 밖에 있는 나를 보호하기 위해 온 사람들에게 신호를 보내는 척 하기 위해 탁상용 전등을 이용했다. 물론 밖에는 나를 보호해 주는 사람은 없었다. 치열한 머리싸움이었다.

밤새 경계를 하느라고 잠을 자지 못했다. 평소에 하지 않던 전등을 창문을 향해 비춘 것에 대하여 그 자들도 놀랄 것이었다. 이때를 생각하면 내가 좀 경솔했다고 생각되었다. 그날 밤 7~8시경에 가스총 한 발을 쐈더라면 그토록 공포감을 갖고 경계를 하지 않아도 되었을 것이다. 지루한 밤이 지나고 동이 틀 때 긴 안도의 한숨을 쉬었다.

날이 밝아오자 옆방에 사는 사람[공모자 중 한 사람]이 밖으로 복도를 지나 나가는 소리가 들렸다. 그 자도 어둠 속에서 나가는 것이 두려워서 이제야 활동을 개시했다. 나를 지키고자 하는 사람들이 어둠 속에 있을 것이라고 믿어 나를 공격할 수 없었을 뿐만 아니라 행동의 제약을 받은 것이다.

해가 뜨자 고국행 비행기를 타기 위해 짐을 챙기고 나오는데, 공모자 가운데 한 사람인 힘이 센 청소부가 신문기자 방을 나오고 있어서 우연히 만났다. 아마 밤새 있었던 일을 그 기자에게 알리고 나오는 길이었다.

이 프랑크푸르트 일간지 신문기자도 공모는 하지 않았지만 이 범죄를 알고 있을 것으로 추정했다. 내가 옆 아파트에 사는 러시아계 독일인과 함께 수퍼마켓에 들러서 공항에 가는 도중에 나를 미행한 자를 만났다. 그 자는 바로 나의 앞집에 사는 자였다. 내가 수퍼마켓 앞에 서 있을 때 나를 힐끗 보고는 반대쪽으로 몸을 돌렸다. 나의 눈과 마주쳤을 때 이상야릇하게 웃었다.

나 역시 그의 추적을 알고 쓴 웃음을 지었다. 그들은 내가 떠날 때 최소한 한 두 사람의 한국인이 나타날 것으로 생각했으나 그렇지 않은 것에 대하여 그들의 계산이 틀렸음을 알았으리라.

1997년 4월 자연치유사가 되기 위해 나는 한국을 떠나 다시 독일 땅을 밟을 수밖에 없었다. 새로 임대 주택을 얻어 살면서 7월 어느 날 다음과 같은 꿈을 꿨다. 나는 수직으로 된 지하동굴 속에서 수많은 사람들과 함께 추락하고 있었다. 지하 끝부분에 도착하자 키가 매우 큰 젊은이와 어머니가 그곳에 계셨다.

이 꿈은 어머니와 내가 죽을 수 있음을 암시한다. 그 당시 어머니는 심장병으로 매우 위독하셨다. 이 꿈에서 어두운 수직굴은 이승과 저승의 경계선이다. 뒤늦게 알게 되었지만 키가 큰 젊은이는 나를 저승으로 인도할 독일 젊은이였다. 지하로 함께 추락하는 사람들은 여러 가지 사연 때문에 죽어가는 사람들이었다.

「사후의 생」의 저자이며 미국 심리학 교수인 무디 박사는 임사체험[질병 등으로 일시적 죽음 체험]자 약 150명에 대하여 조사, 연구를 했다. 그 결과 이와 같은 어두운 동굴 같은 것은 육신이 죽은 후 영혼들이 저승을 향해 지나가는 곳이다. 다시 심장이 뛰면 저승에 간 영혼이 이 길을 통해 돌아와 육체 속으로 들어간다. 이 꿈을 꾼 후 약 3개월 만에 어머님이 돌아가셨다. 따라서 이 꿈은 내가 죽을 수도 있음을 미리 알리는 예지몽이다. 이 무렵에도 나의 병은 완치가 안 되어서 코를 자주 풀고, 분비물을 입으로 내뱉기도 함으로 주변 사람들에게 불쾌감을 주었다.

또한 비록 자연치유학을 공부한다고 하지만 외국인이 실직 수당을 받고 있으므로 젊은 독일인에게 눈에 가시로 보였다. 나의 질병은 약 2년 후 완치가 되었지만 그 당시는 매우 힘들었다.

나는 2층에 살고 바로 맞은편에는 터키 가족이 살며, 3층에는 키가 매우 큰 독일 젊은이가 여자 친구와 함께 살고 있었다. 한번은 내가 코를 푸는데, 이 젊은 친구도 3층에서 흉내를 내며 코를 풀고 있었다. 이와 같은 방법으로 나에 대하여 불만을 표시하고 있었다.

1997년 8월 어느 날 내 집 앞 복도에 피가 고여 있었으며 내 머리에서 피가 흐르는 악몽을 꾸었다. 이 꿈을 꾸고 내일 나에게 매우 위험한 일이 닥칠 것이란 예감을 가졌다.

매일 나는 조반 후 산책을 다녔는데 그날도 룩색에 가스총을 넣고 돌아오는 길에 3층에 사는 젊은 독일인을 만났다.

그는 나에게 싸늘한 시선을 보냈다. 내가 마트에서 생필품을 사는 동안 그 젊은이도 벌써 그 마트에 와서 큰 유리병에 든 생수 두병을 샀다. 사실 그는 산책을 하지 않고 나를 추적한 것으로 보였으며, 그 유리병들이 나에게 무기가 될 수 있음을 직감할 수 있었다.

나는 식품을 구입한 후 뒤도 돌아보지 않고 빠른 걸음으로 집으로 돌아와서 약간 문을 연 채 그 문틈으로 그 자의 동태를 살펴보았다. 그 역시 빠른 걸음으로 왔으나 나를 따라잡지는 못했으며, 약간 문을 열어놨기 때문에 내 방으로 들어오려다가 내 눈을 보고 3층 자기 집으로 올라갔다. 나의 발걸음이 조금만 느렸어도 그자의 유리병이 내 머리통을 박살냈을 것이다.

복도에 피가 고이고, 내 머리에서 피가 흘렸던 이 꿈은 꼭 현실적으로 실현되는 것이 아니라 조심하지 않으면 실제로 일어날 수 있음을 말해주고 있다. 지난 7월 꿈에서 본 키가 큰 이 젊은이는 바로 3층에 사는 그자를 상징한다. 그리고 1996년 10월 달 꿈에서 물이 흐르는 곳마다 땅이 함몰되고 꺼져 갔으나 내가 땅속에 묻히지는 않았다.

이번에도 용케 위기를 모면했다. 이처럼 예고성 꿈이 현실적으로 들어맞는 것을 보면 운명이 있음을 알 수 있다. 정신[잠재의식], 불성, 영혼의 무한한 능력에 대하여 감탄을 금할 수 없다.

이 운명은 꿈을 통해서 변경될 수 있음을 알았다. 만일 내가 꿈을 무시하고 평상시처럼 행동했다면 그의 유리병에 의해 죽을 수도 있었다. 정신[영혼, 자성, 여래장]은 꿈을 통해서 이와 같은 위험을 알리고 있다.

그 다음날 그자의 여자 친구가 자동차 주차를 하는 동안 백미러로 나를 감시할 것이란 생각이 들어 가스총을 륙색에서 꺼내어 주머니에 넣는 모습을 보여주면서 아파트 정문을 열고 들어갔다.

내가 권총을 갖고 있다는 것을 알면 나를 공격하지 않을 것이란 방어적 책략이었다. 맹수가 상대의 공격을 예방하기 위해 입을 벌리고 큰 이빨을 보여주는 것과 같은 논리였다.

나는 더 이상 이곳에 머물 수가 없어 이사를 가기 위해 집 주인을 방문했을 때 3층에 사는 그 자도 이사를 간다는 사실을 알게 되었다. 그자의 여자 친구가 주차하면서 본 가스총을 진짜 총으로 알고 그자에게 말한 것이 틀림없다.

이처럼 나는 꿈 때문에 여러 번 죽을 고비를 넘겼다. 인간은 숙명론자, 운명론자 그리고 아무 것도 믿지 않는 우연론자로 분류될 수 있다. 숙명론은 사람이 태어나자마자 자기 갈 길이 정해져 있다는 논리이고 운명론은 사람의 갈 길이 어느 정도 정해져 있지만 자신의 영감이나 정신, 지혜, 의지 등에 의해 진로를 바꿀 수 있다는 논리이다.

나는 운명론자에 가깝다고 생각한다. 나의 정신[잠재의식, 무의식]과 참마음[성품, 자성, 불성]은 꿈을 통해서 의식에게 앞으로 일어날 위험성을 알려 주므로 피할 수 있었다. 즉, 죽을 수도 있었으나 꿈을 통해서 살아났고, 질병과 재산의 피해를 보지 않을 수 있었다.

모든 것이 결정된 것이 아니라 현재와 미래를 새로 개척하고 변화시킬 수 있는 것이다. 명상이나 선정 등을 통해 성품이나 정신을 찾는 것이 매우 중요하다.

언젠가 어렸을 때 어머니께서 나의 태몽에 대해서 말씀하신 적이 있었다. 도마뱀이 있어서 그 놈을 잡으려고 손으로 탁 때리면 훌쩍 뛰어가고 또 때리면 이놈이 미리 알고 잘 피했다고 이야기 하셨다. 죽을 고비를 잘 넘기는 것을 생각하니 태몽이 맞는 것 같다.

나는 또 다시 이사를 갈 수밖에 없었다. 그곳에서 나는 오랫동안 병원 생활을 했으므로 아는 사람도 많았다. 독일 사람들은 대부분 단독주택에서 살며 형편이 좀 낮은 사람들은 아파트에 산다. 전과 많이 달라진 것은 독일계 러시아인들이 독일 시민권을 받고 이곳에 살고 있다는 점이다.

이곳에서 약 6개월 동안 자연치유사 시험 준비를 끝낸 뒤 드디어 시험 날이 왔다. 독일어로 된 시험 문제는 공부를 착실히 해서 그렇게 어렵지 않았다. 1차 필기시험을 치룬 후 꿈에 우체부가 나에게 편지를 전하는 장면을 보고 합격할 것이란 예감을 가졌다.

며칠 후 길몽처럼 합격통지서를 받았으며, 2차 구두시험 날짜를 알려 왔다. 2차 시험에서는 혈액 세포의 이름과 그 작용에 대해서 시험관이 물어서 잘 대답했다.

2차에서도 무난히 합격했다. 나와 병원에서 함께 근무한 헝가리계 간호사도 시험을 봤으나 낙방했다. 이번이 4번째 시험인 데도 떨어져서 아쉬웠다.

또 다시 나에게 운명의 그림자가 드리우고 있었다. 일반적으로 독일인들은 정직하고 성실하며 근면하지만 실업률이 증가하면서 젊은층을 중심으로 신나치주의자들이 증가하고 있었다.

또한 러시아에서 온 독일계 러시아인에 대해 '러시아 마피아'라는 별명이 붙을 만큼 평이 좋지 않았다. 무정부상태의 러시아에서 무기를 쉽게 취득한 이들은 독일 내에서 많은 범죄를 범하고 있었다.

특히 아시아계 사람들이 수난을 당하고 있다는 생각이 들었다. 한 예로 이곳에 필리핀계 부부가 사는데 그 남편이 도망쳤다.

원래 필리핀 여성이 독일 남자와 결혼한 후 이혼했으며, 그 여성이 필리핀계 남자와 재혼해서 이곳에서 함께 살았으나 이곳 사람들과의 관계 때문에 도망쳤다고 한다.

나는 그 무렵 한국의 유명한 일간지 신문에서 '아시아인들이 독일에서 도망친다'라는 기사를 읽었다. 일반적으로 독일은 이민국인 미국과 다르게 보수성이 강하다.

1998년 4월 어느 날 꿈에 칼과 쇠뭉치 등으로 내가 공격을 당하는 장면을 봤다. 내가 사는 아파트에는 러시아에서 온 사람들과 독일인들이 살고 있었다. 나의 방 바로 옆에는 젊은 독일 청년과 60대 어머니가 살고 있었으며, 이 독일 청년에 대해 경계를 게을리 하지 않았다.

이 같은 꿈을 꾼 다음 날 우연히 그의 어머니를 만났으며, 그녀의 의중을 떠보기 위해 내가 권총을 갖고 다닌다고 말을 걸었다.

그녀는 깜짝 놀라며 뒤로 물러섰다. 그리고 그녀는 나에게 무슨 병이 있느냐고 물었으며, 비염 등 증상이 있어서 코를 자주 푼다고 대답했다. 나의 방에 들어서는 순간 그녀의 방에서 쇠뭉치가 바닥에 떨어지면서 쨍그랑 소리가 들렸다.

그녀의 아들이 쇠뭉치로 나를 공격하기 위해 문 쪽에 놓았다가 내가 권총을 갖고 있다고 말을 하니까 그들의 공격이 오히려 화를 불러올 것이라 생각한 그의 어머니가 그 무기를 다른 곳으로 옮긴다는 생각이 들었다. 그리고 그녀와의 잠깐 동안 대화를 통해 돈뿐만 아니라 나의 질병도 범죄의 원인이란 생각이 들었다.

며칠이 지난 후 꿈에 건너 아파트 쪽에서 날아온 총알이 내 방의 유리창을 뚫지 못하고 날아온 쪽으로 되돌아가는 장면을 보았다. 내가 사는 아파트의 건너편 아파트에도 러시아에서 온 사람들이 사는데, 나의 옆방 사람들과 그 러시아에서 온 사람들 사이에 교류가 있다는 생각이 들었다. 그리고 그들은 총 등 살상 무기를 갖고 있을 수 있음을 꿈의 해몽을 통해 알 수 있다.

하루는 내가 시내를 가기 위해 그 아파트 단지 옆에 있는 기차역을 이용했다. 그 아파트에서 잘 보이는 곳이므로 내가 출발하는 것을 그들은 보았을 것이다. 그 다음 날 내가 또 그 역을 이용할 줄 알고 러시아에서 온 청년들이 기다리고 있지 않은가? 바로 그때 마을주민들이 자녀들을 직접 데려다주고 데려오는 이상한 현상이 나타났다.

그들이 역에 왔으면 기차를 타고 가야 하는데 오랫동안 누군가 기다리고 있었다. 혹시 내가 그 대상이 될 수 있다. 결국 그들은 주민들에게 불안감만 심어주고 빈손으로 돌아올 수밖에 없었다.

그들은 또 하루는 내가 근방의 산에 갔다 온 것을 알았다. 그 다음 날에 내가 륙색을 지고 시장에 가는데 내가 어제처럼 산에 가는 것으로 그들은 착각하였으며 그들이 전 속력을 내서 산 쪽으로 달리는 그들의 자동차 장면이 목격되었다. 먼저 가서 산에서 기다리겠다는 뜻을 그들은 갖고 있었다.

내 방문은 열쇠를 이용해 여닫을 수 있으며, 독신자이므로 범죄의 표적이 될 수 있다. 꿈에서 총알이 유리창을 뚫지 못하고 반대 방향으로 날아간 것은 내가 그들의 희생물이 될 수 없음을 상징한다고 말할 수 있다. 또한 그들은 나를 살상할 수 있는 무기를 소지하고 있음을 은유적으로 나타낸다.

1996년 10월에 꾼 꿈이 지금의 위험한 나의 처지를 말해주고 있다. 그 당시 꿈에 방죽의 유출된 물이 흘러서 땅이 꺼지면 피해서 다른 쪽으로 피했고, 다른 쪽으로도 흘러서 땅이 함몰되면 또 피해 다녔다.

꿈에서 이렇게 3번 피하면서 죽음의 땅으로부터 벗어난 것처럼 나는 실제로 3번이나 나의 생명을 구하기 위해 이사를 했다. 그리고 마지막까지 무사했다.

이제 나는 자연치유사 자격증도 땄고, 내가 살기에 열악한 이 환경을 빨리 벗어나고 싶다. 약 5년 전 서울에 있는 아파트를 구입했으므로 그곳에서 살기로 결심했다.

나는 고국에서 약 없이 치료하는 방법을 널리 알리고, 대가 없이 많은 환자들을 치료하고자 한다. 나의 병 때문에 이곳 사람에게 불쾌감을 준 것에 대하여 미안하고 죄송한 마음이 들었다.

약 1년 후 이관 등에 있는 분비물이 모두 제거됐으므로 지금은 건강하게 지내고 있다.

나의 꿈과 형님

2004년 5월 어느 날 꿈에 부모님을 포함한 모든 가족이 산에 올라갔다. 가족들이 둘러서서 보고 있는 가운데 형님이 눈을 감고 땅에 누워 있으면서 사람들이 하는 말을 듣고 있었다.

조상들의 무덤이 있는 선산인 산은 매장의 장소를 상징하고 산에서 눈을 감고 있는 것은 죽음을 상징할 수 있다. 가족 등 사람들이 누어있는 형님 앞에 서 있는 것은 하관을 상징한다.

이 불길한 꿈을 전화로 전하면서 위내시경 검사 등 신체검사를 권유했으나 나의 꿈을 절대 불신했다. 나는 또 다른 꿈을 꿨다. 꿈에 나의 위쪽 치아 하나가 빠졌다. 일반적으로 입은 가족 전체를 의미하며, 치아는 식구를 상징한다. 그리고 위쪽 치아는 식구 가운데 연장자를, 아래쪽 치아는 연하자를 상징한다. 약 1주일 전 꿈과 함께 꿈 풀이를 한 결과 형님의 건강에 확실히 이상이 있어서 죽을 수도 있음을 알 수 있었다.

나와 다른 가족의 강력한 권유에 의해 위와 장을 검사한 결과 위장에 이상 증상이 나타났다. 이 초기 증상을 치료하지 않고 그 원인을 제거하지 않으면 생명이 위험함을 알 수 있었다. 형님은 3~4년 전에도 대장에 용종이 자라고 있어서 두 번이나 용종 제거 수술을 받았다.

그 당시 형님은 양주 등 독한 술과 육식 등 서구적 식이를 즐겼다. 이와 같은 나쁜 식습관과 음주는 위와 장의 질병뿐만 아니라 암 등 여러 질병의 원인임을 나는 잘 알고 있었다. 암 등 질병의 가장 큰 원인은 활성산소이다. 그리고 활성산소를 억제하는 물질은 항산화 물질이다. 육류를 많이 섭취하면 체질이 산성화 되고 변비증이 잘 생기며, 소화과정에서 산독성 물질[질산, 염산, 유산, 요산, 초산 등]과 활성산소가 많이 생성된다. 또한 육류에는 활성산소를 제거하는 항산화 물질이 매우 적게 들어있다. 그러나 채소, 해조류, 과일, 잡곡, 견과류에는 항산화 물질 뿐만 아니라 여러 영양소가 풍부하게 들어있어 암 등 질병의 예방과 치료 효과를 높이고 건강을 촉진한다.

나는 약 없이 형님의 위장 등 질병을 요료법과 야채[무, 시래기, 우엉, 당근, 표고버섯]달인 물로 완치시켰다. 질병이 완치된 지 약 3개월 후 나는 형님이 고향에 있는 선산을 돌아다니는 꿈을 꿨다. 그 다음 날에는 숙부님과 형님이 아직 익지 않은 벼를 낫으로 베고 있었다.

앞에서도 언급했지만 선산에서 눕는다든가 돌아다닌 것은 죽음에 가까워진 상태를 상징한다. 그리고 덜 익은 벼를 베는 꿈은 벼의 일생은 황금빛으로 물들어 익었을 때까지이며 더 오랫동안 살 수 있는데, 삶을 빨리 끝낸다는 것을 은유하고 있다. 또한 익지 않은 벼를 수확한다는 것은 밥을 못 먹는다는 뜻도 있다. 숙부님과 형님이 덜 익은 벼를 베는 꿈을 꾼 지 약 1년 후에 실제로 숙부님은 지병으로 돌아가셨다.

이 꿈에서 보더라도 꿈은 예고적이고 경고적이다. 형님은 먼 곳에서 살고 계시므로 근황을 잘 모른다. 이 꿈을 꾼 후 전화를 한 결과 몸에 특별한 증상이 없으므로 요료법을 중단하고 양주 등 독한 술과 육식 등 서구적 식이를 즐긴다고 했다.

형제 사이에는 유전자도 비슷하다. 독한 술과 서구적 식이를 멀리한 나의 위장 등 내장은 건강하지만 형님의 위장은 안 좋고 대장 용종 수술을 두 번이나 받았다. 나쁜 음주 습관과 서구적 식이가 이 질병들의 원인임을 알 수 있었다.

한국에서 사는 한국 사람보다 미국에 사는 한국 사람의 대장암 발병률이 훨씬 높은 것은 미국에서 육식 위주의 식생활을 하기 때문이다. 일본에 사는 일본인보다 하와이에 사는 일본인이 대장암 등에 잘 걸리는 이유도 같은 원인[서구적 식이] 때문이다.

요즈음 한국 등 아시아 국가에서도 육류와 도수가 높은 술 소비가 증가하면서 암 등 여러 질병의 발병률이 높아지고 있다.

형님은 나의 이 꿈들과 자신의 과음과 식생활과 관련이 깊은 것을 알고 지금은 현미, 콩 등으로 만든 잡곡밥, 채소, 해조류, 과일 등을 주로 섭취하고 막걸리, 맥주 등 도수가 낮은 술을 조금씩 든다.

2013년 10월 16일, 나의 꿈에 형님과 내가 기차를 타고 가는 도중에 내가 차창 밖으로 손을 내밀기 때문에 기차가 멈췄다. 그 다음 날 꿈에 형님[72세]의 성명이 공중에 나타났으며, 형님의 하의를 수선해야 한다는 음성을 들었다.

세 번째 꿈에 내가 두 사람에 의해 감금되었으며, 돈을 주었기 때문에 풀려났다. 또한 형님이 지하철 입구처럼 생긴 굴에서 더 지하로 내려가고 있었다.

첫 번째 꿈에서 열차를 타고 간다는 것은 저승행을 의미한다. 나 역시 함께 탔으므로 나도 위험함을 상징한다. 일반적으로 기차나 버스, 배, 비행기를 타는 것은 죽을 날이 가까움을 상징한다. 두 번째 꿈에서 바지를 수선한다는 것은 바지가 하복부를 가리고 있으므로 하복부에 이상이 있음을 의미한다.

첫 번째 꿈에서 나도 기차를 탔으므로 위험했다. 이 꿈은 내가 개인 사무실에서 두 사람에 의해 납치 등 매우 위태로움이 있었을 가능성을 뜻한다. 나를 해치려고 하였으나 알 수 없는 이유 때문에 그들의 생각이 바뀌져서 내가 피할 수 있었다.

꿈에 형님이 어두운 지하로 내려간 것은 생명의 위태로움을 상징한다. 형님에게 나의 꿈을 설명했으며 다시 대장 검진을 받을 것을 권유했고 형님은 검진을 받았다. 형님은 2년마다 검진을 받으며 금년 4월에도 받았으나 이상이 없었다. 그러나 10월에 받은 결과 새로운 용종을 2개나 발견하여 내시경으로 가볍게 제거했다. 만일 이 용종을 늦게 발견했으면 암으로 이행될 수 있었다.

형님은 금주 등을 하다가도 다시 음주를 하는 나쁜 습관을 갖고 있다. 음주와 서구적 식이가 이 병의 원인이다. 그리고 요료법을 중단한 것도 원인이다.

250

무한 능력을 갖는 정신은 질병이나 사망 등에 대한 것뿐만 아니라 사기, 강도사건 등에 대한 것도 경고적인 의미에서 꿈을 통해 의식 상태인 나에게 알려준다.

2008년 11월 어느 날 꿈에 고양이 같은 동물이 고향집의 광에서 무엇인가를 훔친 뒤 밖으로 사라졌다. 그 후 형님은 고향집의 마당에서 엎어졌다.

지금도 농촌에서는 추수한 벼, 보리, 콩 등을 광에다 저장한다. 광에 들어가 훔친다는 것은 재산상 손실을 의미한다. 도둑 고양이는 훔치는 것을 상징한다. 형님이 마당에서 엎어진 것은 재산상 손실로 인해 스트레스를 많이 받아 질병에 걸리는 것을 은유적으로 표현한 것이다.

그 당시 형님과 형수님은 교직에서 퇴직한 상태로서 연금을 받고 있었으며 많은 돈을 저축하고 있었다. 뒤에 알아본 바에 의하면 처갓집 친척이 높은 이자를 줄테니 돈을 빌려 달라고 했다. 그러나 내가 전화를 걸어 꿈 이야기를 해주자 돈을 빌려 주지 않았다. 만일 돈을 빌려 주었다면 받지 못할 것을 상징한다.

나의 꿈과 막내동생 그리고 여동생

2005년 1월 어느 날 꿈에 그 당시 50세인 동생이 어렸을 때 모습을 하고 있었는데 그 행색이 매우 초라해 보였다. 그 다음 날 꿈에 그 동생이 옛 고향집의 방에 누웠으며 뱃속이 까맣게 보였다. 50세인 동생이 나의 꿈에 어렸을 때 모습으로 나타난 것은 질병으로 인해 몸이 쇠약해져서 도움이 필요함을 은유적으로 상징한 것이다.

고향의 옛집은 기둥이 습기 등으로 부식되어 결국 쓰러졌다. 이 쓰러진 집의 방에 동생이 누운 것과 배가 까맣게 보인 것은 중대한 질병에 걸린 것을 상징한다.

꿈에 어떤 신체 조직이나 장기가 까맣게 된 것은 심각한 질병을 암시한다. 암 등에 의해 병이 들면 검게 부패되어 가는데, 이 꿈은 이와 같은 현상을 암시했다.

그 다음 날 나는 그 동생에게 전화를 했다. 그 당시 동생은 잦은 복통으로 고생하고 있었다. 변에서 냄새가 많이 난다고 했다. 그리고 병원 진단 결과 위, 장, 간, 췌장 등에 염증이 있었다.

나는 동생의 질병 원인을 잘 알고 있었다. 동생은 형님과 함께 양주 등 독한 술을 마셨으며 육류 섭취를 많이 했다. 이와 같은 나쁜 식습관이 위장 등 질병의 원인이 된 것이다.

약을 먹어도 잘 치료되지 않았으므로 무, 시래기, 당근, 표고버섯, 우엉 달인 물 800ml[3컵]를 하루 3번에 나눠서 식사 전에 마시게 했다. 약 6주일 동안 이와 같은 방법으로 치료한 결과 내장의 질병 증상이 사라지고 완치되었다.

2005년 12월 어느 날 꿈에 동생의 차가 낭떠러지에서 떨어지더니 나의 손바닥 안으로 들어온 것이 아닌가. 그 당시 동생은 중장비 기사로써 동료들과 함께 술을 자주 마시는 나쁜 습관을 가졌다. 꿈에서 낭떠러지에서 떨어진 차가 나의 손바닥 안으로 들어온 것은 동생의 나쁜 음주벽이 나의 경고에 의해 개선되므로 사고를 막을 수 있음을 은유적으로 표현한 것이다. 이처럼 나의 정신은 동생의 질병뿐만 아니라 앞으로 일어날 사고에 대해서 미리 알아 꿈을 통해 알려주고 있었다.

2009년 5월 어느 날 꿈에 동생이 자동차 운전대 앞에 앉았는데, 동생이 어릴 때 모습을 하고 있으므로 운전대가 너무 높아 손으로 운전대를 잘 붙잡을 수가 없었다. 동생이 혼자 탄 자동차 앞으로 많은 자동차들이 질주하는 장면도 나타났다.

이 꿈 속에서도 위험을 느낀 나는 돌아가신 어머니께 도움을 요청하자 어머님은 동생을 바닥에 눕히고 동생의 뜬 눈을 감기는 것이 아닌가.

그 며칠 전에는 돌아가신 당숙과 당숙모가 그 동생에게 편지를 주었고 들판에 동생이 있었는데 해가 서산에 지는 장면도 보였다. 이 꿈을 꾸고 동생의 신변에 큰 위험이 있음을 곧바로 알고 그 동생에게 전화를 했다. 이전의 꿈에서처럼 성인인 동생이 어릴 때의 모습으로 나타난 것은 누군가의 도움이 필요함을 상징한다.

돌아가신 어머님이 동생의 눈을 감기는 것 역시 돌아가신 당숙이 편지를 준 것, 그리고 동생이 있는 곳에서 해가 지는 모습은 이 세상에서 동생의 삶이 끝나가고 있음을 상징한다고 말할 수 있다. 특히 꿈에서 동생이 어릴 때의 모습을 하고 운전대 앞에 앉은 장면은 교통사고의 위험성이 매우 높다는 것을 상징한다. 동생은 목포에 거주하고 있으며, 멀리 떨어진 경남 창원에서 중장비 차로 일을 하고 있었다.

5월 2일이 모친의 기일이므로 2일 밤에 창원을 출발해서 목포로 갈려고 하는데 초행길이라고 했다. 동생은 목포, 무안 근방에서 생활했으므로 장거리 고속도로를 주행한 경험이 부족할 뿐만 아니라 초행길이었고, 밤에 창원에서 일을 끝내고 가기 때문에 교통상 많은 위험성이 도사리고 있었다.

힘든 노동일을 하기 때문에 피로할 것이며, 일을 끝내고 따뜻한 밥을 먹고 가겠다고 말했는데 이렇게 하면 피로감과 식곤증 때문에 운전하면서 졸음이 올 수 있었다.

나는 동생에게 밤에 출발하지 말고 해가 지지 않았을 때 출발하며, 그리고 식사를 하지 말고 찬물을 마셔가면서 운전할 것을 강력히 권했다. 나의 권고를 받아들인 동생은 밤에 무사히 도착했다. 그러나 낮에 출발했음에도 불구하고 가까운 길을 찾지 못하고 길을 잘못 들어 광주를 거쳐 삥 돌아왔다.

2013년 4월 20일, 누군가 동생에게 무거운 짐을 짊어지게 한 뒤 어두운 터널로 끌고 가는 꿈을 꾸었다. 무거운 짐을 짊어지게 한 것은 누군가 동생에게 재산상 손해를 준다는 것을 상징한다. 그리고 어두운 터널로 끌고 가는 것은 동생이 매우 위험에 봉착할 것을 암시한다.

이 꿈 때문에 동생에게 전화를 했다. 동생은 법원 경매 절차에 따라 고시텔을 낙찰받았으나 현재 소유주가 이 고시텔을 인도하지 않아서 변호사를 통해 소송 절차를 밟고 있었다. 그런데 이 변호사가 동생에게 불리하고, 현 소유주에게 유리한 소송 절차를 진행시키고 있었다. 꿈속에서 동생에게 무거운 짐을 짊어지게 한 사람이 바로 이 변호사를 상징하고 있다.

나는 동생에게 이 변호사와의 계약을 파기하고 새로운 변호사를 선임할 것을 권유했으며, 지금은 새 변호사와 함께 소송 절차를 잘 진행하고 있으며, 곧 동생이 이 고시텔을 인도받게 된다고 한다. 2014년 5월 동생은 이 고시텔을 인수했다.

2011년 10월 어느 날 나의 꿈에 여동생이 딸과 함께 조그마한 버스에 탔는데 운전자는 낯설은 사람[남자]이었다.

전에도 이야기 했지만 이와 같은 교통수단은 매우 생명의 위험함을 상징한다. 그 다음 날 나의 꿈에 돌아가신 어머니와 여동생이 함께 누워서 잠을 자고 있다가 어머니가 누군가에게 전화를 걸고 있었다. 나는 이 여동생의 신변에 이상 증상이 있음을 확신하고 여동생에게 전화 통화를 했다. 돌아가신 분과 함께 잠을 잔다는 것은 앞으로 죽을 수 있음을 상징한다.

전화 통화를 통해 여동생과 딸은 피부 알레르기 증상 때문에 치료를 받고 있음을 알았다. 관장을 통해 장 속의 변을 제거하면 알레르기가 치료된다는 인터넷 광고를 보고 이 치료를 받고 있었다. 그리고 장세척 기구를 이용한다고 말했다. 나의 꿈들은 이 관장 치료를 계속 받으면 장이 손상되어 죽을 수 있음을 상징한다고 말할 수 있다. 특히 장무력증에 잘 걸린다.

피부 알레르기, 습진, 아토피 등은 물을 마시면서 단식을 하고 섬유질, 비타민 등이 풍부한 곡채 식이를 하면 증상이 호전되고 완치될 수 있다. 또한 친환경 비누나 세제 등을 이용하고 향수, 탈취제 등 사용을 자제해야 한다. 무세제, 세탁기를 사용하면 더욱 좋다. 그러나 관장을 통해 변을 제거하면 장 속의 유산균 등도 함께 제거됨으로 장의 건강을 크게 손상시킨다.

관장은 장 수술을 하기 전에 변을 제거할 목적으로 한다. 알레르기 등의 치료를 위해 절대적으로 관장을 해서는 안 된다. 그러나 1~2주 단위로 단식을 하면 체내의 독성 물질이 제거됨으로 알레르기 등이 잘 치료된다. 그리고 섬유질, 비타민, 미네랄 등이 풍부한 곡채 식이를 하면 피가 맑아지므로 효과를 높인다. 그리고 아토피, 습진 등에는 탱자 달인 물이나 산초기름 등을 바르면 증상이 호전된다. 여동생과 그녀의 딸은 이 치료법으로 알레르기 증상이 크게 개선되었다. 물론 나의 강력한 요구로 장 세척기를 사용하지 않았다. 이 장 세척기를 이용한 사람들에게서 장 무력증이 발생하고 있다.

나의 꿈과 지인들의 건강과 사건들

내가 평택에 살 때 전세를 놓은 적이 있다. 2009년 9월 어느 날 꿈에 내가 초라한 집 앞을 지나가면서 한 남자가 그 집 마루에 누워 있었고, 그 남자의 부인과 어린 아들들이 그 남자를 지켜보는 모습을 보았다. 내가 지나가자 그 가족들이 나를 주시하고 있었다.

이 특이한 꿈을 꿨던 다음 날 전세문제로 그 세입자에게 전화를 걸었는데, 그 세입자가 열을 동반한 기침 때문에 고통을 받고 있음을 알았다. 그는 병을 치료하기 위해 여러 병원을 돌아다녔으나 의사들은 병의 원인을 정확히 밝혀내지 못했다.

나는 환자 자신의 오줌이 기침 등 여러 질병의 치료 효과를 높이는 것을 알고 마시기를 권했다. 그는 나의 말에 따라 약 4주 동안 오줌과 물을 마셨고, 담배와 술을 억제했으므로 기침 등을 완치했다.

이 꿈에서 마루에 누운 남자는 그 세입자였으며, 꿈에서 누워 있는 장면은 질병이나 실패, 절망 등 부정적인 것들을 상징한다.

이 꿈에서 그의 가족들이 그의 집 앞을 지나가는 나를 주시한 것은 그의 가족들의 정신이 그들 아버지 병의 치료자가 나인 것을 알며, 나의 도움을 은유적으로 표현한 것이라고 믿는다. 물론 그 세입자는 완치된 후 나에게 감사함을 나타냈다.

이 꿈과 현실에서 꿈이 실현되는 과정을 살펴보면, 꿈의 예지 능력을 믿지 않을 수 없다. 그리고 개인의 앞날도 어느 정도 예정되어 있으며, 꿈을 통한 정신과 참마음의 지혜에 의해 운명도 바꿔질 수 있음을 알 수 있다.

2010년 4월 어느 날 나의 꿈에 집안 당숙인 박현빈씨가 누워서 자는데 항문이 열려 있는 장면을 보았다. 그리고 나무로 집을 짓고 있는 장면을 봤다.

사람의 항문이 열려 있는 장면은 죽음이 임박했음을 은유적으로 표현한 것이다. 일반적으로 사람이 죽으면 항문이 열려진다. 꿈속에서 집을 짓는 것은 역시 생명이 위태로움을 의미한다. 꿈속의 집은 현실에서 묘 등을 상징한다.

당숙은 나로부터 멀리 떨어져서 살고 있었으므로 이 꿈을 꾼 나는 당숙에게 전화를 걸었다. 그 당시 당숙은 부정맥 때문에 심장약을 먹고 있다고 했다. 나에게 여러 당숙님들이 있다. 독자들의 이해를 바란다.

나의 아버님은 86세에 돌아가셨는데, 돌아가시기 약 1년 전에 나는 꿈속에서 아버님이 집을 짓고 계시는 모습을 봤다. 나무로 집을 지을 때 먼저 기둥을 세우고 다음에 보, 도리 등으로 집의

258

구조를 만들고, 마지막 단계로 지붕을 위해 서까래를 이 구조 위에 얹는다. 이 위험한 일을 아버님께서 손수 하고 계시는 모습을 보았다.

나의 당숙도 이 일을 나의 꿈속에서 하고 있었다. 이 꿈에서 집은 묘를 상징하며, 서까래를 보와 도리 위에 얹는다는 것은 집의 완성을 의미한다. 해몽하자면 집의 완성은 묘의 완성을 의미함으로 수명이 다 되어감을 의미한다.

심장병의 예방과 치유 방법은 섬유질이나 비타민 등이 풍부한 곡채 식이, 요료법, 운동 등이다. 특히 오줌과 물을 각각 3~4컵 정도 마시면 고혈압이나 동맥경화, 심장병이 잘 치유된다.

나는 이와 같은 자연치유법을 당숙에게 전했고, 당숙은 이 자연치유법을 실천함으로써 부정맥을 완치했다.

나의 꿈과 신종 유행성독감

2010년 11월 어느 날 꿈에 약 40여 명의 승객들과 나는 버스를 탔는데 나만 깨어 있었고 나머지 승객들은 달리는 버스에서 잠을 자고 있었다. 그 당시 신종 유행성 독감이 전 세계적으로 크게 퍼지고 있었고, 우리나라에서도 수많은 환자가 발생했다. 그 당시 65세인 나는 건강하였으므로 독감 예방주사를 맞지 않았다. 이 독감에 나는 걸렸으며 심한 기침과 고열, 그리고 다량의 가래 증상이 나타났다. 심한 기침 때문에 목소리까지 쉬었다.

나는 약이나 현대 의술의 도움 없이 나의 오줌과 물, 그리고 녹차 등을 마시면서 약 5일 만에 완치했다. 버스, 배, 비행기에 타면서 잠을 자는 것은 일반적으로 죽음을 상징한다. 버스에 탄 사람 가운데 오직 나만이 잠을 자지 않고 있다는 것은 유행성 독감 때문에 나 역시 위험했지만 죽지 않고 독감이 치유되어서 살아남을 수 있음을 은유적으로 상징한 것이다.

버스, 배, 기차 비행기 사고로 많은 사람들이 죽기 때문에 꿈속에서 이와 같은 교통수단은 죽음과 질병 등을 상징한다고 말할 수 있다. 또한 이 같은 교통수단을 통해서 다른 곳으로 가며, 꿈에서 다른 곳이 저승을 의미할 수 있으므로 버스나, 기차, 비행기 등이 죽음 또는 사고를 상징할 수 있다. 더군다나 버스에서 잠을 잔다는 것은 확실히 죽음을 상징한다고 말할 수 있다.

이 유행성 독감이 창궐할 때 우리나라에서는 수백, 수천 명이 죽을 것이라고 많은 사람들이 예상했지만 나는 이 꿈의 해몽으로 크게 틀리지 않게 약 40명 사망자 수를 알아맞히어서 주위 사람들을 놀라게 했다. 일반적으로 유행성 독감에 걸리면 폐렴으로 악화되어 사망한다. 여담이지만 약 2년 전 가습기 살균제 때문에 공식적으로 발표된 사망자수는 41명이었고, 비공식 사망자까지 합하면 100명 이상이 된다고 했다. 이 사망자 등 피해자는 폐렴으로 피해를 입었다.

그 당시 폐렴으로 인해 사망자가 속출함으로 담당 의사들은 자신들의 치료 방법에 한계를 느끼고 KBS 등 방송을 통해 전 국민에게 협조를 요청했다. 나 역시 신종플루[독감] 때문에 폐렴으로 악화되었으나 물과 오줌을 적당히 마심으로써 치료했다.

앞에서 언급했던 그 세입자의 악성 기침도 요료법으로 치료되었으므로 복지부 산하 질병관리본부(김선자 박사)에게 요료법을 권유했는데, 질병관리본부에서는 이 사실을 담당 의사들에게 알려주었다고 나에게 전했다.

이 나의 권고 이후 더 이상 사망자가 발생하지 않았으므로 그 당시 치료받고 있던 많은 임산부들이 요료법에 의해 완치되었다고 믿는다. 비록 이 환자들이 요료법에 의해 완치되었더라도 담당 의사들은 체면 때문에 언론에 발표할 수 없었을 것이다.

면역력이 약하고 건강 상태가 좋지 않을 때 감기나 독감에 잘 걸린다. 피를 맑게 하고 소화가 잘 되는 음식을 섭취하며, 운동을 규칙적으로 하고, 잠을 잘 자고, 물을 충분히 섭취하면 건강을 잘 유지할 수 있다. 비만하면 고혈압이나 당뇨병, 심장병 등 소위 생활습관 병에 잘 걸릴 뿐만 아니라 면역력이 약해지므로 감가니 독감에도 잘 걸린다. 따라서 식이요법이나 운동요법을 통해서 적정 체중을 반드시 유지해야 한다.

마늘은 항생제보다 더 강한 항바이러스, 항세균 작용을 하는 것으로 잘 알려져 있다. 따라서 평상시에 마늘을 충분히 먹으면 감기와 독감의 예방과 치유 효과를 높인다. 마늘은 맵기 때문에 충분히 먹을 수 없다. 그러나 된장이나 간장, 식초 등에 넣어서 발효시키면 매운 맛이 사라지고 유산균이 생성됨으로 건강 증진에 매우 유익하다. 믹셔기에 간 마늘, 식초, 조청 등을 된장에 넣어서 초장을 만들어 먹으면 효과적이다.

쌈배추나 상추 쑥갓 등을 이 초장과 함께 식사 때마다 먹으면 비타민, 미네랄, 항산화 물질 등을 섭취함으로 감기나 독감의 예방과 치유 효과를 높인다. 도라지, 생강, 배를 달인 물이 감기와 독감의 예방과 치유에 효과를 높여 준다. 도라지는 가래의 생성을 억제해 주고 생강은 바이러스 등을 죽이는 살균작용을 하며, 배에는 다량의 과당과 수분이 들어 있어 환자에게 충분한 영양과 수분을 공급해 준다. 충분한 이 재료들을 약 4리터의 물에 넣고 약 1시간 정도 약한 불에 달여서 자주 마시면 효과적이다.

262

감기와 독감에 걸리면 기침을 자주하게 되는데, 기침에 자기 오줌만큼 좋은 약도 없다. 오줌 속의 요소가 항바이러스, 항세균 작용을 하므로 이 질병의 예방과 치유 효과를 높인다. 따라서 평상시에, 공복에 3~4컵의 자기 오줌과 적당량의 물을 마신다. 오줌은 결핵균의 살균 작용을 하므로 결핵 환자가 먹으면 치유 효과를 높인다. 또한 다진 마늘, 볶은 들깨가루, 꿀 또는 조청의 혼합물이 결핵이나 감기, 독감의 예방과 치유 효과를 높인다.

이 혼합물을 냉장고에 약 3주 정도 보관하면 마늘이 발효되어 냄새가 나지 않는다. 감기에 걸리면 체온이 오르고 두통 등이 생기므로 해열제나 진통제, 감기약 등을 먹는데, 매우 잘못된 치료법이다. 감기나 독감에 걸렸을 때 인체의 면역 조직은 체온을 올림으로써 바이러스 등 세균을 죽이는 작용을 한다.

그런데 해열제나 항생제 등을 먹으면 오히려 인체의 면역 기능이 약해지므로 약 1주일이면 치료될 감기가 1~2개월 지속된다. 따라서 감기에 걸리면 열을 내리기 위해서 물과 오줌 또는 도라지, 생강, 배를 달인 물을 자주 마신다. 그리고 실내에서만 생활하지 말고 맑은 공기 속에서 가볍게 걷기를 하면 오히려 면역력이 증강되어 감기가 빨리 사라진다.

감기나 독감에 걸리면 의사들은 항생제를 처방한다. 항생제는 세균을 죽이는 작용을 하지만 감기나 독감의 원인인 바이러스균에 대해서 무용지물이다. 또한 항생제는 인체의 면역력을 약화시키는 등 수많은 부작용을 일으킨다. 그 부작용은 다음과 같다.

① 위와 장에는 약 100조의 장내세균이 있으며 유익균이 약

80%, 유해균이 약 20% 비율로 있으면 건강하다. 항생제는 이 유익균을 죽임으로써 결국 유해균이 증가하여 면역력을 극도로 약화시킨다. 따라서 감기나 독감 약을 자주 먹어도 오히려 치료되지 않고 다른 병에 걸리기 쉽다.

인체 면역조직의 약 70%는 장에 있으며, 이 유익균이 장의 면역 조직을 증강시킨다. 항생제가 이 유익균을 죽이므로 면역력이 약화되어 암, 알레르기 등 여러 질병에 걸리기 쉽다.

② 항생제를 습관적으로 복용하는 여성들이 그렇지 않은 여성에 비교하여 2배 이상 유방암에 걸릴 수 있다는 연구 보고서가 발표됐다. 림프종[NHL]의 경우 80% 증가한다.

③ 아동기에 항생제를 자주 복용하면 천식, 알레르기에 잘 걸린다.

④ 임신부가 항생제를 먹으면 태아가 심장병 등에 걸리기 쉽다.

⑤ 항생제를 자주 먹으면 항생제에 내성이 강해진 세균이 증가하므로 항생제를 복용해도 듣지 않는다.

감기나 독감 치료약으로 항히스타민제를 처방하는데, 항히스타민제 역시 두통, 배탈, 변비, 빈맥[잦은 맥박], 무기력증, 현기증, 배뇨 장애, 호흡곤란 등 부작용을 일으킨다.

아스피린 등 해열제 역시 약간의 증상만 완화시킬 뿐 인체의 면역력을 약화시키므로 치료가 지연된다. 이 약들의 부작용으로 위궤양, 면역력 약화 등이 있다.

가장 좋은 해열제는 물·요료법 등 충분한 수분 섭취와 허벅지, 장딴지 습포이다. 찬물에 적신 두꺼운 수건으로 허벅지와 장단지를 돌돌 감아준 후 약 1시간마다 바꿔 준다. 이렇게 하면 인체의 자연치유력은 회복되어 정상 체온으로 돌아온다. 통증도 사라진다.

고기를 먹으면 소화과정에서 질산, 유산, 염산 등 산성물질이 많이 생기고, 고기에는 섬유질이 부족하므로 변비증이 잘 생긴다. 특히 고기의 단백질을 먹으면 IGF-1[유사 성장인자]의 혈중 농도가 높아진다. 성장기에 IGF-1 수치가 높으면 성장이 촉진되지만 성장기가 지난 후에는 IGF-1 수치가 높으면 노화를 가속화 시키고 면역력을 약화시키며, 암을 일으킨다는 연구보고서가 많이 발표되고 있다. 특히 유방암, 대장암, 전립선암의 발병률을 높이고 알츠하이머성 치매를 일으키며 감기와 독감에 잘 걸린다. 그리고 콩에서 추출한 인공 고단백질도 역시 IGF-1 수치를 높이나 자연적인 콩이나 두부 등은 IGF-1 수치를 높이지 않는다. 콩 추출성 고단백질 분말은 근육을 키우는데 이용되고 있으나 권할 수 없다.

동물성 단백질은 성장 호르몬[GH]을 자극하여 IGF-1의 생성을 촉진한다. 그러므로 고기를 청소년들이 먹으면 성장이 촉진되지만 성장기가 끝난 20대 이후 고기를 많이 먹으면 노화가 촉진되고 암, 감기 등에 잘 걸린다.

감기와 독감은 손이나 공기로 전염이 잘 된다. 따라서 감염된 손으로 입, 코, 눈 등 얼굴 부분을 만지면 잘 전염된다. 되도록 이와 같은 행동을 삼가고 외출하고 돌아와서는 손을 잘 씻는다.

▶ **아연과 비타민 D**

아연 보충제는 감기와 독감 증상을 크게 완화시키는 것으로 여러 연구 결과 밝혀졌다. 아연 트로키제[예 : 글루콘산 아연]를 먹은 환자들의 완치 기간은 4.4일이었으나 그렇지 않은 감기 환자의 경우는 7.6일이었다.

아연 보충제의 종류는 여러 가지가 있다. 이 가운데 글리신이 함유된 아연트로키제가 가장 효능이 좋다. 그리고 15~25mg의 아연 원소를 제공하는 트로키제를 사용하자. 복용 방법상 주의할 것은 2시간마다 입에서 녹여 빨아먹어야 한다. 이렇게 해야 아연이 타액에 의해 이온화 되어 효과가 좋다. 이렇게 약 1주일 동안 복용한다. 초기 감기에 30mg 먹는다. 아연은 굴, 참깨, 호박씨, 해바라기씨, 잣, 팥, 현미, 검은 콩, 강남 콩 등에 많이 들어 있다.

이 식품들은 자주 먹으면 면역력이 강해져 감기에 잘 안 걸리고, 잘 치료된다. 아연 보충제를 과용하면 부작용이 생기므로 식품을 통해서 섭취한다.

비타민 D는 식품에서 찾기 어려운 성분이며, 햇빛을 쪼이면 체내에서 만들어진다. 이 비타민 D가 부족하면 감기, 독감에 잘 걸리는 것으로 연구 결과 밝혀졌다.

겨울철 햇빛을 쬘 기회가 부족하기 때문에 감기나 독감에 잘 걸린다는 이론이 설득력이 있다. 되도록 갈색 피부를 유지하도록 노력하자.

비타민 C, A, E, 유황 화합물, 안토시아닌 등 항산화 물질이 풍부히 들어있는 채소나 과일, 씨앗, 견과류, 현미 등을 자주 먹으면 면역력이 증강된다.

꿈의 창조성

꿈의 영적이고 창조적 능력은 정치, 경제, 군사, 문학, 의학 등 사회 전반에 걸쳐서 실현되고 있다. 자연치유학을 전공한 나는 어떻게 자기 오줌이 위장이나 심장, 신장, 간, 췌장 등 여러 질병 치료에 효과가 있는지 둘째 동생에 대한 꿈을 통해서 알 수 있었다.

앞에서도 언급했듯이 둘째 동생이 오줌을 먹는 동안 나의 꿈에 동생의 장 속에 용수가 들어 있었고, 용수 안에서 막걸리가 보글보글 끓는 장면을 보았다. 막걸리는 발효되면서 만들어지기 때문에 막걸리 속에는 효소가 들어 있으므로 적당히 마시면 건강에 유익하다. 용수는 지름이 약 40cm 되는 대나무로 만들어진 원통형 기구이다. 막걸리를 만드는 항아리 중앙에 이 용수를 넣으면 막걸리 원액이 이 용수 안으로 들어온다.

이 꿈은 동생이 오줌을 마시기 때문에 장 속에서 막걸리처럼 발효됨으로 효소가 만들어진다는 것을 상징한다. 따라서 오줌을 마시면 효소가 만들어지므로 암 등 여러 질병의 치료 효과를 높인다는 것을 은유적으로 표현한 것이며, 실제로 동생은 약 8주 정도 마시고 약으로 치료될 수 없는 질병을 치유했다.

오줌이 체외로 나오면 발효되어 세균이 번식된다는 사실은 이미 밝혀졌다. 그러나 오줌이 체내로 들어가면 어떤 변화를 일으키는 지에 대해서는 아직까지 정확히 규명되지 않고 있다.

이 꿈에서 암시를 얻어 쥐에게 사람 오줌을 먹인 결과 안 먹였을 때보다 장내 락토바실루스(Lactobacillus) 등 유익균이 10~15배 증가된 것이 확인되었다. 오줌을 마시면 장내의 알맞은 온도와 습도, 혐기성 세균, 비타민 등 영양소의 영향을 받아 발효되어 이와 같은 유익균이 증식된다.

증식된 유익균은 여러 효소를 만들 뿐만 아니라 비타민 B군, K, 엽산 등을 만든다. 또한 우리 몸을 구성하는 세포들 역시 효소를 만든다. 인간의 생명은 효소의 작용에 의해서 유지된다.

우리 몸을 구성하는 기초 단위인 세포들은 효소 반응에 의해서 분열하고 증식한다. 그리고 효소 작용에 의해서 소화, 흡수, 독소 분해 등의 작용이 촉진됨으로 오줌을 마시면 암 등 여러 질병의 치료 효과를 높인다. 사람 몸 안에서 작용하는 효소는 약 5천 종 정도가 되며 장내 세포가 만드는 게 약 3천 종 정도가 된다. 따라서 오줌을 마시면 장내에서 발효되어 유익균이 만들어지고, 이 유익균에 의해 효소가 다량 생산됨으로 장내 세포의 분열, 증식이 촉진되고 음식물의 소화, 흡수, 배설, 독소 배출이 활성화 된다.

장(腸)은 인체 최대의 면역기관으로 잘 알려져 있다. 백혈구는 바이러스나 세균 등으로부터 우리 몸을 지켜 주는 가장 큰 면역조직이다. 백혈구 가운데에서도 암 세포도 죽이는 NK세포[Natural

Killer], T세포, B세포, 매크로파지 등 약 70%가 장내에 있다.

장이 건강하면 이와 같은 백혈구들의 기능이 활성화 되어 병에 잘 안 걸리고, 암 등 질병에 걸렸더라도 질병이 치료되어 건강해진다.

일반적으로 섬유질이나 비타민, 미네랄, 항산화 물질 등이 풍부한 곡채 식이를 하면 건강한 장을 유지할 수 있다. 여기에다 오줌과 물을 적당히 마시면 더욱 더 효소가 증가하고 백혈구 등 면역 조직이 증강되어 질병으로부터 해방될 수 있다. 따라서 나의 형제들 뿐만 아니라 수많은 사람들이 오줌과 물, 그리고 건강한 식생활과 운동을 통해 암 등 질병을 치료하고 있다.

동생의 질병에 대한 나의 꿈은 오줌의 효능을 밝혀주는 데 창조적 역할을 했다. 일반적으로 오줌을 마시면 장이 건강하고 면역기능이 증강됨으로 오랫동안 건강을 유지하면서 장수하는 것으로 밝혀졌다.

우암 송시열(宋時烈) 선생은(1607~1689)은 매일 요료법을 실천했으며 장수하신 것으로 잘 알려졌다. 우암선생은 귀양을 갔다.

1689년 숙의장씨가 낳은 아들[뒤의 경종]의 세자책봉이 시기상조라 하여 반대하는 상소를 올렸다가 숙종의 미움을 사 모든 관직을 삭탈당하고 제주로 유배되었다.

그해 6월 국문(鞫問)을 받기 위해 한양으로 압송되던 길에 정읍에서 향년 83세로 사약을 받고 세상을 떠나셨다.

선생은 고령의 나이인 데도 매우 건강하였으므로 첫 번째 사약을 마시고도 목숨이 끊어지지 않았다. 결국 두 번째 사약을 드시고 돌아가셨다. 첫 번째 사약에 죽지 않은 것은 오줌의 해독 작용 때문이라고 나는 생각한다. 매일 자기 오줌을 마셨던 전 인도 수상 데사이씨는 100세까지 건강을 유지하다가 사망했다.

혈압 약이나 심장 약, 위장 약 등 수많은 약들은 질병의 증상만을 완화시키지만 완치시키지는 못한다. 또한 이와 같은 화학적 합성 약들은 많은 부작용을 일으키고 있다. 그러나 오줌과 물을 적당히 마시면 고혈압, 심장병, 위장병, 역류성 식도염, 대장 염증 등 장염, 간의 질병, 신장병 등이 치유된다. 요료법의 장점은 질병을 치료시키지만 부작용을 일으키지 않는 데 있다.

나는 어깨 회전근개 파열로 팔을 올릴 수 없었다. 병원에서는 수술을 받아야 완치된다고 하였으나 나는 예지몽을 통해서 수술의 부작용으로 불행해질 수 있음을 알았다.

나는 또 다른 예지몽을 통해서 회전근개 파열이 치료될 수 있음을 알았다. 즉 아픈 쪽 어깨가 360° 돌아가는 예지몽을 꾸었다.

팔을 조금만 올려도 아팠으나 맨손체조 가운데 팔을 앞과 뒤로 올리는 운동을 약 2개월 동안 한 후 팔을 360° 돌릴 수 있었다.

또한 팔을 힘껏 옆과 위쪽으로 스트레칭하면서 360° 돌리는 맨손체조도 함께 했다. 팔을 한 바퀴 돌리는 이 예지몽은 맨손체조를 통해서 회전근개 파열이 치료될 수 있음을 암시한다. 정신 또는 여래장은 무한한 창조적 능력을 갖고 있기 때문에 꿈을 통해서 이 치유 방법을 알려준다. 나의 한쪽 무릎이 아팠다. 돌아가신 나의 어머님은 이 무릎 통증을 아시고 꿈속에서 나의 무릎을 양손으로 맛사지를 해 주셨다. 돌아가신 분들은 천리안의 능력을 갖고 계셔서 자손들의 행, 불행, 건강, 불건강 등을 모두 아신다.

나는 이 예지몽을 통해서 나의 무릎 통증이 맛사지, 스트레칭, 바르게 걷기, 근력운동 등을 통해 치유될 수 있음을 확신한다.

나는 약간 8자 걸음을 하는 잘못된 습관을 가졌다. 따라서 신발의 외측이 내측보다 많이 닳았다. 이 나쁜 습관을 개선하기 위해서 신발의 내측에 치중해서 걸었다. 약 1개월 정도 이렇게 걸음으로써 무릎 통증이 크게 완화됐다.

또한 무릎, 발목, 엉덩이 관절을 스트레칭하기 위해서 태권도 가운데 앞발차기를 했다. 무릎 관절은 허벅지 뼈와 정강이 뼈로 이루어졌다. 이 뼈들이 뒤틀리면 무릎 통증이 일어난다. 이 앞발차기를 하면 이 뒤틀림이 풀어지므로 무릎 통증도 사라진다.

이 앞발차기는 실내에서도 소리가 나지 않게 할 수도 있다. 한쪽 발로 선 후 다른 쪽 발을 들어올린다. 발을 들어 올린 쪽 손으로 탁자나 책상 등을 붙잡고 몸의 균형을 유지한다. 그런 다음 들어 올린 쪽 발을 앞과 뒤로 굴리면서 찬다. 균형을 위해 이와 같은 양쪽 앞발차기를 한다. 즉, 다른 쪽 발로도 앞발차기를 한다.

또한 나는 자전거 타기를 통해서 종아리와 허벅지 근육을 증강시켰다. 관절은 뼈, 근육, 인대, 연골 등으로 이루어졌다. 자전거 타기를 하면 뼈나 근육, 인대, 연골이 증강되므로 관절이 건강해져서 통증이 사라진다. 그리고 자주 양손으로 무릎 주변 근육 등을 문질러 주었다. 이렇게 맛사지 하는 동안 뒤틀린 뼈들이 정상으로 돌아왔다.

전에는 무릎에서 삐걱거리는 소리가 나고 아팠지만 이 소리도 나지 않고 통증도 사라졌다. 어머니의 영혼은 나의 이와 같은 자연치유법을 알고 계셨다.

꿈속에서 어머님이 나의 아픈 쪽 무릎을 마사지한 것은 이와 같은 자연치유법으로 무릎 통증이 완치됨을 암시한다. 영혼과 정신의 무한한 창조성에 대해 경탄하지 않을 수 없다.

충무공 이순신장군의 꿈과 명량대첩

임진왜란과 정유재란 때 충무공의 전공은 너무나 빛나고 훌륭해서 글로 표현하기가 쉽지 않다. 명량대첩과 한산대첩, 노량대첩은 충무공의 3대 대첩으로서 그 혁혁한 전공은 신의 도움이 없이는 불가능했다고 본다.

충무공은 임진왜란 때 수많은 전공을 세웠음에도 불구하고 당시 왕인 선조의 무능과 원균의 시기심 때문에 옥살이를 했다. 이순신 장군이 다시 3도 수군통제사로 부임했을 때 파손되지 않은 배는 별로 없었다.

1592년부터 시작된 임진왜란 때 큰 피해를 입은 일본은 1598년 정유년에 재차 대대적인 공격을 감행해 왔다. 정유년 일본 해군의 공격으로 지금의 경남 해역이 일본의 수중에 들어갔고, 전라도 해역만 일본의 수중에 들어가면 일본의 군인과 군수물자가 쉽게 인천 등 수도권에 들어갈 수 있었다.

그 당시 일본군은 경상남·북도를 완전히 수중에 넣고 부산과 울산 근방에 진지를 구축했다. 또한 전라도의 일부인 순천과 여

수, 광양 등을 지배하고 순천에도 진지를 구축했다.

일본의 수륙 양군이 얼마나 막강한가를 알 수 있다. 전라도에는 전라 좌수영과 전라 우수영의 수군이 있었는데 여수 지역의 전라 좌수영도 일본 수군의 수중에 들어갔다. 나라의 운명이 풍전등화와 같았다.

나라의 운명이 바람 앞의 등불처럼 위기에 봉착하자 시기심이 많고 무능한 선조는 옥살이와 갖은 고문 등으로 인해 몸과 마음이 지쳐 있던 충무공을 다시 3도 수군통제사로 임명했다.

충무공의 「난중일기」에 다음과 같은 글이 기록되어 있다.

'꿈에 신인(神人)이 나타나 이렇게 하면 크게 이기고 저렇게 하면 크게 진다는 전술을 알려 준 후 사라졌다.'

지금의 전술가들도 만일 일본이 임진왜란과 정유재란 때 전라도 해역과 지역을 수중에 넣었더라면 아마 전쟁에 이겼을 것이라고 말하고 있다. 그 당시 조선 수군은 12척의 병선(兵船)만 가졌지만 일본 수군은 약 370척 병선을 갖고 있었다. 더군다나 경상도 해역에서 연전연패를 당한 조선 수군의 사기는 땅에 떨어졌으나 이와 반대로 일본 수군의 사기는 떠오르는 태양처럼 하늘을 찔렀다.

이와 같은 전세와 전황을 잘 알고 있었던 정신[신인, 잠재의식, 불성, 성품]은 충무공[정신]에게 꿈을 통해 특수한 전술을 알려줌으로써 명량해전에서 대부분 적선을 침몰시키고 승전했다.

명량 해역은 지금의 전남 해남과 진도 사이에 있는 곳으로 양쪽 연안 사이가 가깝고 물살이 매우 거세다. 이 지리적, 수리적 특성을 이용해서 패전할 수밖에 없는 전쟁을 승리로 이끌었다. 충무공 꿈에서 신[정신]이 가르쳐 준 것은 해남과 진도 연안 양쪽에 쇠줄을 바다 밑에 걸게 하여 적선이 지나가면 들어 올리게 함으로써 수백 척의 적선을 바다 밑에 수장시킨 것이다.

이와 같은 전술은 역사상 처음 명량대첩에서 이용되어 천인공노할 침략자들을 무찔렀다. 지금도 진도와 해남 연안에는 그 쇠줄과 쇠말뚝의 유적이 남아 있어 보존되고 있다. 우리는 꿈의 위대한 영적 창조성을 이 충무공의 꿈을 통해 알 수 있다.

임진왜란과 정유재란을 일으킨 일본의 도요토미히데요시(풍신수길)는 명량해전에서 일본군의 참패한 소식을 듣고 절망에 빠진 뒤 중병에 걸려 죽게 된다. 결국 조선에 진출한 일본군의 퇴각 명령이 내려졌다.

순천성과 울산성을 쌓고 주둔했던 일본군은 모두 일본으로 철수하게 되었다. 특히 순천성에 주둔한 일본군이 일본으로 철수할 때 적을 대패시킨다.

이 대첩이 바로 노량대첩이다. 정의와 평화를 사랑하는 정신이 꿈을 통해 이순신 장군을 도와 일본군을 대패시키고, 도요토미히데요시를 죽게 하였으며, 마침내 조선에 평화를 가져 왔다.

장군은 그 특성에 따라 용기 있는 용감한 장수, 지혜로운 장수, 신과 교감한 신장으로 분류된다. 용장 위에 지장이 있고, 지장 위에 신장이 있다는 말처럼 신장의 능력은 탁월함을 알 수 있다.

충무공 이순신은 이와 같은 장군의 특성들을 모두 갖춘 역사상 가장 위대한 장군임에 틀림없다.

링컨 대통령은 미국 국민으로부터 가장 존경을 받는 대통령이다. 16대 대통령인 링컨은 노예해방과 남북전쟁 승리자로서 유명하다. 또한 링컨 대통령은 죽음에 대한 예지몽을 꾸고도 피살된 불행한 대통령이기도 하다. 링컨 대통령은 저격당하기 3일 전 다음과 같은 꿈을 꾸었다.

'주위에 사람들이 울고 있어서 왜 사람들이 울고 있느냐'고 물었다. 2명의 경호원들은 대통령이 죽었는데 그것도 모르느냐고 퉁명스럽게 말했다.

그 경호원들은 성조기에 덮인 대통령의 시체를 경호했다. 그러나 대통령의 얼굴은 덮히지 않은 채 노출됐다. 링컨 대통령은 자기는 멀쩡히 살아있는데 이해할 수 없었다. 그가 밖으로 나가자 수많은 군중들이 대성통곡하며 울고 있으므로 깜짝 놀라서 깨어났다.

이 내용은 그 당시 대통령 비서가 쓴 「링컨자서전」에 기록됐다. 이 예지몽을 꾼 지 3일 후 링컨 대통령은 경비가 소홀한 극장에서 연극을 보던 도중에 남부출신 청년이 쏜 총에 의해 저격당해서 죽었다. 만일 그가 꿈의 예지성과 경고성을 믿었더라면 경비를 튼튼히 함으로써 저격을 피할 수 있었을 것이다.

저명한 심령술사이며 해몽가인 진 딕슨[Jean Dixon 1912~2001] 여사는 예지몽을 통해 케네디 대통령의 저격 사건을 알았던 것으로 유명해졌다.

진 딕슨 여사는 저격사건 며칠 전에 다음과 같은 예지몽을 꿨다. 정체불명의 검은 손이 백악관 대통령 집무실에서 케네디의 명패를 드러내고 그 당시 부통령이었던 린든 존슨의 명패를 그 자리에 올려놓았다.

이 예지몽뿐만 아니라 그 전에도 이와 비슷한 케네디 불행에 대한 예지몽을 꾸었으므로 대통령 측근들에게 케네디의 택사스행을 만류했으나 묵살당했다. 케네디는 택사스주에서 저격당했으며, 택사스는 존슨 부통령의 선거구였다.

진 딕슨 여사

이순신 장군은 예지몽을 믿었고, 신인이 가르쳐 준대로 전략을 구사함으로써 적을 물리쳤으나 링컨 대통령과 케네디 대통령은 이 예지몽을 무시함으로써 저격을 당해 피살되었다.

이 역사적인 사건들에서도 알 수 있듯이 꿈을 잘 꾸고 해몽을 잘하면 개인과 국가의 운명을 바꿀 수 있다. 정신은 진리, 정의, 평화, 행복, 건강 등을 위해 끊임없이 작용하고 있다. 그리고 정신은 꿈을 통해 진리, 정의, 평화, 행복, 건강 등을 실현시키려고 한다. 꿈은 정신의 메시지임에 틀림없다.

일라이어스 하우의 꿈과 재봉틀

   일라이어스 하우[Elias. Howe 1819~1867]는 꿈을 통해 재봉틀을 발명한 사람으로 유명해졌다. 그의 꿈은 다음과 같다.

   그는 아프리카 원주민들에게 쫓겨 피해 다니지만 결국 붙잡힌다. 원주민들은 그를 결박한 후 장대에 매달아 운반한다. 쇠솥에 물을 부은 원주민들은 하우를 그 물속에 넣고 끓인다. 하우가 그 뜨거운 물속에서 나오면 원주민들은 쇠창으로 공격을 함으로 나올 수 없었다. 이 같은 악몽을 꾸고 그는 잠에서 깨어났다.

   원주민들이 사용한 창끝 양쪽에 바늘귀처럼 구멍이 난 것을 분명히 봤던 하우는 이것에 힌트를 얻어 재봉틀을 발명했다. 그동안 하우뿐만 아니라 많은 사람들이 대량의 옷을 생산하기 위해 많은 노력을 기울였지만 만족할 만한 재봉틀이 발명되지 않았다. 이와 같은 하우의 노력에 감탄한 우주정신[신, 불성, 아미타불, 잠재의식]은 이 꿈을 통해 하우에게 암시를 주었다고 말할 수 있다.

   1750년대부터 영국에서 시작된 산업혁명 여파로 방적기와 직조기가 발명되었으며 그 결과 직물이 산더미처럼 쌓여 갔지만 그 직물로 옷을 만드는 과정은 거북이 걸음처럼 더디기만 했다. 따라서 미국의 거대 직물회사들이 직물의 소비를 촉진하기 위해 거금의 현상금을 내걸고 재봉틀 발명을 촉구했다. 이 현상금에 자극을 받아 일라이어스 하우 등이 발명에 집중했다.

학문과 문학, 음악, 미술 등 분야에서도 꿈속에서 영감을 받아 작품이 완성된 사례가 매우 많다. 베토벤의 '제9교향곡'과 슈베르트의 '마왕'은 꿈속에서 영감을 받아 작곡된 것으로 잘 알려져 있다.

이탈리아의 유명한 작곡가 타르티니(Tartini)가 '악마의 스릴'을 작곡한 것은 꿈속에서 영감을 받아 완성되었다. 꿈속에서 타르티니는 악마에게 자기 영혼을 팔았다. 악마는 영혼을 받은 댓가로 천상에서나 들을 수 있는 소나타를 박진감 넘치게 연주를 했다. 타르티니가 꿈에서 들은 이 소나타를 바로 오선지에 올려놓은 것이 바로 악마의 스릴(The Devil's Trill)이다.

조선시대 숙종 15년 김만중[金萬重 : 1637~92]은 「구운몽」과 「사씨남정기」라는 소설을 꿈에서 영감을 받고 썼다. 사뮤엘 테일러 콜리지(Samuel Taylor Coleridge)가 「쿠빌라칸(Kubla Khan)」이란 시를 지었으며 이 시 역시 꿈에서 영감을 받아 쓰여졌다. 낭만주의 시인인 콜리지가 이 시를 미완성으로 끝냈는데, 그 원인은 예고없이 찾아온 방문자 때문에 꿈을 꾸는 도중에 잠을 깼기 때문이다.

프리드리히 케쿨레(Friedrich Kekule)는 꿈을 통해 벤젠의 구조를 밝혀냄으로써 유명해졌다. 케쿨레는 잠시 낮잠을 자는 동안 다음과 같은 꿈을 꾸었다.

처음에 원자[原子 : 물질을 구성하는 기본적 입자]들이 빛나고 있었다. 그리고 이 원자들이 몇 개씩 연결되면서 길게 줄지어 늘어섰다. 그러다가 뱀처럼 동그라미를 그리면서 돌고 있었다. 세심히 관찰한 결과 한 마리의 뱀이 자기의 꼬리를 물고 도는 모습을 확인했다.

화학자인 케쿨레는 벤젠의 구조에 대해서 연구하던 가운데 이 같은 꿈을 꿨다. 그는 벤젠의 구조가 이 꿈의 뱀처럼 둥근 모양 비슷하게 이루어졌다고 믿었으며, 그것이 사실로 밝혀졌다. 케쿨레는 꿈의 창조적 능력을 인정한 후 '발명을 원하거든 꿈을 꾸시오'라고 외쳤다.

러시아의 19세기 물리학자인 멘델레예프(Dmitrii Mendeleev)는 꿈속에서 영감을 받아 주기율표의 첫 모델을 그린 것으로 유명하다. 그는 잠시 낮잠을 자는 동안 감미로운 음악소리에 도취되었을 때 갑자기 모든 물질을 구성하는 기본적 요소인 원소들이 반복되는 악보의 소절처럼 질서 있고 아름답게 배치되는 장면을 꿈속에서 본다. 이 꿈의 장면에서 암시를 받은 멘델레예프는 화학 책에 나오는 주기율표의 첫 모델을 그렸다.

주기율표의 첫 모델이 나온 지 약 50년 후 네덜란드 출신인 닐스 보어(Niels Bohr)는 '양자이론'의 첫 번째 공식을 발표하고 노벨물리학상을 나중에 받았다. 이 양자이론 역시 꿈에서 영감을 받아 완성되었다.

물리학자인 보어는 왜 원소들이 독립해서 존재하는지, 어떤 물리적인 원인 때문에 원소들이 불연속적으로 존재하는지에 대한 의문을 품고 있었다. 특히 주기율표에서 원소들 사이에 빈 공간을 두고 존재해야 하는지에 대해 의문을 품었다. 이 같은 의문을 품고 있던 중 그는 다음과 같은 꿈을 꿨다.

그는 경마장에 와서 곧 말의 경주가 시작될 예정이라는 안내 방송을 듣고 관중석에 착석한다. 보어는 말들이 질주할 경주장 코스가 하얀 칼슘가루로 진하고 선명하게 표시된 것을 본다.

보어는 이 꿈에서 진하고 선명하게 표시된 코스가 그에게 매우 중요한 가치를 주고 있음을 알았다. 첫째, 달리는 말들은 이 선 안에서만 달려야 한다. 둘째, 경주로를 바꿀 때에는 상대 쪽 말에게 방해가 안 될 때에만 가능하다. 천재인 그는 원자핵을 도는 전자의 주행로가 이 경주로라고 믿었다.

물질을 구성하는 기본입자이면서 각 원소의 미립자인 원자는 원자핵과 원자핵을 도는 전자로 구성됐다. 그는 원자핵 주위를 도는 전자들의 궤도가 경주로 만큼이나 엄격하게 정해져 있다는 사실을 깨달았다.

양자는 전자가 한 궤도에서 다른 궤도로 이동하는데 필요한 에너지를 말한다. 따라서 양자는 변하지 않은 불연속적인 에너지이다. 수소, 헬륨, 산소 등 원소들은 불변하고 불연속적인 특성을 지닌 채 양자 에너지를 품고 있다.

닐스 보어는 상보성(相補性) 원리를 주장했다. 모양이 있는 모든 것은 서로 어울려서 이루어졌으며, 단독으로 모양을 낼 수 있는 것은 아무 것도 없다는 뜻이다. 이 상보성원리는 불교의 인연 법과 유사하다.

내가 오줌을 먹었던 동생의 장속에 용수가 들어있는 꿈을 꾸고 오줌이 발효되어 유산균과 효소가 생성된다는 것을 아는 것은 다른 어떤 꿈의 창조성보다도 위대하다고 생각한다.

이처럼 꿈은 여러 가지 상징을 통해 인간에게 창조적 능력을 준다. 꿈의 이와 같은 능력과 기능은 어디서 오는가에 대해 두 가지 이론이 있다. 그 하나는 꿈을 꾼 사람의 지식과 통찰력이 결합된 것이고, 다른 하나는 우주의 정신, 신의 계시, 불교의 불성과 자성 때문에 꿈에 창조적 능력이 있다는 설이다.

나는 이 두 가지 이론의 통합성을 지지한다. 즉 의식세계를 초월한 무한 능력인 정신[신, 불성, 잠재의식+의식]과 꿈을 꾼 사람의 축적된 지식이 결합됨으로 꿈은 상징적이고 창조적이며 지혜의 결정체이다.

내가 꾼 꿈을 분석해 보면 나의 이 이론이 옳음을 알 수 있다. 앞에서 말했듯이 동생의 장 속에 용수가 들어 있었으며 그 용수 안에서 막걸리가 보글보글 끓으면서 되어 가는 과정을 꿈속에서 보고 오줌을 사람이 마시면 장에서 이 오줌이 발효되어 유익균이 증식되는 것을 확신했다. 이 증식된 유익균에서 여러 효소가 다량 생산됨으로 많은 질병이 치료되고 건강해진다.

이 꿈을 꾸기 전에 나는 오줌이 체외로 배출되면 발효되어 세균들이 생성된다는 사실을 이미 알고 있었다. 따라서 사람이 자기 오줌을 마시면 체내에서도 발효될 수 있으리라 추정했다. 이 꿈을 꾸고 추정한 것이 확신으로 바뀌었고, 쥐를 상대로 한 실험결과 확신이 확인으로 전환되었다. 즉 오줌을 먹인 쥐와 안 먹은 쥐를 비교한 결과 먹인 쥐의 장 속에 안 먹인 쥐보다 10~15배 유익균이 증식되었다. 또한 장내 혐기성 세균과 효소에 대한 나의 지식이 있었기 때문에 이 꿈을 꿀 수 있었고 잘 해몽할 수 있었다. 물론 이 축적된 지식들만 갖고 꿈을 꿀 수는 없다.

무한한 능력을 갖고 있는 정신이 유한한 인식과 의식 속에 갇혀 있는 인간에게 이 꿈[막걸리를 만들 때 쓰는 용수]을 통해 질병 치료의 해법을 가르쳐 주었다.

충무공 이순신의 꿈에 신이 나타나 적을 물리칠 수 있는 해법[바다 속 밑에 깔아놓은 쇠줄]을 가르쳐 줌으로써 기념비적 명량대첩을 거두었다.

이 신은 정신 또는 불성, 자성일 수도 있다. 인간의 정신 속에 신의 속성이 들어있으며, 정신의 무한한 능력은 꿈을 통해 인간에게 발견 또는 발명하게 한다.

희노애락 애증욕(喜怒哀樂愛憎慾) 등 감정에 따라 수시로 변하는 마음과 불변하는 참마음[성품, 불성, 자성, 정신]이 있다. 물론 해부학적, 과학적으로 참마음을 규명할 수는 없다. 그러나 불교에서는 참마음이 보고, 듣고, 맛을 보고, 냄새를 맡고, 촉각으로 느끼고 인식한다고 말한다. 그러나 일반 사람들은 이와 같은 오감과 인식은 눈, 코, 귀 등이 있기 때문에 가능하다고 말한다. 이 일반인들의 인식에 오류가 있음을 다음과 같은 예를 통해서 밝히고자 한다.

TV나 라디오를 보고 들을 때 우리 마음 또는 생각이 과거 일 등에 집중되면 비록 눈은 TV를 보고 듣는데 집중되었을 때만 보고 들을 수 있다. 그러나 마음과 생각이 다른 데에 있으면 보이지 않고 들리지 않는 사실을 생활 속에서 사람들은 체험한다. 따라서 궁극적으로 마음[참마음, 성품, 불성, 정신]이 시청각 등의 능력을 갖고 있으며, 눈과 코, 귀, 입 등은 마음의 도구임을 알 수 있다. 사람이 잠을 자면 오감과 인식작용이 쉬므로 참마음은 더욱 명료해져서 신[정신, 불성, 자성]과 같은 능력을 발휘한다.

내가 꿈속에서 돌아가신 부모님과 영적 교류를 하는 것도 이 때문이다. 인간을 소우주라고도 말한다. 우주만큼 큰 능력을 갖고 있는 참마음이 꿈을 통해 유한한 인간에게 창조적 능력을 주고 있다.

사람들은 꿈을 잘 잊기 때문에 꿈을 회상하고 기록하는 습관을 가져야 한다. 또한 꿈의 상징성을 잘 이해함으로써 잘 해몽할 수 있다. 침대에서 일어나기 전에 꾸었던 꿈의 풀이를 하는 습관을 길러 보자.

꿈을 잘 이해하면 인생관과 운명이 바뀌지고, 현세와 내세에 극락세계의 행복감을 맛볼 수 있고, 창조적이며 지혜로워진다.

임사체험과 혼불

　전기가 들어오지 않았던 옛날에는 사람들이 밤에 혼불을 잘 볼 수 있었다. 사람이 죽을 무렵, 환자의 집에서 혼불이 나가는 것을 마을 사람들은 우연한 기회에 봤다.

　전기가 안 들어 왔을 때 밤에는 어두워지므로 혼불을 뚜렷이 볼 수 있었으나 지금은 밤에도 낮처럼 밝으므로 잘 볼 수 없다. 그러나 한 지인은 근래에 해가 진 후 땅거미가 내릴 무렵 자기 남편의 혼불이 빠른 속도로 날아가는 모습을 보았다고 말했다.

　혼불은 영체(靈體) 또는 유체(幽體)라고 말하며, 사람이 죽으면 혼불은 육체로부터 분리되어 날아간다. 임사체험을 한 사람들은 자기라는 몸이 공중으로 비상하는 것을 경험한다.

　임사체험이란 죽음의 문턱에 이르러 겪는 강렬한 영적 체험을 말한다. 즉 심장박동이 멈추므로 의사가 사망진단을 내렸음에도 불구하고 몇 시간 또는 1~3일 정도 저승에 영체가 머문 후 다시 육체 속으로 들어와 다시 살게 되는 것을 말한다. 이 영체가 바로 혼불인 것이다. 영체 또는 영혼의 작용에 의해 꿈이란 현상으로 나타나는 것이다.

우리나라에서도 교통사고나 질병 등 때문에 임사체험을 한 사람들이 매우 많다. 죽음을 체험한 사람들이 저승에서 겪었던 일들을 말하면 사람들은 꿈이라고 의심하며 믿지 않는다.

미국에서도 임사체험자들이 체험담을 말하면 정신이상이 있으니 병원 방문을 권유하고, 의사들은 종교 지도자들에게 문의하는 것이 옳다고 말한다.

김성태씨는 젊어서 질병 때문에 페니실린 주사를 맞고 그 즉시 쇼크를 받아 임사체험을 두 번이나 했다. 쇼크사를 당하자 담당 간호원의 당황한 모습과 의사들의 응급처치 등을 천정에 뜬 그의 영체(靈體)가 신기하게 주시한 후 이승과 저승 사이의 길고 어두운 터널을 지나갔다.

그 터널의 저쪽에는 아주 밝았으며 금빛으로 빛나는 성문이 나타났다. 그 성문에 들어서자 오색찬란한 빛 속에 안겼다. 그 빛 속에서 평화, 행복을 느꼈으며 페니실린 쇼크사를 당했을 때부터 태어났을 때까지의 장면을 영화 장면처럼 보았다. 그 빛 속에 안겼을 때 그의 영체는 그 빛의 일부처럼 느꼈으며, 그 영체 자체도 투명하게 빛나고 있었다. 그 성곽의 주변은 온통 황금빛이며 집들도 우아하고 아름다웠다.

그는 초록빛 무성한 풀숲 가운데 화려한 꽃과 사과나무가 있는 정원을 거닐면서 돌아가신 할아버지와 할머니를 보았다. 그 분들은 손자가 아직 이곳에 올 때가 아니라며 돌아가라고 말하셨다.

그 빛 역시 지구에 돌아가야 한다고 말했으나 그는 그곳에 머물기를 원했다. 텔레파시를 통해 그 빛은 지상에서 할 일이 많으므로 다시 돌아가야 한다고 말했다. 그가 무엇을 해야 하느냐고 물으니까, 이 세상의 모든 것들은 서로 연결됐으므로 서로 사랑하고 존중하며 참고 인정하라고 그 빛은 말했다.

김성태씨는 저승에 있을 때 특이한 체험을 했다. 그의 부모님이 전남 신안군 도초섬에 살고 계셨는데, 지금 부모님이 무엇을 하고 있는가 알고 싶으면 영화 화면처럼 나타났다.

그 때가 아침인데 그의 부모님들은 예전처럼 조반을 끝낸 후 약주를 들고 계셨다. 이 지상에서 현재 일어나고 있는 일들을 보고 싶으면 TV 화면처럼 나타났다.

의사와 간호사들의 적극적인 응급처치로 인해 그는 쇼크사로부터 기적적으로 살아났다. 임사체험을 한 것을 사람들에게 말을 해도 잘 믿지 않았다. 그런데 그는 초능력을 발휘하기 시작했다.

그를 간호했던 간호사가 어린애를 낳아서 기르고 있었는데 그 어린이가 남편과의 사이에서 난 아들이 아니고, 어떤 의사와의 관계 때문에 태어난 어린이임을 알았다.

김성태씨는 타인의 손을 잡으면 현재 그 사람이 무엇을 생각하고 있는 것을 알았다. 그리고 그 사람의 가족과 질병 등도 알았다. 이와 같은 초능력은 일정 기간 동안만 지속됐다.

이와 같은 그의 초능력은 저승에서 그의 영체가 그 무한 능력의 빛 속에 파묻혀졌기 때문에 발휘되었다고 나는 믿는다. 그 빛은 불교에서 말하는 무한생명과 무한 능력을 지닌 아미타불이라고 나는 믿는다.

임사체험이란 단어를 처음으로 학계에 내놓은 사람은 레이먼드 무디 박사이다. 철학가이자 정신과 의사인 그는 「사후의 생(Life after Life)」의 저자로서 우리나라에도 잘 알려진 사람이다.

무디 박사가 임사체험에 관심을 갖게 된 동기는 저승을 체험한 사람들의 주장이 일관성이 있다는 점이며, 그럼에도 불구하고 그 당시 학계에서 인정되지 않고 있는 점에 대해 항의하기 위해서였다. 그의 주변 사람들이 알려 준 임사체험담은 다음과 같다.

정신과 의사인 조지 리치 박사는 군대에 있을 때 폐렴에 걸려 임사체험을 했다. 담당 의사들은 리치 박사에게 사망진단을 내렸으며, 그의 영체는 마음만 먹으면 어디든지 초음속 비행기처럼 날아다니고, 무엇이든지 볼 수 있었다.

그의 영체는 미국 전 지역을 낮은 상태에서 젯트기처럼 비행했으며, 택사스주 육군병원에 도착했다. 그의 영체는 병실 곳곳을 돌아다니며 드디어 그의 육체를 찾았다. 그가 그의 육체를 찾게 된 단서는 얼굴이 아니라 손가락에 낀 대학졸업 기념반지였다. 또 다른 임사체험담은 다음과 같다.

50대 여성은 맹장 파열로 큰 수술을 받았으며, 감염이 매우 심해 오랫동안 병원생활을 하는 동안 폐렴 등에 걸렸다. 담당의사는 그녀가 곧 죽을 것이라고 가족에게 말했으므로 가족들이 그녀의 침상 주위에 모여서 기도하고 있었다.

그녀는 의식이 있는 상태에서 식구들의 기도 소리와 의사와 간호사들의 대화 등을 모두 들을 수 있었다. 그리고 갑자기 그녀의 영체가 공중으로 비상하기 시작했다. 비행기가 수직 상승하는 느낌을 받았으며 기분이 매우 좋았다. 그녀의 영체가 멈추었을 때 너무나도 아름다운 세상을 보았다.

그녀는 초록 빛 풀숲과 아름다운 꽃들이 만발한 정원을 지나서 천사를 만났다. 그곳에서 10여 년 전에 돌아가신 할아버지와 할머니, 그리고 5년 전에 교통사고로 인해 사망한 오빠도 만나서 이야기를 나눴다.

천사와 그녀는 황금빛 보석으로 치장한 문을 열고 들어갔으며, 어떤 방문을 열자 눈부신 빛이 너무 강해서 쳐다 볼 수 없었다. 그녀는 그 빛이 하나님이라고 믿었다. 그 빛이 수정도시 전체를 비추고 있었다. 이 지상에서 많은 사람들이 하는 기도는 이 천상에서 빛이 되어 천국을 더욱 아름답게 하고 있음을 그녀는 알았다.

레이먼드 무디 박사는 그의 철학 강의 시간에 임사체험을 추가했으며, 그동안 150개의 임사체험 사례를 수집해서 분석했다. 이렇게 해서 나온 책이 「사후의 생」이다. 임사체험 연구를 처음 의학 분야에 도입한 이 책은 우리나라 뿐만 아니라 전 세계적으로 수백만 부가 팔렸다.

의사 검진 결과 죽었던 사람들이 그들의 영체가 저승에서 체험한 것을 지금은 더 이상 몽상(夢想)이라고 폄훼할 수 없게 되었다.

무디 박사의 임사체험 연구는 인류의 정신사상 계발에 크게 기여했다.

150개 임사체험 사례들을 분석한 결과 9~15가지 공통된 요소들을 밝혀냈다. 9가지 중요한 공통점은 다음과 같다.

1. 자신이 죽었다는 것을 인식한다.

2. 고통을 느끼지 못하고 평화롭고 행복한 감정을 갖게 된다. 극심한 통증을 동반한 질병이나 사고를 가졌어도 전혀 고통을 못 느끼는 대신에 매우 안락하고 평화로움을 느낀다.

3. 유체이탈을 경험한다. 자신의 영체 또는 영혼이 육체로부터 빠져 나온다. 육체로부터 이탈한 영체는 천정 또는 공중에 떠서 자기 시체와 의사 등을 내려다본다. 그리고 의사와 간호사들이 하는 말을 듣는다.

4. 어두운 터널을 영체는 지나간다.

5. 빛으로 이루어진 형상을 만난다. 어두운 터널을 통과하면 밝은 빛 속으로 들어간다. 그리고 울타리와 비슷하게 생긴 경계선 저 너머에 이미 죽은 친척들을 본다. 초원이나 정원에서 만난 빛의 형상은 영체를 인도한다.

6. 태양과 같은 강렬한 빛을 본다. 스웨덴의 과학자 스웨덴보그는 이 빛이 천사에게 영적 능력을 준다고 말했다. 그리고 간접적으로 인간에게도 영향을 미친다.

7. 일생동안 행동했고, 있었던 일들을 되돌아본다. 죽었을 때부터 태어났을 때까지 전 과정이 영화 장면처럼 되어 되돌아본다. 우리 선조들은 이와 같은 현상을 업 거울[업경대]이라고 했다. 염라대왕이 죽은 자의 업 거울을 보고 심판을 하여 극락세계 또는 지옥으로 보낸다.

8. 영체[영혼]들은 저승에서 계속 살고 싶어 하나 빛의 형상들은 이승으로 돌아가야 한다고 강권한다. 결국 영체가 육신 속으로

돌아온다. 어떻게 들어왔는지 알 수 없으나 질병이나 사고로 인한 통증을 느낌으로써 다시 살아났음을 안다.

9. 인생관이 180° 바뀌어졌음을 안다. 전에는 영적 세계가 없다고 믿었기 때문에 현실생활에 집착했으나 영혼의 세계가 본질적 세계임을 믿음으로 인해 인생의 가치관이 바뀌진다. 선행과 사랑, 존중, 인내, 인정, 긍정적인 생활을 한다.

일제시대인 1930년대 전남 영암군에 살았던 김관철씨의 임사체험은 그 당시 소학교[지금의 초등학교] 교과서에 실릴 만큼 유명했다. 농지를 많이 갖고 있던 김관철씨는 지주로써 농지를 빌려주고 가을에 소작료를 받고 살았다.

그는 소작 농민들에게 매우 인색했다. 그는 가을에 소작료를 가져오는 곡물을 풍무[알곡으로부터 검불을 제거하는 기구]질을 자주 해서 받는 등 매우 이기적이고 인색했다. 그는 어느 날 독감에 걸렸는데 약을 잘못 먹고 죽음을 체험했다.

그는 저승인 야마천에 가서 염라대왕 앞에 앉았다. 그는 일반 옷을 입고 있었으나 그와 함께 심판을 받는 사람들은 하얀 옷을 입고 있었다. 염라대왕은 먼저 하얀 옷을 입은 사람들에게 평생 동안 지었던 선과 악에 따라 각각 갈 길을 정했다.

그의 차례가 오자 아직 이곳에 올 때가 안 되었다고 염라대왕은 말하면서 너의 곳간에 가서 여비를 마련해서 가라고 말했다.

실제로 저승에는 그의 곳간이 있었으며 관철의 곳간이란 푯말이 붙어 있었다. 곳간의 문을 열어보니 3~4개의 주춧돌과 3~4개의 볏짚단이 있었다. 이것들은 그가 평생 동안 남을 위해 선물한 것들이었다.

임사체험자들은 그들의 선행과 악행을 영상으로 본다. 또는 이 선행과 악행이 책에 기록됨으로 알게 된다. 어떤 사람들은 업경대를 통해서 안다.

김관철씨는 자기 곳간에 아주 볼품없는 것들을 봄으로써 자기가 얼마나 인색했던가를 알게 되었다. 그의 옆 곳간에 덕진의 곳간이란 이름이 쓰여져 있었으며 그 곳간에 금은보화가 가득찼으므로 그곳에서 여비를 빌려서 살아 돌아왔다. 그의 가족은 그가 죽었으므로 장례 준비를 하고 있었으나 그가 죽었다가 깨어났으므로 초상을 치루지 않아도 됐다.

저승에서 몸소 체험한 것이 너무나 생생했고, 특히 그의 곳간에 사촌이 집을 지을 때 준 주춧돌과 볏짚이 있는 것을 보았으므로 그의 저승 체험을 믿지 않을 수 없었다.

과연 덕진이란 사람은 어떤 사람이기에 그 많은 보물들을 저승의 곳간에 저축하고 있는가를 알아보고 빚을 갚기 위해 그를 찾아 나섰다.

결국 덕진이라는 사람을 주막에서 발견했다. 그는 곰보였고, 노처녀였으며 주모로서 일을 하고 있었다. 먼 친척인 주막 주인 집에서 손님들의 양말을 빨아 주고 밥을 해 주고 있었고, 혈기가 왕성한 장정들이 돈이 부족해서 적은 양의 밥을 사 먹으면 밥을 더 주기도 하는 등 선행을 많이 하고 있었다.

그녀의 곳간에 금은보화가 가득 찬 원인을 알게 된 관철은 자초

지종을 말하면서 빌린 여비를 갚으려고 했지만 그녀가 적극적으로 반대함으로 하는 수 없이 그 근방 하천에 다리를 놓아주었는데 그 다리가 덕진지교였다. 지금도 그 다리의 유적이 있다.

그 후에도 관철이란 사람은 선행을 많이 했다. 아마 김관철씨는 지금 이 세상에서 선행을 많이 하면 저승의 그의 곳간에 금은보화로 가득 찰 것을 확신했을 것이다.

윤회는 가능한가?

윤회설은 불교, 힌두교, 도교 등 주요 종교 교리의 근간을 이루고 있다. 이뿐만 아니라 아시아, 아프리카의 토속 종교에서도 윤회설을 믿고 있다. 원래 기독교도 윤회설을 믿었다.

성경에 윤회설에 대한 많은 기록이 있었으나 서기 325년 로마 콘스탄티누스 황제가 성경에서 윤회설에 대한 기록을 삭제했다.

그는 기독교를 로마제국의 국교로 삼았다. 그 후 553년 유스티니아누스 황제는 제2차 콘스탄티노플 공의회를 개최하였으며 이 공의회에서 윤회설을 이단으로 규정했다.

불교의 윤회설은 다른 종교의 윤회설과는 많이 다르다. 불교에서는 천상, 인간, 아수라, 축생, 아귀, 지옥도 즉, 육도(六道)에 윤회한다. 인간의 육체는 인연을 따라서 수백, 수천 번 이와 같은 육도에 삶과 죽음을 반복하고 있지만, 영혼[본성, 불성, 자성]은 영원히 죽지 않고, 육신을 의복처럼 갈아입고 있다.

불교에서는 윤회를 주관적, 관념적인 것과 객관적인 것으로 분류한다. 주관적, 관념적인 윤회란 현실세계에서 사람의 생각, 말,

행동에 따라서 육도를 체험한다는 것이며, 객관적 윤회란 육신은 육도를 전전하면서 살고 죽지만, 영혼은 영생불멸한다는 일반적 윤회설을 말한다.

주관적 관념론적 윤회의 경우 음덕을 베푸는 등 큰 선행을 하면 천국을 현세에서도 느끼며, 살인, 강도 등 큰 죄를 지으면 공포심을 갖게 되므로 지옥적인 삶을 살게 된다.

비윤리적이며 본능적인 생활을 하면 축생의 세상을 체험하고, 욕심이 지나쳐서 스스로 만족할 줄 모르는 삶이 아귀(餓鬼)이며, 싸우기를 좋아하고 자만심 때문에 지기를 싫어하는 삶이 아수라(阿修羅)이다.

일반적으로 말하는 윤회설은 진리이며, 실제로 존재하는가에 대한 의심을 사람들은 갖고 있다. 갤럽 여론조사 결과 미국 성인의 약 3분의 2가 윤회설을 믿고 있다. 그리고 미국인 전체를 상대로 한 여론조사에서 약 29%가 윤회설을 믿고 있다. 이처럼 미국인들의 윤회설에 대한 신뢰도가 높은 이유는 많은 심리학자들의 최면 방법이 탁월했기 때문이다.

이 학자들은 최면을 이용해 어렸을 때 뿐만 아니라 전생의 기억을 회상시킴으로써 공포감이나 우울증, 통증 등을 치료하고 있다. 최면을 통해 전생이 있다는 것이 밝혀졌다.

2005년 우리나라 경찰 수사관들도 최면을 이용해 미해결 사건들을 해결하고 있다. 2007년 가을 새벽, 한 승용차가 앞서가는 오토바이를 들이받고, 그 운전자에게 중상을 입힌 후 뺑소니를 했다. 목격자는 그 승용차를 뒤따라 왔던 택시 운전사였으나, 그 차량번호를 기억해 낼 수는 없었다.

수사관들은 그 택시 운전사에게 최면을 걸어 망각했던 그 승용차 번호를 회상시킴으로써 그 뺑소니 운전사를 검거했다. 이와 비슷한 미해결 살인사건들도 최면을 통해 해결되고 있다는 사실이 방송을 통해 보도됐다.

정신세계의 대부분을 차지하는 잠재의식[무의식, 정신, 영혼] 세계에 잊혀진 기억이나 사건 등이 저장된다. 육신은 죽어도 정신[영혼, 영체, 불성, 자성]은 영원히 죽지 않으며, 윤회를 통해 경험했던 일 등이나 기억이 정신에 입력되었으므로 최면을 하면 회상하게 된다.

최면은 처음 인도에서 시작되었으나 요즘에는 미국 등 서구의 심리학, 의학, 철학 등 분야에서 많이 활용되고 있다. 특히 심리학자나 정신과 의사들은 최면을 통해 환자들의 과거에 상처받았던 기억이나 전생에 있었던 일 등을 회상시킴으로써 공포증이나 우울증, 불면증 등을 치유시킨다. 이 같은 최면 과정에서 전생이 있다는 것이 밝혀진 것이다.

「사후의 생」의 저자인 레이먼드 박사도 최면을 통해 10번의 자기 전생들이 있었음을 알게 되었다. 과거 수천 년 동안 그는 아프리카, 유럽, 아시아, 아랍 지역에서 새로운 육신을 받아 태어났다가 죽었던 것이다. 이처럼 육신은 삶과 죽음을 반복하지만 정신 또는 영혼은 생사가 없으며, 영혼에 과거 또는 전생에 있었던 사건 등이 입력됐으므로 최면을 통해 밝혀졌다.

무디 박사는 중국에서 여자 화가로 살았던 기억을 회상했다. 그녀의 가족에 남동생이 있었고, 중국의 여러 곳을 여행했다. 말년에 그녀는 안락하게 혼자 살았다. 그러나 갑자기 강도가 침입해 그녀의 목을 조이므로 그녀의 영혼[영체]이 천정에 떠서 이 장면을 보면서 고래고래 소리를 지르면서 왜 죽이느냐고 항변을 했지만 그 강도는 못 들은 듯 했다고 최면상태에서 말했다.

우리나라에서도 윤회에 대한 여러 민담이 전해지고 있다. 임신한 여성이나 그 가족이 태몽을 꾸는데, 평소 잘 알고 있던 죽은 사람이 자기 아기로 태어나는 태몽을 꾸는 경우가 있다. 죽은 할아버지의 영혼이 손자로 태어나는 태몽도 있다.

정신과 교수이며 심리학자인 이언 스티븐슨 박사는 약 4천 명을 최면으로 인도했으며, 윤회 전문가로 잘 알려졌다. 그에 의하면 불교 국가인 태국에서 윤회설이 가장 일반화 되어 있으며, 국민의 약 80%가 윤회를 확신하고 있다고 한다.

스티븐슨 박사는 중간영계[중유, 삶과 삶 사이의 영혼이 잠시 머무는 곳]를 '막간'이라고 하며, 태국 사람들은 막간에 대한 기억을 잘 하고 있다.

우리나라에서는 사람이 죽으면 저승사자가 와서 그 영혼을 인도하는데, 태국에서는 흰옷을 입은 저승사자들이 죽은 자의 영혼을 인도한다. 이 영혼들은 미국 등 서구의 임사체험자들이 말한 것처럼 천정이나 공중에 떠서 자기 시체를 보고 상여가 나가는 모습 등을 본다.

최면을 통해 태국 사람들은 어떻게 해서 자기가 새로 태어날 집으로 인도되었던 것을 말했다. 그리고 공중으로 날아다닌다든가 나무 꼭대기에 그이 영혼이 머물기도 했다. 또한 중간 영계에 있을 때 장래 어머니가 될 사람 앞에 나타남을 기억한 사람도 있었다.

임사체험자들은 저승에서 일생동안 있었던 선행과 악행이 기록된 거울을 본다. 이 카르마 거울에 기록된 악행은 반드시 다음 생에서 갚아야 할 빚이다. 이승에서 빚을 졌다면 다음 생에서 갚아야 하고, 다른 사람을 박해하고 참회를 하지 않으면 다음 생에서 박해를 받기 위해서 카르마 거울에 기록된 것이다.

캄보디아에서는 윤회를 증명할 실제적 사실이 확인되었다. 캄보디아 내전 때 죽은 남편이 다시 태어나서 그의 전생 부인과 다시 결혼해서 현재 행복하게 살고 있음이 드러났다.

우리나라의 유명한 최면술사인 김영국 교수가 캄보디아에 직접 가서 그 남자(37세)에게 최면을 걸었다. 최면상태에서 그의 영혼이 나뭇가지에 있을 때 어떤 여인이 그 나무 밑으로 걸어갔다. 이때 그의 영혼이 이 여인의 자궁 속에 들어가서 이 세상에 다시 태어났다.

그가 8세가 되었을 때부터 그의 전생 가족이 이 근방에 살고 있다고 자주 부모에게 말했으며, 12세 때 결국 그의 부인[65세]과 두 딸을 찾았다. 특이하게도 이 남자는 전생에서 자기 부인에게 선물한 옷과 악세서리 등과 자기 딸들의 이름과 생년월일을 잘 기억하고 있었으므로 전생의 가족을 찾았다. 그리고 그 남자가 18세가 되었을 때 전생의 부인과 다시 결혼해서 살고 있다. 따라서 그 남자가 딸들보다 뒤에 태어났으므로 딸들의 나이가 아버지보다 더 많다. 캄보디아는 전 국민이 불교를 믿는 불교국가이다.

　스웨덴보그는 중간 영계[사망 후 영체가 처음 가는 곳]에서 어떤 병사의 영체를 보고 들음으로써 윤회가 있음을 알았다. 한 신참 영체는 이승에 있을 때 활을 잘 쏘는 아시아 한 나라의 병사였다.
　이 병사는 다른 궁수 병사들과 함께 적군의 장수를 죽이기 위해 숲에서 매복하던 중 적군에 발각되어 살해되었다. 긴 칼에 의해 그의 목이 잘렸다. 10여 명의 영체 가운데 한 영체가 그 신참에게 물었다.
　"왜 당신은 이곳에 와서 어울리지 않습니까? 그리고 당신은 무엇을 그렇게 곰곰이 생각하고 있습니까?"
라고 말하자 그 신참 영체는 독백이라도 하듯이,
　"나는 아직 살아 있는가? 죽지 않았단 말인가?"
라고 말하면서 자기 목을 만지작거리고 있었다. 그는 분명 살아있는 것에 대하여 놀라움을 금할 수 없었다. 이승에서 육신의 목이 잘려 나갔으므로 저승에서 영체의 목을 만지작거리고 있었다.
　이 신참 영체는 더 이상 이 10여 명의 영체 앞에 나타나지 않았다. 앞에서도 말했듯이 영계에서는 만나고 싶으면 TV 화면처럼 그 영체의 모습이 나타나지만 이 영체는 더 이상 이 10여 명의 영체 앞에 나타나지 않았다. 그러나 스웨덴보그는 국제무역 상인들을 통해서 그 신참 영체가 이 세상에 다시 태어났다는 사실을 알게 되었다.
　태어난 곳 역시 아시아의 한 나라이며, 세 살 때 그는 전생에 병사[궁수]였으며, 적군의 칼에 찔려서 죽었다고 전생 이야기를 했다.

그의 전생에 대한 말이 국제 상인들에게도 알려졌다. 이 상인들은 이 사실을 확인했으며, 이 세 살짜리 어린이는 자기 나라 말이 아닌 데도 이 상인들과 대화를 하였다고 한다.

일반적으로 사람이 윤회하면 전생에 대한 기억이 모두 사라지지만 갑자기 칼이나 폭약 등으로 인해 죽으면 전생에 대한 기억이 되살아난다는 미국 심령조사협회의 연구 보고서가 있다.

캄보디아의 한 병사도 이처럼 무기에 의해 갑자기 죽었기 때문에 전생을 회상할 수 있었으므로 전 부인과 다시 재혼할 수 있었다.

불교에서는 깨닫지 못한 사람은 다람쥐 챗바퀴 돌리듯이 여섯 가지 세계에 태어난다고 말한다. 즉 육도(六道)를 윤회한다. 「능엄경」에 '사람이 짐승을 죽이면 그 짐승은 사람이 되고, 사람은 짐승으로 태어난다. 이렇게 생명들이 죽고 태어나며 번갈아 잡아 죽인다. 이렇게 악업으로 함께 태어나서 미래가 다하도록 끝없이 진행된다.'

2000년대 초 김영국 교수는 MBC TV를 통해 최면에 의한 윤회를 밝혀 전 국민에게 커다란 화젯거리를 만들었다. 배우, 가수 등 유명 인사들을 상대로 최면을 걸어 전생을 회상시켰다.

이때 가수 노사연씨가 최면 상태에서 암사자처럼 행동했다. 동물의 제왕인 사자로서 노사연씨가 울고 있을 때 김영국씨가 무엇때문에 우느냐고 물었다. 노사연씨는 '엄마인 사자가 사람들에 의해 살육되기 때문이다'라고 대답했다. 그러면서 배가 고프다고 하소연했다.

최면술사인 김영국씨가 다시 영양 등 짐승을 잡아먹으라고 권하였더니 사자 행세하는 노사연씨는 '코끼리 고기는 너무 질겨서 못 먹고 영양은 너무 빨리 뛰기 때문에 못잡는다'고 말했다. 이와 같은 경험을 한 사람들은 최면상태에서 나타난 인물이나 동물이 자기 자신이라고 확신한다.

2015년 나는 꿈에 이와 비슷한 경험을 했다. 두 마리 구렁이가 각각 동그랗게 사리를 틀고 방에 있었으며, 이 파충류들이 돌아가신 부친과 숙부님으로 보였다.

나는 산과 들로 산책을 자주 한다. 2015년 하루는 김숙자[72. 여]씨가 쪼그리고 앉아서 김을 매고 있으므로 이렇게 앉아서 일을 하면 무릎이 아프다고 내가 그 여자에게 말을 했다.

김숙자씨는 정색을 하면서 어젯밤에 다음과 같은 꿈을 꾸었다고 말했다.

"약 1미터 거리에 있는 구렁이가 웃으면서 그녀에게 말을 걸었다."

이 꿈을 꾼 김숙자씨는 오늘 무슨 일이 일어날까? 생각하고 있었을 때 내가 나타났다. 그 구렁이가 바로 나라고 그녀는 믿었다.

그 다음 날 산책하던 중 또 그녀를 만났으며 그녀는 또 다른 구렁이 꿈을 이야기 했다. 이 꿈에서 그 구렁이는 매우 약하고 병이 든 것처럼 보였기 때문에 편안한 곳에 옮겨주었다고 말했다. 그러면서 내가 어떤 병에 걸린 것이라고 그녀는 믿었다.

그 당시 나는 음식을 잘못 먹고 배탈이 나고 배변하는 데 조금 이상이 있었다. 그녀의 꿈을 고려해 볼 때 나의 건강에 이상이 있을 것 같아서 대장 내시경 검사를 받았다. 검사 결과 용종이 2개 있으므로 제거 수술을 받았다.

구렁이 두 마리가 부친과 숙부님으로 보였던 나의 꿈과 그녀의 꿈을 숙고해 볼 때 나의 전생은 구렁이었다는 생각이 든다.

사람이 깨달아서 부처가 된다든가 극락세계에 태어나면 윤회의 고리를 끊을 수 있다. 그렇지 않으면 육도 윤회를 벗어날 수 없다. 못 깨달을지라도 착한 일을 많이 하면 극락세계에 태어난다고 한다. 시간을 헛되게 보내지 말고 금쪽 같이 아껴서 보시, 지계, 인욕, 정진, 선정, 지혜를 닦으면 고통의 굴레인 윤회를 끊고 극락세계에 태어날 수 있다.

보시에는 정신적, 물질적 보시가 있다. 밝고 부드러운 얼굴과 미소, 인자한 눈빛, 아름답고 부드러운 말, 자리 양보하기 등이 정신적 보시이다. 돈이 없어도 이와 같은 보시를 할 수 있다.

사람, 동물 등 모든 중생의 불성[영체, 법신]은 같으므로 삼라만상이 한 마음, 한 몸이다. 이 일심동체(一心同體)의 깨달음에서 대자대비(大慈大悲)의 사랑과 측은지심이 일어난다. 이 자각의 경지에서 살생, 절도, 음행, 거짓말, 음주 등이 일어날 수 없다.

모진 핍박을 견뎌내고 온갖 역경을 이겨내면서 정진하는 사람들의 마음을 우주의 불성은 모두 안다. 아미타불이 우주의 불성이며, 사람의 불성과 상호 교류하고 소통하므로 불성은 모든 것을 안다. 이와 같은 지혜를 갖고 이 여섯 가지 복과 덕을 잘 지으면 윤회의 굴레를 벗고 극락세계에 태어날 수 있다.

동물에게도 영혼이 있는가?

석가모니 부처님은 모든 중생[인간, 동물, 식물 등]에게도 불성[영혼, 영체, 정신, 여래장, 자성]이 있다고 주장하셨다.

많은 동물 연구가들은 개나 고양이, 고릴라, 원숭이 등도 꿈을 꾼다고 말했다. 꿈은 무의식[잠재의식] 즉, 정신 작용에 의해서 꾸어지므로 동물에게도 정신 또는 영혼이 있다고 말할 수 있다.

불성은 한량없는 지혜와 자비심, 공덕을 갖고 있으며 동물도 불성을 갖고 있기 때문에 개나 고양이, 원숭이 등은 지혜롭고 자비로우며 사람처럼 측은지심[가엾고 불쌍히 여기는 마음] 등을 갖고 있다.

요즘 TV 등에 기상천외한 사건들이 소개되고 있다. 특히 동물의 지능, 자비심, 측은지심에 대한 연구는 인간들에게 많은 경외감을 일으키고 있다.

한 일본의 침팬지 연구가들은 침팬지의 기억력이 사람보다 더 탁월하다고 주장한다. 가령 침팬지와 사람에게 빨강, 노랑, 파랑, 초록 등 색깔 10가지를 보여준 다음에 침팬지는 이 10가지 색깔을 순서대로 기억해 냈지만 사람들은 곧바로 기억할 수 없었다.

우리나라 국립동물원에서 코끼리가 말을 하고, 태국의 동물원에서 코끼리가 사람들을 상대로 유머스러운 놀이를 한다. 즉 약 10여명의 사람들이 배를 깔고 바닥에 누웠을 때 코끼리가 이 사람들 사이사이를 건너면서 앞발로 누워 있는 사람들의 허리, 엉덩이 등을 닿을락말락 건드리면서 지나간다.

코끼리가 사람의 허리를 밟으면 으스러지고 부러지지만 코끼리들은 조심스럽고 익살스럽기 때문에 이런 무자비한 행동을 하지 않는다는 유머적인 쇼를 사람들에게 보이고 있다.

개새끼들이 추위에 떨고 있을 때 씨앎닭이 이 개 새끼들을 품는 것은 닭에도 자비심과 측은지심이 있기 때문이다. 개가 고양이 새끼에게 젖을 주는 행위, 개나 돼지가 사자나 호랑이 새끼들에게 역시 젖을 주는 행위는 이 동물에게 모성애적 자애심이 있기 때문이다.

미국 동물원에서 있었던 일로서 고릴라들을 구경하는 가운데 8세 된 어린이가 고릴라 우리 안으로 떨어졌다. 한 어미 고릴라가 그 어린이를 일으켜 세우려고 노력하는 장면이 TV 전파를 타고 전 세계에 알려졌다. 역시 고릴라의 자비심과 측은지심을 볼 수 있다.

동물들도 사람들처럼 시기심과 질투심을 갖고 있다. 애완견이 있는 집에서 어린이가 태어나면, 이제까지 사랑을 독차지했던 강아지는 주인의 사랑과 관심이 갓난아기에게 가므로 이 애기에 대하여 질투심을 갖는다.

어떤 경우에는 애기를 물기도 하고 갖고 놀던 장난감을 망가뜨리기도 한다. 그러나 시간이 지나면서 친해지면 동정심을 갖기도 한다. 한 예로 한 어린이가 잘 때 이불을 덮지 않았으므로 이불을 물고 와서 덮어 주기도 했다.

태국 동물원에서 있었던 일로, 호랑이가 새끼 돼지들에게 젖을 주면서 어미처럼 기르고 있었다. 이 어미 호랑이는 닭고기나 쇠고기 등 육류를 먹지만 오직 돼지고기를 먹지 않는다. 돼지 새끼들을 사랑하는 마음이 매우 컸기 때문에 이제까지 잘 먹었던 돼지고기를 먹지 않는 것이다. 또한 3마리의 새끼 돼지들에게 젖을 주면서 기르던 이 어미 호랑이에게 또 한 마리의 새끼 돼지를 입양시켰다. 새로 입양된 새끼 돼지에게도 차별 없이 젖을 잘 주었지만 먼저 입양된 3마리 새끼 돼지들이 새로 들어온 이 새끼 돼지를 못 살게 괴롭혔다.

이 장면을 본 어미 호랑이는 으르렁거리면서 경고를 주었다. 이 어미 호랑이는 서로 사이좋게 살기를 바랐다. 결국 이 호랑이와 새끼 돼지들은 잘 살고 잇다. 이 호랑이에게 평등심과 자비심 등이 있음을 알 수 있다.

남극 대륙에는 펭귄이 살고 있는데 펭귄의 사회에서도 자비심과 평화, 평등심 등이 있음이 확인되었다. 다른 펭귄처럼 황제 펭귄도 공동생활을 한다.

황제 펭귄은 한번 짝을 이루면 평생 함께 사는 것으로 알려졌으며 오직 한 개의 알을 낳아 부부가 교대로 알을 품으면서 부화시킨다.

약 4개월 된 새끼와 약 3개월 된 새끼 사이의 우정이 펭귄 연구가의 카메라에 포착되었다. 일반적으로 새끼들은 추위와 배고픔에 시달린다.

물고기를 잡아온 부모 중 한 마리가 자기 새끼를 알아보고 4개월 된 새끼에게 먼저 품으면서 먹이를 주지만, 3개월 된 새끼가 4개월 된 새끼에게 다가오자 이 4개월 된 새끼가 어미 품에서 나와 자기 어미 품을 양보했으며, 그 어미는 자기 새끼가 아닌 데도 이 3개월짜리 새끼를 품으면서 먹이를 주었다.

어린이들 사이에서처럼 이 펭귄 새끼들 사이에서도 다툼이 있다. 3개월 된 새끼 펭귄과 다른 새끼 사이에 다툼이 있었을 때 이 4개월짜리 새끼가 그 분쟁 사이에 끼어들어 화해시키는 장면도 포착됐다.

석가모니 부처님은 깨달으신 후 사람뿐만 아니라 동물 등 모든 중생에게 자비심과 지혜 등을 갖고 있다고 주장하셨다. 이 황제 펭귄 연구에서 우리들은 이 불경의 말씀을 확인할 수 있다.

1975년 9월 17일 대니언 브링클리씨[Dannion Brinkley 30세 미국]는 전화를 하는 도중에 벼락을 맞아서 졸도했다. 육체로부터 분리된 그의 영체[영혼]는 빛이 되어 하늘을 날고 있었다.

그의 영체뿐만 아니라 수많은 영체들이 빛이 되어 하늘을 날아 저승에 도착했다. 저승에도 이승처럼 산이나 강, 들판이 있었으며 그곳에서 생전에 길렀던 애완견을 만났다.

한번은 그 개가 새로 깐 양탄자를 물어뜯었으므로 심하게 때렸다. 그 당시에 왜 그 개가 양탄자를 물어뜯었는지 알 수 없었으나 저승에서 그 원인을 알 수 있었다. 그 개가 브링클리씨를 사랑했으나 브링클리씨가 잘 받아주지 않았으므로 그 개가 화가 나서 양탄자를 망가뜨렸다.

한 번은 어떤 사람이 자기 양을 심하게 구타함으로 혈기왕성한 브링클리씨가 그 사람을 심하게 때렸다. 그 맞았던 양을 저승에서 만났으며, 그 양은 텔레파시를 통해 브링클리씨에게 감사함을 나타냈다.

저승에서는 영체들 뿐만 아니라 동물까지도 텔레파시를 통해 대화를 한다. 그는 동물에게도 영체가 있음을 증명했다.

1975년에 임사체험을 한 브링클리씨는 1989년 무렵 일어났던 소련 붕괴를 예언했고, 1990년에 있었던 걸프전쟁과 체르노빌 원전사고도 예고했다.

「화엄경」에 세존께서는 원음(原音)으로 동물들과 대화를 했다는 말씀이 있다. 이 원음이 텔레파시라고 말할 수 있다. 영계의 공통 언어는 텔레파시라고 스웨덴보그는 말했다. 영계에서는 동물뿐만 아니라 인종과 시대가 달라도 텔레파시로 대화를 한다.

스웨덴보그는 성운단체에 가서 그곳의 수장과 텔레파시로 대화를 했다. 성운단체는 원시인들이 사는 극락세계로서 현대인들이 사는 극락세계로부터 별처럼 멀리 떨어진 곳에 있다.

이와 같은 「화엄경」의 말씀과 스웨덴보그의 글을 분석해 보면 브링클리씨가 개, 양과 저승에서 말을 했다는 것을 믿을 수밖에 없다. 사람의 영체처럼 동물의 영체도 영계에 지금 살고 있다.

이정순[여, 68세]씨는 34세때 졸도했으며, 저승의 문턱까지 갔다 왔다. 검은 옷을 입은 2명의 저승사자가 그녀를 데려 갈려고 할 때 돌아가신 시할머니가 물레를 돌리면서 우셨고, 역시 7살 먹은 딸도 울고 있었다. 그녀를 저승으로 데리고 가는 것이 옳지 않음을 알리기 위해 시할머니와 딸이 울었던 것이다.

이 저승사자들은 이정순씨의 양쪽 어깨를 붙잡고 이승과 저승의 경계인 강에 도착했다. 강 저쪽 저승에는 불빛이 밝게 빛나고 있었다. 그리고 수많은 나룻배들이 사람들과 말, 개, 소 등을 태우고 저승 쪽으로 가고 있었다. 사람뿐만 아니라 동물들도 죽으면 영체 또는 영혼은 저승으로 가는 것을 이정순씨는 보고 알았다.

만일 사람만 영혼[영체]이 있으면 사람만 나룻배를 타고 저승에 갈 텐데 동물도 함께 나룻배를 탔다는 것은 동물에게도 영혼이 있어 죽어서 사람과 함께 저승에 간다는 것을 상징한다.

시할머니와 딸의 눈물이 이 저승사자들을 감동시켰으므로 이정순씨를 놓아 주었다. 저승사자들은 3년 후에 다시 오겠다고 말하면서 사라졌다.

3년 후 그녀의 남편이 간경화로 죽었으며, 그녀는 지금 건강하게 살고 있다. 이 특이한 체험을 한 후 그녀의 인생관이 많이 바뀌었다.

대니언 브링클리씨와 이정순씨의 임사체험에서 알 수 있듯이 동물에게도 영혼이 있음을 알 수 있다.

「능엄경」에 다음과 같이 쓰여져 있다.

'만약 사람이 양을 잡아먹으면 양은 죽어 사람이 되고, 사람은 죽어 양이 된다. 이렇게 10종류의 생명들이 죽고 태어나며, 서로 번갈아 잡아먹는다. 이렇게 악업으로 함께 태어나서 미래가 다하도록 끝이 없이 진행된다. 이와 같은 현상은 도적과 같은 탐욕이 원인이다.

너는 나에게 생명을 빚지고 나는 너에게 생명의 빚을 갚는다. 이와 같은 인연으로 백천겁을 지내면서 항상 나고 죽는 생과 사의 윤회를 벗어날 길이 없다. 너는 나의 마음을 사랑하고 나는 너의 얼굴을 사랑하는 인연으로 백천겁을 지내면서 항상 얽히고 묶이는 그물에 걸려 있다. 얽히고 묶이는 그물의 원인은 살생, 도적, 음욕이 3가지가 본질적 원인이다. 약자를 죽이고 남의 것을 훔치고, 음흉한 탐욕으로 거듭되는 행위의 죄업으로 받게 되는 과보가 계속 이어진다.'

사람들은 고기 단백질을 먹어야 근육이 증강됨으로 건강해진다고 말하지만 틀린 말이다. 초식동물인 고릴라와 코끼리가 어마어마한 근육을 갖고 있는 것은 끊임없이 움직이고 걷기 때문이다.

사자나 호랑이 등 육식 동물은 육류를 소화시킬 수 있는 효소를 많이 갖고 있기 때문에 완전히 소화시킬 수 있지만 사람들, 특히 아시아인들은 육류를 소화시킬 수 있는 효소를 적게 갖고 있으므로 고기를 먹으면 완전히 소화되지 않는다. 따라서 소화되지 않은 고기는 장에서 부패하여 암모니아, 페놀, 유산, 질산, 초산 등 독성물질이 만들어진다. 또한 육류에는 섬유질이 매우 부족하므로 변비증을 잘 일으켜 위와 장의 건강을 크게 손상시킨다.

우유에는 칼슘이 많기 때문에 골다공증 예방을 위해서 많이 먹으라고 권장하지만 우유 소비가 많은 미국과 유럽에서 오히려 골다공증 환자가 많은 것은 아이러니가 아닐 수 없다.

특히 고기와 우유 등을 많이 먹으면 피가 탁해지므로 알레르기성, 자가 면역성 질병에 잘 걸리고, 암 등 질병에도 잘 걸린다. 그러나 섬유질, 비타민, 미네랄, 항산화 물질이 풍부한 잡곡, 채소, 해조류, 과일 등을 먹으면 피가 맑아지므로 고혈압이나 심장병 등의 치료와 예방이 잘 되고 건강해진다.

고기나 생선, 우유 등 고단백, 고산성 식품을 많이 먹으면 마이너스 칼슘 불균형이 될 수 있다. 마이너스 칼슘 불균형이란 과다한 단백질 등을 통한 칼슘의 흡수보다 배설되는 칼슘이 많다는 것을 의미한다.

이와 같은 산성 식품을 자주 먹으면 체질이 산성화 된다. 우리 몸은 이 산성 체질을 약알카리화 시키기 위해 체내의 칼슘 등 미네랄과 비타민을 소비한다.

여러 연구 결과 동물성 단백질을 많이 섭취하면 칼슘의 흡수보다 소비가 많아지므로 골다공증에 더 잘 걸리는 것으로 밝혀졌다.

카타리나 퀸(Katarina Kuühn)이란 젊은 여성은 스위스 출신이며, 미국의 대부호와 화려하게 살았으나 춤추는 도중에 갑자기 졸도를 했다. 이때 그녀는 특이한 영적 체험을 했다. 다른 임사체험자들처럼 그녀의 영혼이 하늘로 비상하는 가운데 선의 기운과 악의 기운의 힘겨루기 장면을 보았다.

310

한번은 그녀의 영혼이 선의 기운 속에 휘말리기도 했다. 결국 이 거대한 선과 악의 힘겨루기 한 가운데 그녀의 영혼이 지상에 떨어져 한 떨기 꽃으로 변한 장면을 목격했다.

이 임사체험을 한 미모의 카타리나 퀸은 부와 명예, 권력 등 세속적인 것들에 흥미를 잃었으며, 그 대부호와 이혼을 한 후 지금 스위스의 산골짜기에서 자연과 함께 평화롭게 살고 있다.

이와 같은 사실은 1986년 5월 세계 토픽에 뜬 기사이다. 부의 풍요로움 속에 아무 것도 하지 않고 춤이나 노래 등 유희를 즐기는 것이 큰 죄악임을 알고 스스로의 노력으로 사는 데 이 젊은 여성은 큰 보람을 느낀다. 다른 임사체험자들처럼 영적 세계를 체험했기 때문에 그녀의 인생관이 180° 바뀌졌다.

그녀의 임사체험에서 특이한 점은 그녀의 영혼 또는 영체가 한 떨기 꽃으로 전환되었다는 것이다. 불교에서 말하는 화생(化生)이 된 것이다.

꽃이나 식물도 중생이며 중생은 불성을 갖고 있으므로 함부로 꺾거나 손상시켜서는 안 된다. 그러나 꽃이나 식물은 씨를 뿌리면 다시 자라고 동물을 죽이면 그 고통이 심하고 피가 나지만 뿌리 채소를 캐고 잎을 딸 때는 동물의 죽음처럼 고통이 심하지 않다. 그러므로 채소나 과일 등을 가꿔서 거두고 먹는 것은 죄악이라고 말할 수 없다. 다만 채소 등 식물에 감사함을 느끼면서 섭취해야 한다.

스웨덴보그에 의하면 이 자연계에 있는 동물, 식물, 무생물들은 영계에도 있다. 영체가 인간처럼 이목구비 등을 갖추고 있는 것처럼 동물 등의 영체도 있다. 이 지상에 상응하는 생물, 무생물 등이 영계에도 있다는 것이다.

모든 생명체는 자연의 법칙에 의해서 생활하고 있으며, 그들만의 고유한 생존법칙을 존중하고 사랑해야 한다. 어떤 종교에서는 동물 등을 인간의 소유물이라고 규정하고 있으며, 살생을 해도 괜찮다고 한다. 이와 같은 인간 중심의 사고방식은 매우 잘못된 것이라고 스웨덴보그는 주장한다.

모든 생명체뿐만 아니라 산, 강 등 자연을 사랑하고 존중하는 사람들은 극락세계에 살 수 있는 자질을 갖추고 있다고 그는 주장한다.

자연계의 모든 생물과 무생물들은 서로 깊은 인과관계 속에 존재한다. 태양은 모든 식물을 성장시키고 나무와 숲은 산소 목재, 먹이 등을 공급함으로써 인간과 동물을 생존하게 한다. 그리고 각종 곡물과 채소는 영양분을 공급한다. 이와 같은 자연계의 질서와 인과관계는 영혼의 세계에도 그대로 적용된다고 스웨덴보그는 그의 저서에서 주장한다.

260년 전 스웨덴보그는 유럽에서 유명한 영매자[신령이나 망자의 영혼과 의사를 소통할 수 있는 매개자]로서 잘 알려져 있다. 그는 세계적으로 유명한 사람들이 죽었을 경우 저승에 가서 그 유명한 사람의 영체와 대화를 한 후 이 지상에 알렸다. 만일 그의 영매술을 의심하는 사람들이 있으면 직접 그들 앞에서 그들의 부모 영체들을 저승으로부터 데려 왔다.

한 번은 고대 그리스의 유명한 철학자이며 정치가인 키케로[Ciero, 106~BC34]와 영계에서 대화를 나눴다. 키케로는 스웨덴보그에게 다음과 같이 말했다.

"그러니까, 나는 당신의 말씀을 듣고 현대의 교회 관계자들 가운데 고대 교회에 있어서와 같이 마음이 탁 트이고 대오각성한 사람이 없다는 것을 알았다. 종교는 원래 아시아에서 일어나서 그 후 여러 나라에 전파되었다. 아시아에는 크게 깨달은 사람들이 많이 있다. 그러나 서구의 현대 학자나 종교 관계자들은 눈이 있어도 보지 못하는 마치 배움이 없는 사람 같소."

이 말 가운데 아시아의 크게 깨달은 사람은 스님이나 불교학자라고 나는 생각한다.

「화엄경」에서 화엄이란 여러 가지 꽃으로 장엄하게 꾸민다는 뜻이다. 깨달은 사람은 사람, 생물, 무생물까지도 꽃처럼 아름답게 보며 우리가 사는 이 사바세계도 만물의 꽃들이 만발한 꽃동산으로 본다.

겉으로 드러난 모든 생물, 무생물들이 관계가 없는 듯이 보이나 모두 불성을 갖고 있으며 서로 밀접한 관계 속에 얽혀 있고 동물이 사람으로 사람이 동식물로 윤회하기도 한다. 이 현상계도 진리의 세계이고 화엄의 세계이다. 이처럼 모든 존재들이 불성을 갖고 각자의 영역을 지키며 조화를 이루고 윤회한다. 그러나 깨닫고 진리를 실천한 사람은 윤회의 굴레를 벗어나 극락세계에 가서 영원히 행복하게 산다. 이 사상이 화엄의 중심 사상인 법계연기(法界緣起)이다.

업경대(業鏡臺)는 있는가?

　　부처님은 깨달으신 후 천안통, 천이통, 숙명통 등 여섯 가지 신통력을 얻으셨다. 숙명통이란 사람, 동물 등 중생들은 육도윤회(六道輪廻)하며, 수천 번 육도 윤회한 것을 전부 아는 신통력을 말한다. 자신의 불성 속에 수천 번 윤회한 사실이 모두 입력되었기 때문에 숙명통이란 신통력을 얻는다.

　　여래장[불성, 자성, 영체, 영혼, 정신]에는 공여래장과 불공여래장이 있으며, 공여래장에는 일생동안 했던 말과 행동, 의식이 저장되며, 불공여래장은 청정한 마음[불성, 자성, 영혼, 정신]을 뜻한다.

　　앞에서 언급했듯이 이 여래장이 꿈을 만든다고 말했다. 따라서 꿈과 꿈의 해몽을 통해서 사람, 동물 등 중생에게 여래장이 있음을 간접적으로 알 수 있다.

　　야마천의 신인 염라대왕이 업경대로 저승에 온 영체들을 비춰보면 여래장에 저장된, 일생동안 했던 말과 행동, 의식을 알며, 이 저장된 것들을 판단함으로 장래에 영혼의 갈 길을 심판한다.

314

미국의 저명한 대학인 스텐포드, MIT, 프린스턴대학의 양자 물리학자들은 생명이 살 수 없는 저승세계의 공간을 만들었다. 어떤 생명체도 살 수 없는 공간이 바로 저승세계이며, 저승세계를 만들기 위해서 두 가지 조건이 충족되어야 한다.

첫째, 절대 O도[섭씨 영하 273.15]를 유지함으로써 모든 생명체가 살 수 없도록 한다. 둘째, 완전 진공상태를 만듦으로써 역시 모든 생명체가 살 수 없도록 한다.

절대 O도의 방에는 어떤 생명체도 살 수 없다. 생명체는 열을 내면서 존재하지만 얼어붙은 공기밖에 없는 이 공간에서 생명체는 도저히 살 수 없다. 그러나 양자 물리학자들의 예상과 다르게 이 공간 속에서 빛을 발산하면서 살아 움직이는 것을 발견했다. 이것들이 원자, 전자, 이온인 미립자(微粒子)들이다.

절대 O도의 방을 완전 진공상태로 유지하면 더욱 더 생명체가 살 수 없다. 완전 진공상태를 유지하기 위해서 현미경으로 발견할 수 있는 모든 물질을 제거하고, 공기와 가스도 제거하며, 모든 전자파도 제거했다. 이처럼 이중으로 생명체가 살 수 없도록 만들었음에도 불구하고 역시 원자, 전자, 이온 등이 활발하게 작용하고 있었다.

대니얼 브링클리 등 많은 임사체험자들은 자신의 영체가 공중으로 상승할 때 자신의 영체를 유심히 관찰했다. 영체는 투명하며 육체처럼 눈, 코, 귀, 입 등 신체 조직을 갖고 있다. 또한 빛을 발산하고 있다.

어떤 영체는 매우 밝으며 하늘로 올라가는 속도도 빨랐다. 영체뿐만 아니라 이 우주에는 빛과 에너지로 꽉 차 있다고 깨달은 사람들은 말한다. 따라서 나는 꿈을 통해서 다른 사람의 음모나 건강 등을 알고 미래에 일어날 일 등을 알 수 있다.

영혼 또는 정신은 꿈을 만들며 영혼은 빛이고 에너지이기 때문에 이 우주 어디에든 없는 데가 없이 있으며 꿈을 통해서 인간에게 중요한 정보를 알려준다.

미국의 양자 물리학자들이 저승과 같은 공간에서도 원자, 전자, 이온 등 미립자를 발견했다. 이 발견은 사람의 마음, 몸뿐만 아니라 이 우주 어디에도 원자 등 미립자의 작용이 있음을 가르치고 있다.

원자 등 미립자[微粒子: 미분자]에 의해서 빛과 에너지가 만들어지며, 영혼이나 영체는 빛과 에너지이므로 영혼의 기가 흐르지 않는 곳이 없다. 따라서 석가모니 부처님처럼 깨달은 사람들은 모든 것을 모두 보는 천안통, 다른 사람의 마음을 아는 타심통 등을 갖는다.

한번은 스웨덴보그가 밤중에 그의 영체가 공중에 뜬 상태에서 침대에 누워 있는 자신의 육체를 보았다. 지붕 위 공중에서 자신의 목이 비틀어진 상태로 누워 있는 것을 보고, 저렇게 누워 있으면 목의 통증이 생길 것이란 생각이 들 때 그의 목이 정상으로 돌아왔다.

그의 체험을 통해서 영혼은 자연의 빛을 차단하는 지붕을 뚫고 볼 수 있는 능력이 있음을 알게 된다. 영혼은 사람들의 마음을 알고 무슨 병이 있는 것도 알며, 미래에 일어날 사건 등 모든 것을 아는 전지전능한 능력이 있음을 알 수 있다.

나는 꿈을 통해서 이 진리를 알게 되었다. 영혼의 기가 흐르지 않는 곳이 없다. 그리고 사람들은 꿈을 통해서 나처럼 형제나 지인들의 질병과 음모, 강도, 사고 등을 알고 예방할 수 있다.

절대 O도, 완전 진공상태에서 원자 등 미립자가 빛을 내면서 작용한다는 것은 원자 등으로 구성된 영체[영혼]는 죽지 않고 영원히 산다는 것을 말한다.

석가모니 부처님과 스웨덴보그는 한 번 극락세계 또는 천당에 화생으로 태어나면 즉, 영체가 극락세계에 들어가면 젊었을 때의 젊음과 아름다움을 유지한 채 그곳에서 영원히 산다고 말했다. 미국의 양자 물리학자들의 이론과 일치함을 알 수 있다.

E-P-R이란 실험이 있다. 이 실험을 통해 사람의 뜻과 말, 행동 등이 이 우주에 기록됨을 알 수 있다. 잘 모르는 두 사람에게 가벼운 대화를 하게 한 후 각각 패러데이 상자(Faraaday cage)에 들어가 있도록 했다. 이 상자는 전자파가 차단된 상자이다. 그리고 두 사람의 머리에 두뇌 활동을 그려내는 뇌파계(EEG)를 각각 연결시켰다.

그런 다음 이쪽 사람의 양 눈에 펜라이트[손전등]를 비추면 저쪽 사람의 뇌파에 어떤 변화가 일어나는가를 연구한 실험이다. 그 결과 놀라운 현상이 일어났다. 이쪽 사람의 눈에 펜라이트를 비췄을 때 동공이 좁아지면서 뇌파계에 미세한 두뇌 활동이 감지되었다.

저쪽 사람의 눈에 펜라이트를 비추지 않았음에도 불구하고 이쪽 사람의 뇌파계에서처럼 똑같은 두뇌 활동의 변화가 저쪽 사람의 뇌파계도 기록됐다. 두 사람 사이를 아무리 멀리 떨어지게 한 후 실험을 해도 똑같은 현상이 나타났다. 이와 같은 현상은 두 사람 사이뿐만 아니라 이 우주에 영류가 흐르기 때문에 나타난다고 말할 수 있다.

스웨덴보그는 저승에 있는 태양과 같은 광명에서 나오는 영적 힘을 영류(靈流)라고 불렀다. 이 영류는 영적 흐름 또는 영적 교류를 뜻한다. 특히 저승의 태양에서 나오는 영류는 영계인의 생명의 원천이며 활동 에너지이며, 영적 힘 또는 작용이다. 이처럼 수직적 영류가 있을 뿐만 아니라 수평적 영류도 있다. 영계인들 사이에서는 텔레파시로 대화를 나눈다.

앞에서도 언급했듯이 나는 꿈속에서 돌아가신 조부모님과 부모님과 의사를 교환하고 있다. 또 우주의 정신과도 교감하고 있다. 이와 같은 영적인 대화도 영류에 의해서 이루어진다고 말할 수 있다.

극락세계의 영계에서는 영계인의 뒤에 있으면 안 된다고 한다. 저승의 태양에서 나오는 영류가 너무 강해서 뒤에 있으면 뒤로 넘어진다. 스웨덴보그도 영계인 뒤에 있다가 이와 같은 경험을 했다.

이 같은 실험은 아인슈타인이 그의 동료 물리학자인 포돌스키 (Podolskay), 로젠(Rosen)과 함께 진행했기 때문에 E-P-R실험이라고 한다. 이 실험을 통해 사람의 행동이나 말, 뜻들이 자신의 영혼뿐만 아니라 이 우주에 기록된다고 말할 수 있다.

318

모든 사람들의 양심[참마음, 영혼, 정신]은 같으며, 우주의 정신과도 같다. 살인이나 강도, 음모 등을 아무리 어둡고 밀폐된 곳에서 했더라도 자신의 양심을 속일 수 없기 때문에 우주나 깨달은 사람의 양심을 속일 수 없다는 논리가 성립된다. 나는 꿈을 통해서 이와 같은 진리를 깨달았다.

영계에서는 거짓말을 할 수가 없다고 한다. 영체에 그 사람의 의식이 기록되었기 때문에 영체를 보기만 해도 그 사람의 의사를 알 수 있다고 스웨덴보그는 주장하고 있다.

인간의 양심은 육신 속에 가려져 있기 때문에 거짓말을 해도 알수가 없다. 그러나 깨달은 사람이나 영몽을 꾸는 사람들을 속일수는 없다.

대니언 브링클리는 전화 중 벼락을 두 번이나 맞고 임사체험을 하였으며, 살아있는 동안 지은 죄악을 저승에서 보았다. 그는 미 CIA요원으로서 남미 지역에서 총 등 무기를 팔았다. 자신이 판매한 무기 때문에 많은 사람들이 죽었으며, 죽거나 부상을 입은 사람들의 고통을 고스란히 그가 저승에서 받았다.

그는 1960년대 미국의 베트남 전쟁 참전 때 주요 시설물의 폭파 작업을 수행했다. 한번은 호텔을 폭파함으로써 수많은 사람들을 죽게 했고, 부상을 입혔다. 이 죄악의 보상으로써 그는 혹독한 고통을 당하기도 했다. 그는 이승에서 사소한 잘못을 저지르면 분명 저승에서 죄 값을 치르기 때문에 죄를 짓지 말 것을 신신 당부했다.

저승에서 그는 상담을 해주는 빛의 존재를 만났다. 이 상담자는 브링클리가 다시 태어나서 결혼할 때 이승에서 가장 사이가 좋지 않았던 사람과 결혼하기를 권했다. 사이가 좋지 않은 사람끼리 결혼하는 것은 영혼의 성숙 또는 발전을 위한 목적 때문이다.

만프레드 K[독일 남자 58세]씨는 교통사고 때문에 육체이탈을 경험했으며, 그의 영혼이 그의 일생에 있었던 사건 등을 TV화면처럼 공중에서 보았다. 즉 교통사고가 나서 그의 영체가 공중에 떠있는 장면에서부터 자신이 태어난 장면까지 일생동안 있었던 사건들이 기록된 것을 보았다.

만프레드 K처럼 많은 임사체험자들이 저승에서 일생의 기록들을 보았다. 그가 집에서 태어날 때 할머니가 산방에 들어와서 촛불을 켜는 장면도 보았다. 그가 기억할 수 없는 것들을 본 것이다.

박영문씨도 꿈속에서 저승을 체험했다. 극락세계와 지옥을 본 후 지옥의 굴로부터 그가 나왔을 때 한 권의 책이 펼쳐져 있었다.

폭력 조직에서 활동했던 그는 수많은 죄악을 저질렀다. 큰 죄는 빨간 글씨로 쓰여져 있었고 작은 죄는 파란 글씨로 쓰여져 있었다. 한번 지은 죄는 다른 죄로 연속되어지는 장면도 나타났다.

죄 가운데 가장 큰 죄는 오토바이를 타고 가던 도중 그의 친구가 뒷좌석에 탔었는데 그만 떨어져서 죽었던 것이다. 법적으로 과실치사였다.

이 책을 다 보았을 때 그의 죄가 얼마나 크고 많은 것을 확인했으며, 모두 사실임을 알았다. 이 책을 다 읽었을 때 하늘에서 '알

겠느냐?' 하는 소리를 들었다.

그는 이혼하려는 아내를 돕고 찬성하는 처가 사람들을 죽이기 위해 처갓집에 방화를 하려고 했으나 너무나 생생한 이 꿈을 꾸고 불을 지를 수가 없었다. 그는 폭력조직에서 빠져나와 지금은 신앙인의 길을 걷고 있다.

스웨덴보그는 중음계[죽은 사람의 영혼이 거쳐 가는 첫 영계]에서 심판받는 한 영체를 봤다. 죽어서 중음계에 온 영체를 정령이라고 한다. 검사하는 심판관 앞에 한 정령이 섰다. 이 정령은 육신이 죽어서 중음계에 와서 심판대에 섰다. 심판관은 우선 이 정령의 얼굴을 가만히 지켜보았다. 그리고 시선을 차차 가슴, 배, 다리, 손으로 집중해 갔다.

다른 정령들은 호기심 때문에 주위를 빙 둘러싸고 있는 이 장면을 보고 있었다. 그러자 땅에서 책장을 넘기는 소리가 들렸으며, 심판받는 정령 앞에서 한 권의 책이 한 장 한 장 펼쳐지고 있었다.

이 책에는 그 정령이 인간계에 있을 때 저지른 과거의 죄들이 낱낱이 기록되어 있었다. 뇌물을 받고 부정행위를 저지른 일 등이 자세히 기록됐으며 까마득하게 잊어버리고 있었던 죄까지도 적혀 있었다.

이 정령은 우리가 살고 있는 이 세상에서 학자였으며 저술가였다. 그 저서 내용까지도 전부 심판관 앞에서 밝혀졌다. 이 정령은 다음과 같이 자신의 심정을 밝혔다.

"이것은 내가 세상에 있을 때 저술한 저서이오. 그런데 어떻게 이 저서가 지금 여기에 나타났는가? 이 불가사의한 일을 어떻게 이해하란 말이오. 이 저서는 틀림없이 내가 인간계에 있을 때 쓴 것이오."

이와 같은 그의 의심에 대해 심판관은 다음과 같이 대답했다.

"나는 지금 그대의 영혼 속에서 그대의 죄들과 저작을 끌어내어 여기에 다시 나타나게 했다. 조금도 놀랄 필요가 없다."

여기에서 심판관은 정령의 영혼 속에 저장된 죄, 저서 등을 끌어냈다고 했다. 이 영혼이 불성인 여래장이다. 여래장에는 몸, 입, 뜻으로 지었던 업[카르마]이 전부 저장된다. 이 여래장을 공여래장이라고 한다. 신령스러운 작용을 하는 여래장을 불공여래장이라고 한다.

심판관의 지혜의 눈은 업경대와 같아서 얼굴에서 손까지 비추어보면 죄 등이 모두 나타난다. 스웨덴보그의 글과 많은 임사체험자들의 증언을 통해서 인간의 업이 전부 기록되어지고 있음을 알 수 있다.

절에 있는 명부전을 들여다보면 저승의 심판관들이 기록물들을 주시하고 있는 장면을 보게 된다. 이 기록에 육신이 죽어서 온 영체들의 행동이나 죄악, 말 등이 쓰여져 있다.

이 지구뿐만 아니라 우주 전체에 원자 등 미립자가 작용하고 있다. 원자 등 미립자가 모여서 빛과 에너지를 만들며, 영체는 빛과 에너지이다. 따라서 미립자가 있는 곳에 영혼의 기운이 흐른다.

이 우주 어디든지 영혼이 작용하고 있으며, 영혼의 발전과 향상을 위해 기록되어진다. 따라서 카르마와 업경대는 분명히 존재한다.

해탈, 연기, 운명

　연기(緣起)는 불교 이론의 근간이다. 또 연기는 만물과 현상의 일어남과 사라짐의 원리이다. 모든 존재는 스스로 생기는 것이 아니라 카르마[업]에 의해 인연이 맺어짐으로써 생기고 사라진다. 따라서 만물의 생노병사(生老病死)와 생주이멸(生住移滅), 즉 낳고, 늙고, 병들고 죽는 것과 낳고, 머물고 변하고 사라지는 것들의 원인에는 카르마란 인연의 법칙이 있다. 불교에서 연기는 생기고 소멸하는 법칙을 말한다.

　불경에는 이것이 생기면 저것이 생기고, 이것이 사라지면 저것이 사라진다는 말씀이 있다. 바람이 불면 물결과 파도가 생기기고 바람이 사라지면 물결도 생기지 않으며 바다가 고요하고 평온해진다.

　비가 내리는 이치도 인과론적이다. 즉 태양 빛이 작렬하기 때문에 바닷물과 강물이 증발하여 수증기가 되고, 이 수증기가 모여서 구름이 되며, 결국 구름이 모여서 비가 된다.

　인간 등 중생들은 이와 같은 물리적 현상과 다른 법칙에 의해서 생노병사가 진행된다. 인간은 불성과 육체로 이루어졌으며, 사람들이 죽음이라고 말하는 것은 육체적 죽음을 의미하며, 불성은 죽지 않고 윤회를 통해 영원히 산다.

그러면 죽지 않는 불성이 어떻게 육체를 만나서 이 세상에 태어날 수 있는가?에 대한 의문점이 생긴다. 여기에 카르마[업]가 크게 작용을 한다. 카르마는 사람의 행동과 말, 뜻[身口意]에 의해 이루어지며 이 카르마는 불성[자성, 여래장, 정신]에 전부 기록된다. 행위나 말 등이 우리의 정신[여래장, 영혼]에 기록되는 것은 과학적으로 증명되었다.

예를 들어 뺑소니 차량번호를 한번 보면 금방 잊을 수 있지만 정신에는 입력됨으로 최면을 걸면 회상해 낼 수 있다. 실례로 한 택시 운전사가 뺑소니 차량번호를 잊었으나 최면을 통해 회상했으므로 그 뺑소니 범인을 체포한 사실이 있었으며, 현재 각 경찰서에는 최면 전문 경찰관이 상근하고 있다.

연기법의 핵심은 인드라망[Indra's net : 불교의 연기법을 상징적으로 표현해 주는 말로써 불교에서 보는 세상에 대한 관점이라고 할 수 있다]이라고 한다. 인드라 그물 때문에 인연이 맺어지고 생노병사가 있으며 윤회가 있다고 한다.

부부나 부자 또는 모자, 형제자매 등의 인연이 바로 인드라 그물 또는 카르마 때문에 맺어진다. 인드라망은 범어에서 온 말이며 육안으로는 보이지 않지만 있다. 그물에는 헤아릴 수 없는 코가 있으며, 그물코는 많은 끈 등으로 이루어졌다. 그물의 코와 끈처럼 만물이 인연과 업으로 이루어졌다. 카르마에 의해서 인드라망이 이 우주에 펼쳐져 있다. 연기법에는 운명이 또한 내재되어 있다. 즉 연기법은 운명을 포함하고 있다. 카르마 때문에 인생의 길흉화복이 어느 정도 결정되어 있다.

나는 예지몽을 통해서 이와 같은 사실을 확인했다. 앞에서 언급했듯이 파독 광부 선발시험이 있기 전에 돼지 두 마리를 비행기에 싣고 입국하는 장면을 꿈속에서 봤다. 나는 이 꿈을 꾸고 선발시험에 합격할 수 있으며, 독일에서 성공적으로 일을 끝내고 고국으로 돌아올 수 있을 것을 확신했다.

실제로 나는 독일에서 광부생활 3년, 간호원 생활 7년, 자연치유사 생활 10년을 무사히 끝내고 귀국했다. 지금은 독일 정부로부터 매달 연금을 받고 행복하게 살아가고 있다.

이 단순한 꿈이 약 20년의 성공적인 독일 생활과 귀국을 상징하고 있다. 돼지는 연금, 돈 등을 상징한다. 그리고 약 20년 동안 나의 운명이 결정되어졌기 때문에 이 꿈을 꾸었다.

독일에서 한 꿈을 꾸고 약 1년 동안 나에게 생명의 위험이 있을 것을 알았다. 방죽의 둑이 터지면서 물이 흘러갔으며, 물이 흐르는 곳마다 땅이 꺼져갔으며, 나는 간신히 3번이나 이 구렁텅이에 빠지지 않고 피해 다녔다.

나는 머리에 물이 들어 있는 병을 갖고 있었으며, 이 물은 이관을 통해서 머리로 들어왔다. 이 물은 코로 숨을 쉴 때와 하품을 할 때 몸 밖으로 배출되며, 자주 코를 풀기 때문에 주변 사람들에게 불쾌감을 주었다. 특히 외국 사람이 이렇게 하기 때문에 그들은 나에게 적대감을 가졌으며, 나를 공격하려고 했으나 예지몽을 통해서 지혜롭게 피했으며 3번이나 이사 갈 수밖에 없었다.

지금은 나의 자연치유법으로 완치되었으나 그 당시에는 그곳이 외국이기 때문에 정말 매우 심각했다. 따라서 3번이나 이사를 하면서 그들의 공격을 피해 다녔다. 이 예지몽 속에 1년 동안 나의 운명이 고스란히 들어있다.

연기법으로 나의 병을 설명할 수 있다. 그 당시 나는 자동차를 많이 타고 다녔으므로 자동차 배기가스 등에 많이 노출됐다. 따라서 기관지, 코 등 상기도에서 분비물이 많았으며 재채기를 자주 했었다. 재채기가 나올 때마다 코와 입을 손으로 꽉 막았으므로 코, 구강 등에 있는 분비물이 이관을 타고 중이를 통해 머리로 들어갔다. 배기가스 등 공해물질과 나쁜 습관이 나의 질병을 일으켰으나 자연치유법으로 지금은 완치되었다.

스웨덴보그는 자신의 사망 약 1년 전에 그가 잘 모르는 존 웨슬리 목사에게 자기의 사망 날짜를 편지를 통해 알렸으며, 실제로 1년 후 꼭 그날 스웨덴보그는 죽었다. 존 웨슬리 목사는 영계 체험으로 유명해진 스웨덴보그를 만나려고 하였으나 만나지 못했다.

한 노부인은 지병으로 인해 죽었으며 그 저승사자와 함께 저승에 갔다. 먼저 죽은 자기의 남편을 만났으며, 지금 올 때가 아니라고 말하면서 3개월 뒤 봄에 오라고 그 날짜를 노부인의 손바닥에 적었다. 실제로 이 노부인은 3개월 후에 죽었다. 한번 임사체험을 한 사람들은 자신의 사망 날짜를 안다. 이처럼 사람들의 운명은 어느 정도 정해졌다.

326

불교에서는 이 세상에 태어나서 가족이나 친구 등의 인연을 맺는다든지, 병에 걸리는 등 모든 것은 자기 자신이 지은 카르마 때문이라고 주장한다. 신이나 다른 사람에 의해서 운명이 결정된 것이 아니다.

임사체험자들은 이 진리를 잘 알고 있다. 이 세상에서는 도저히 알 수 없는 문제들이 육체적 죽음을 통해 영혼[영체]이 육체로부터 분리되었을 때 풀리게 된다. 태양과 같은 밝은 지혜를 영혼이 갖고 있기 때문에 연기법, 운명 등을 안다.

대니언 블링클리[30세 미국인]씨는 전화로 통화를 하는 도중 번개를 맞고 임사체험을 두 번이나 했다. 그의 영체는 빛처럼 밝게 빛났으며 비상을 해서 중음계에 도착했다. 그 영혼은 그곳에서 한 빛의 존재를 만났으며, 그 빛의 존재는 블링클리씨에게 상담과 지도를 해주었다. 이 빛은 블링클리씨가 다시 태어나서 결혼할 때 전생에서 가장 사이가 좋지 않은 사람과 결혼할 것을 종용했다. 이 종용은 반강제적이어서 순응하지 않을 수 없었다고 블링클리씨는 술회했다.

이 세상에서 가장 좋지 않은 관계를 맺은 사람들에게 다음 생에서 부부 관계를 갖게 하는 것은 영적 발전 또는 깨닫게 하기 위함이다. 그 빛의 존재는 이 진리를 블링클리씨에게 전했다. 이 세상에서의 부부가 전생에서 원수였다는 우리 속담이 틀린 것은 아닌 듯 싶다.

기독교 신자인 블링클리씨가 임사체험 상태에서 불교의 연기론을 체험했다. 또한 블링클리씨는 죄를 짓지 말 것을 신신당부했다. 자신의 범죄로 인해 상대방이 받은 고통과 상처를 저승에서 전부 돌려받기 때문에 죄를 짓지 말고 선행을 많이 할 것을 강조한다. 영혼에 카르마가 전부 입력되었으며, 이 카르마로 인해 이승에서 부부, 부자, 모자, 형제자매 등의 관계가 형성된다고 말할 수 있다.

블링클리씨는 임사체험 상태에서 구 소련의 체르노빌 원전사고, 소련의 붕괴, 중동의 이라크 전쟁을 영상을 통해서 봤다. 그 빛의 존재는 이 세상의 모든 사람들과 만물이 서로 연관되어 있으며, 서로 사랑하고 아끼라고 말했다. 그리고 특정 종교에 얽매이지 말 것을 당부했다. 이와 같은 가르침을 위해 성전을 이 지상에서 건설할 것을 여러 번 당부했다. 이 빛의 가르침은 불교의 연기론과 같다. 인생의 여로에 수많은 사람들을 만난다. 도시에서 살면 하루에도 여러 사람들을 만난다. 어떤 만남은 우연처럼 느껴지지만 필연적일 수 있음을 나는 예지몽을 통해서 알았다.

약 7개월 전 김영숙[여, 66세]씨를 자주 공원에서 만나서 여러 이야기를 나눴으나 그 후에 김영숙씨를 만날 수 없어서 매우 궁금했다.

그 무렵 나는 다음과 같은 꿈을 꾸었다. 큰 병원의 옥상에 수많은 사람들이 일렬로 서 있으면서 밑으로 내려가기 위해 승강기를 기다리고 있었다. 바로 그 옆에 김영숙씨가 수심에 찬 모습으로 앉아 있으며, 그녀의 복부에 인공 항문용 변주머니가 부착되어 있었다. 내가 꿈속에서 그 변주머니를 제거했다.

이 꿈을 꾼 다음 날 버스 정류장에서 김영숙씨를 오랜만에 만났다. 꿈속에서처럼 그녀의 얼굴에 수심이 가득 찼다. 치질 수술을 약 6개월 전에 받았으나 수술 부위가 아물지 않아서 마음고생이 심했다. 특히 대소변을 볼 때 대소변이 수술 부위에 닿으므로 쓰리고 아팠다.

나는 간단한 요료법으로 치료될 수 있음을 가르쳐 주었다. 오줌으로 치킨 타올을 적신 다음 이 치킨 타올을 수술받았던 항문에 삽입하면 수술 부위가 잘 치료된다. 오줌 속의 요소는 항세균 항바이러스 작용을 함으로 상처나 수술 부위가 잘 치유된다. 약 3주일 후 나의 치유법으로 그 수술 부위가 완치됐다며 그녀는 나에게 감사함을 표했다.

나는 수개월 동안 만나지 못했으나 이 꿈을 꾼 다음 날 김영숙씨를 만난 것은 우연이 아니라 예정되어진 필연이라고 믿는다. 우주정신은 김영숙씨의 고통을 잘 알고 있었으며, 나를 통해서 치유될 수 있음을 잘 알므로 김영숙씨로 하여금 나를 만나게 했다. 꿈속에서 승강기, 버스, 기차, 비행기 등은 저승행을 상징한다. 또다른 꿈을 설명하면 사람들 사이의 만남이 우연이 아니라 필연적인 운명이란 사실을 알 수 있다.

2014년 5월 말에 나는 한 부인[77세]을 처음 만나서 그녀의 꿈이야기를 들었다. 그녀는 화순에 있는 쌍봉사에 가려고 하였으나 버스를 놓쳐서 이 근방에 있는 이 공원에 왔었다. 어젯밤 꿈에 쌍봉사 주지스님이 그녀에게 한 컵의 물을 주었으며, 그녀는 이 물을 옆에 있는 딸에게 주었다.

그 물의 색깔이 노란색이었다. 이 꿈을 꾸었기 때문에 오늘 쌍봉사에 가려고 했으나 조금 늦게 버스 정류장에 왔으므로 그 버스를 타지 못했다. 이 꿈에는 꿈의 동일시 현상이 있으며, 꿈의 동일시를 이해하면 금방 해몽할 수 있다. 이 꿈속에서 주지스님은 현실에서 나를 상징한다.

나는 불교를 어느 정도 이해하고 있으며, 불교가 진리라고 믿기 때문에 나는 그녀의 꿈속에서 주지스님으로 나타났다고 믿는다. 노란색의 물은 오줌을 상징한다.

앞에서 나는 오줌이 여러 질병의 치유 효과를 높인다고 여러 번 설명했다. 오줌은 눈에도 매우 좋다. 오줌은 백내장 등 질병뿐만 아니라 눈의 충혈, 통증 등의 예방과 치유 효과를 높인다.

오줌을 처음 배설하면 따뜻하지만 시간이 지나면 차게 된다. 이 찬 오줌에 안구를 담그고 안구를 사방으로 굴려주면 충혈과 통증 등이 사라진다. 잠자기 전에 하면 효과가 좋다.

오줌 속의 요소가 항세균, 항바이러스 작용을 하므로 상처나 염증 등의 치유 효과를 높인다. 이 민간요법은 오랫동안 이용되어 왔으나 잊혀졌다.

사실 그녀의 딸은 사무실에서 컴퓨터 작업을 많이 하므로 눈이 아프고 충혈이 된다고 이 부인에게 자주 말을 했다. 이 꿈속에서 이 노란색의 물[오줌]을 자기가 마시지 않고 딸에게 준 것은 이 때문이다. 그날 공원에서 내가 오줌의 효능에 대해서 그 부인에게 설명했을 때 그 부인은 딸에게 이 요료법을 전해 주겠다고 말했다. 독서를 많이 하는 나 역시 이 요료법을 실천하고 있으며 전혀 부작용을 일으키지 않는다.

이와 같은 그 부인의 꿈 해몽과 그 다음 날 그 부인에게 일어났던 사실 등을 분석하면 그 부인과 내가 공원에서 만났던 것은 우연이 아니라 필연적임을 알 수 있다. 우주 신은 전지전능함으로 컴퓨터 작업 때문에 그 부인의 딸 눈이 아프고 충혈된 것을 알았을 것이다. 이와 같은 눈의 질병은 점안 약 등 화학 약으로서 치료될 수 없으나 요료법으로 치료되며 부작용을 일으키지 않는다. 우주정신은 그 부인으로 하여금 이 요료법을 아는 나를 만나게 했다고 말할 수 있다. 따라서 어젯밤 꾸었던 그녀의 예지몽이 그 다음 날 현실화 되었다. 즉 그 부인과 내가 그 공원에서 만난 것은 우연이 아니라 필연이며 운명적이라고 말할 수 있다.

　사람들의 만남이 모두 필연은 아니며, 질병을 고친다든지 삶의 전환점을 가져오는 만남은 필연적이고 운명적이다. 앞에서 언급했듯이 나[정신, 영혼, 불성, 자성, 여래장]는 예지몽을 통해서 형제자매뿐만 아니라 많은 사람들의 질병을 수백 키로 떨어진 곳에서 알았으며 자연치유법으로 완치시켰다.

　꿈은 무의식[정신, 자성, 여래장]에 의해서 만들어진다. 즉 정신작용에 의해서 만들어진다. 정신은 무량광불인 아미타 부처님처럼 상상할 수 없는 지혜와 자비심, 덕성을 모두 갖추고 있으므로 꿈을 통해서 질병의 치유, 사고 등 미래에 일어날 일 등을 알린다.

　모든 사람이 갖고 있는 정신이 바로 아미타 부처님이다. 이 세상에서 일어나는 모든 사고나, 질병, 고통 등을 관세음보살은 알고 있으며, 우리들의 정신이 바로 관세음보살이다.

　나의 정신[참마음]이 아미타불이고 관세음보살이기 때문에 꿈을 통해서 뉴욕에서 일어난 9.11테러, 천안함 폭파사건, 북한의 대홍수, 형제자매, 지인의 질병을 알았다.

인과 또는 연기법에 의해서 질병에 걸리고 사고가 날 수 있어도 정신이 꿈을 통해서 질병의 예방과 치유, 사고를 예방할 수 있다. 따라서 정신이 인과와 연기 법칙을 해소하고 이 세상에서 건강하고 행복하게 살 수 있게 한다.

인간은 이성과 감성을 통해 사리를 판단하고 이해하지만 무궁무진한 정신의 능력을 안다는 것은 쉽지 않다. 그러나 꿈을 통해서 나는 정신이 아미타 부처님이나 관세음보살과 같은 능력을 갖고 있음을 알았다. 이 진리를 알고 실천하면 연기법에 의한 윤회의 굴레를 벗어버리고 이 세상에서 뿐만 아니라 극락세계에서 영원한 행복과 평화를 누릴 수 있다.

「반야심경」에 관세음보살이 반야바라밀다를 실천할 때 오온[(五蘊: 색·수·상·행·식 : 육체, 감성, 이성]이 빈 것을 참마음으로 비춰 보아 알며, 이 진리를 앎으로 모든 고통과 괴로움으로부터 벗어날 수 있다고 기록됐다.

반야정관(般若正觀)은 선정[명상]과 지혜를 말한다. 선정삼매 또는 명상삼매에 들면 정신이 통일됨으로 반야바라밀다[지혜]를 얻게 된다.

석가모니 부처님과 큰 스님들이 이와 같은 방법으로 깨달았다. 불성[자성, 영혼, 여래장, 아트만]은 태어나지도 죽지도 않으며 더럽지도 깨끗하지도 않으며, 증가하지도 감소하지도 않는다.

육체에는 생노병사가 있지만 불성은 그렇지 않으며 생노병사 뿐만 아니라 사성제[苦集滅道 : 고통, 고통의 원인, 소멸, 팔정도]도 없다. 이 진리를 알고 실천하면 결국 열반에 들고 해탈하게 된다. 사람들은 육안으로 보고 귀로 듣는 것 등에 의지해서 사리를 판단하지만 현상 속의 불성을 잘 모른다. 부처님들은 명상삼매[선정삼매]를 통해서 불성을 깨달았다.

나는 걸으면서 또는 제자리 걷기를 하면서 명상을 한다. 걸으면서 코로 숨을 천천히, 길게 깊이 들이쉬고 코와 입으로 천천히 내쉬면서 생각을 오직 호흡소리 또는 몸의 움직임에 집중한다. 이렇게 마음을 집중하면 정신이 통일됨으로 명료한 꿈을 꾸고 해몽할 수 있다.

해탈은 구속에 대한 반대 개념이다. 진리를 깨닫지 못한 사람들은 돈과 명예, 육체적 만족, 식욕 등에 집착한다. 이와 같은 현실적 가치관에 집착하고 얽매이면 부자유스럽고 해탈할 수 없다. 그리고 연기법과 윤회의 굴레를 벗어날 수 없다. 그러나 우리가 사는 이 세상이 무상하고, 모든 것이 허공처럼 비었으나 그 가운데 신령스러움이 있음을 알며, 참마음이 나뿐만 아니라 모든 중생들의 주인공이요 보물임을 알면 돈과 명예, 육욕, 식욕 등 오욕락에 대한 집착심이 사라진다. 나에 대한 이기심이 사라지고 연기법과 윤회를 벗어날 수 있다. 나와 타인 그리고 만물이 하나임을 알며 서로 사랑하게 된다.

인간이 오래 살아도 100년 밖에 못살지만 극락세계에서는 젊음과 아름다움을 유지한 채 무량광불 아미타불처럼 죽지 않고 행복하게 산다고 석가모니 부처님과 스웨덴보그는 주장한다.

양심에 따라 행동을 하고 선행을 많이 한 사람들은 극락세계에서 태어난다. 모든 사람들은 양심[정신, 영혼, 여래장, 자성]을 갖고 있으며 이 우주에 가득 찼다.

나의 양심과 타인의 양심, 우주의 양심은 같다. 따라서 자타가 따로 있는 것이 아니라 모두 하나다. 이 육신이 죽으면 양심은 심령이 되어 극락세계에 태어날 수 있으나 업장이 두꺼우면 끝없이 육체의 옷을 갈아입으면서 윤회를 한다.

길어야 백년인 인생을 투자해서 영원한 삶과 행복을 얻는 장사야말로 대박이 아니고 무엇이겠는가?

창조론과 범신론

현대의 과학자들은 인간, 동물, 식물 등이 진화를 통해서 만들어졌다고 주장한다. 약 50억 년 전에 지구라는 행성이 대폭발로 인해 만들어졌으며, 거대한 불덩이인 지구가 점점 식었으며, 지진과 화산 폭발 등으로 인해 지금의 모습을 하고 있다.

불덩이인 지구로부터 생긴 열과 에너지 때문에 수증기가 생겨 구름을 만들었으며, 이 구름들이 비를 만들어 이 지상에서 여러 식물이나 미생물들이 생기게 했다고 과학자들은 주장한다. 그리고 이 태초의 미생물들이 점점 진화하여 동물, 인간 등이 되었다.

진화론의 선구자인 찰스 다윈은 모든 생물들은 환경과 기후에 적응하기 위해 진화되어 간다고 주장한다.

에콰도르에서 수백 키로 떨어진 섬에 사는 이구아나는 해초 등 풀만 먹고 살지만 육지에 사는 이구아나는 곤충, 작은 동물, 식물 등을 먹는다.

이 섬은 지진 등으로 인해 생겼으며, 육지에서만 살던 이구아나는 태풍, 홍수 등으로 인해 이 섬에 강제 이주됐다. 이구아나가 이 섬에 왔을 때 곤충 등이 없었으므로 오직 해초 등만 먹는 채식주의가 될 수밖에 없었다고 과학자들은 추정한다. 이처럼 이구아나는 이 섬의 특성에 맞게 진화되어 가고 있다.

지금 지구 온난화로 북극의 얼음이 빨리 녹으므로 백곰이 수난을 당하고 있다. 바다가 얼어야 빙판 위에서 물범 등을 백곰은 사냥을 할 수 있지만 바다 물이 녹으므로 사냥을 할 수 없기 때문에 요즘 백곰은 불곰들처럼 풀이나 열매 등도 먹는다고 한다. 이처럼 먹이의 변화는 그 환경에 적응하기 위해 생물들의 진화를 촉진할 것이다.

구약에서 이스라엘의 하나님인 여호와는 태초에 하늘과 땅, 사람 등을 약 1주일 만에 만드셨다고 주장한다. 그러나 현대 과학자들은 이 창조설을 안 믿는다. 그 근거로서 과학자들은 화석과 지질 연구 결과를 제시하고 있다. 그 결과 지구의 나이를 약 50억년으로 추정한다. 또한 사람 등의 조상들은 바다에서 진화되어 왔다고 한다.

약 1개월 된 어린애의 태아와 물고기의 태아가 매우 유사하며, 사람들의 조상들이 물고기를 먹고 진화됐기 때문에 사람이 물고기를 식용으로 먹으면 건강해진다.

구약성서의 창조설에 의하면 인간의 역사는 아담과 이브로부터 시작된다. 성경 연구에 의해 이 지구와 인간의 역사를 알 수 있다. 이 연구에 의하면 이 역사는 고작 3000~4000년에 불과하다 라고 한다.

이스라엘의 하나님만이 이 우주와 만물을 창조하였기 때문에 신은 오직 한분이라고 주장한다. 그러나 스피노자 등 철학자들은 범신론을 주장한다. 이 우주와 만물에 신과 영혼[정신]이 있다고 한다.

불교는 범신론에 가깝다. 불경에 심즉시불(心則是佛)이란 말씀이 있는데, 이 뜻은 사람 마음이 바로 신이고 부처이다. 또한 석가모니 부처님은 6년 동안 고행하신 후 깨달았으며 이 우주와 만물에 불성이 있음을 알았다. 즉 범신론적 견해를 밝혔다. 그리고 이 우주와 만물은 창조된 것이 아니라 연기법(緣起法)에 의해서 만들어졌다고 주장하셨다.

기독교, 이슬람교, 힌두교[브라만교] 등 대부분 종교는 창조설을 주장하지만 불교만 연기론을 주장한다. 연기는 인연생기(因緣生起)에서 온 말이며, 인과법에 근거를 두고 있다. 원인이 있어야 결과가 생긴다는 인과법은 현대 자연과학의 근간을 이루고 있다.

이슬람교의 경우 기독교의 구약과 그 맥을 같이 하고 있다. 힌두교의 경우 브라만이 이 우주와 만물을 창조하였다고 주장한다. 이 창조론은 현대과학과 배치되지만 연기론은 현대 과학적 논리로 해명될 수 있다.

한국의 민간신앙은 범신론적이다. 산에는 산신, 바다에는 용왕신, 나무에는 목신이 있다고 주장한다. 육신이 죽은 후 그 영혼이 극락세계에 가지 못하면 중간 영계[중음계]에 머문다.

이 영혼들이 산, 나무 등에 머물면서 여자의 자궁 속에 들어가 윤회를 할 수 있다. 경우에 따라서 동물로 태어날 수 있다. 만일 이 영혼들이 사람 속에 들어가면 그 사람처럼 행세할 수 있다. 이런 현상을 빙의라고 한다. 귀신이 들어오면 정신분열증 증상이 나타난다.

나의 내면에 불성[자성, 영혼, 정신, 여래장]이 있기 때문에 꿈을 통해서 미래에 일어날 일, 타인의 마음 등을 나는 안다. 이 불성에 초자연적인 신의 능력이 있음을 나는 확신한다. 나뿐만 아니라 만물에 불성이 있기 때문에 만물에 신성의 능력이 있다. 불교에서 만물은 색[色: 물질]과 불성으로 이루어졌다고 주장한다. 이 색은 무상하고 비었으므로 본질이 아니다.

사람의 육체는 색이며 물질이다. 이 육체는 나이가 들면서 늙고, 병들며 결국 죽는다. 무상하고 허공처럼 비었다. 그러나 불성은 신처럼 극락세계에서 살 수 있다. 만일 선행을 적게 하고 악행을 많이 했다면 이 카르마 때문에 지옥, 짐승, 아수라 등 육도에 윤회할 수 있다.

인간은 감성과 이성을 통해서 사리를 판단하고 생활을 한다. 인간은 참마음을 갖고 있으며, 참마음이 눈에 있을 때 보여지고[안식], 귀에 있을 때 들리며[이식], 코에 있을 때 냄새를 맡고[비식], 혀에 있을 때 맛을 보며[설식], 몸에 있을 때 느낀다[신식]. 그리고 생각을 통해서 사리를 판단한다[의식].

이와 같은 여섯 가지 식을 6식(六識)이라고 하며 이 여섯 가지 식 때문에 감성과 이성의 작용이 생긴다.

참마음을 더 분석해 보면 제 칠식인 말라식과 제 팔식인 아뢰야식이 있다. 말라식은 나에 대한 주관적 관념을 말하며 자기 자신에 대한 높은 집착성과 애착성을 일으킨다. 아뢰야식이 바로 참마음의 본질인 불성이다. 안이비설신의(眼耳鼻舌身意) 즉 6식을 의식의 세계라고 하며, 제 7식과 제 8식을 무의식의 세계라고 한다.

꿈은 잠자는 동안 의식이 작용하지 않을 때 즉, 무의식상태에서 꾸어진다. 정신이 맑아야 무의식 작용이 활성화 되므로 예지몽 등 영몽(靈夢)을 잘 꿀 수 있다. 정신을 맑게 하기 위해서 명상[선정]을 하고 선행을 많이 하며 계율을 지켜야 한다.

인간은 지혜스러우므로 제 8식인 아뢰야식을 알고 깨달아 성불할 수 있다. 동물들은 희노애락 애증욕(愛症慾)의 감정에 빠져들기 쉬우며 본능적이다. 따라서 5식까지 사용할 수 있다. 식물들은 더 낮은 단계의 식을 갖는다고 말할 수 있다.

석가모니 부처님은 만물에 불성이 있다고 하셨다. 즉 불교는 범신론적이다. 앞장에서 언급했듯이 아인슈타인 등 과학자들은 우주와 만물에 정신이 있다고 주장했다. 우주와 만물은 인과의 법칙에 따르며 서로 얽혀서 존재한다. 정신[신, 영혼, 불성, 자성]이 이 우주와 만물에 들어 있다.

석가모니 부처님처럼 약 27년 동안 영계를 연구한 스웨덴보그는 극락세계에 태양처럼 밝은 빛이 있으며 이 광명이 영류(靈流)를 통해 영계에 직접 영향을 줄 뿐만 아니라 이 지상의 만물에도 간접적 영향을 준다고 말했다.

이 영류를 받아들이는 영혼이 사람뿐만 아니라 만물에게도 있다. 영계의 태양과 같은 광명이 아미타불[무량광불, 무량수불]이라고 나는 믿는다.

스웨덴보그는 많은 임사체험자들처럼 육체로부터 영혼[영체]이 분리된 현상을 체험했다. 그의 나이 57세 때부터 죽을 때까지 약 27년 동안 중간 영계[영혼이 처음 입문하는 저승], 극락세계, 지옥을 직접 보고 연구했다.

육체로부터 분리된 영체에도 눈, 코, 입, 귀 등이 있으며, 몸은 투명하며 빛을 발산한다. 이 영체는 빛의 속도보다 더 빠르며 수억 키로 떨어진 저승도 눈 깜짝할 사이에 간다.

이 영체는 신처럼 모든 것을 안다. 미래에 일어날 사건과 사람들의 마음 등을 모두 안다. 깨달은 사람은 천안통, 천이통, 타심통, 숙명통 등 여섯 가지 신통력을 가지며, 이 영체가 이 신통력을 갖고 있다. 아무리 멀리 떨어진 사람을 보고 싶으면 TV 화면처럼 그 사람이 나타난다.

이 스웨덴보그의 체험을 통해서 모든 사람에게도 영체[영혼]가 있음을 알 수 있다. 수많은 임사체험자들도 영체를 보고 이 신과 같은 영체의 능력을 알았다. 따라서 범신론적 견해가 옳다고 말할 수 있다. 불교에서는 인간과 신을 차별 없이 하나로 보고 있다.

스웨덴보그는 극락세계의 한 곳인 성운단체(星雲團體)를 방문했다. 성운단체는 인간으로 진화하기 이전 태고의 인간들의 영체들이 모여서 사는 극락세계이다. 이 단체는 일반 극락세계로부터 별처럼 멀리 떨어져 있다고 하여 성운단체라고 말한다. 이 영체들은 지금으로부터 수백만 년 전 이 지구에서 육신을 갖고 살았으며, 육신이 죽은 후 이 극락세계에 살고 있다.

이 성운단체에도 영도자가 있으며, 스웨덴보그가 방문하자 주위 사람들을 물리치고 반갑게 맞아주었다. 손님 대접이 매우 극진했다.

이 영도자는 영계의 역사를 매우 잘 알고 있다. 한 번은 수십만 명의 영체들이 함께 이 성운단체에 들어왔다. 수백만년 전 이집트의 나일강이 홍수로 범람하여 수십만 명이 죽었으며, 이 영체들이 모두 성운단체에 들어왔다고 이 영도자는 말했다. 이들의 영혼이 너무 순박하고 아름답기 때문에 육체가 죽은 후 영체들이 이 극락세계로 왔다.

이 영도자는 극락세계와 지구 관계를 황금시대, 백은시대, 청동시대, 흑철시대로 분류했다. 원시인간들의 영혼은 순박하고 아름답기 때문에 육신이 죽으면 곧바로 극락세계에 왔으므로 황금시대라고 불렀다. 그러나 과학문명이 발달하면서 사람들은 점점 악해졌으므로 극락세계로 오는 영체들이 심각하게 줄어들었다. 따라서 현대를 흑철시대라고 말했다.

이 스웨덴보그의 연구에서 인간은 진화된 것이지 창조되지 않았다는 것을 알 수 있다. 또한 원시인간도 현대인처럼 영혼을 갖고 있다. 즉 신과 같은 능력을 갖고 있으므로 범신론적이다. 그리고 한 번 극락에 가면 그곳에서 영원히 살 수 있음을 알 수 있다.

제3부
자연치유로 정복되는 질병들

◈ 간염, 간경변, 지방간

간은 대부분 바이러스에 의해 감염되지만 여러 약물과 화학물질에 의해서도 감염된다. 우리나라 국민은 간염 바이러스 보균자가 많은 것으로 잘 알려져 있다. 가장 흔한 간염은 A형, B형, C형이다.

만성간염은 증상이 차츰 심해지는 활동성인 것과 증상이 나타나지 않는 비활동성이 있다. 급성간염의 경우 면역력이 강한 사람이 휴식을 취하면서 병 관리를 잘하면 곧 회복된다. 그러나 면역력이 약한 사람의 경우 만성으로 진행된다.

간경변은 간의 조직이 딱딱하게 굳어져 제 기능을 못하는 간의 질병이다. 간경변은 전염성 간염 말기, 지방간의 말기, 알코올 등에 의한 간 손상에 의해 발생한다.

지방간은 간 조직에 지방이 쌓여 간이 제 기능을 제대로 못하는 간의 질병이다. 지방간은 내장에 지방이 많이 쌓이거나 음주 등으로 인해 발병된다. 지방간은 금주를 하고 운동, 식이요법 등에 의해 내장지방이 제거가 되면 치유된다.

예방과 자연치료

간염과 간경변은 식이요법, 물 · 요료법, 식물요법, 운동 등을 통해 치유된다.

▶ **물 · 요료법**

자기 오줌을 마시고 간염과 간경변이 치료된 사례가 전 세계적으로 많이 발표되고 있다.

김동식[64세]씨는 교통사고로 인해 출혈을 해서 수혈을 받았다. 이때에 B형 간염에 걸렸으며 만성으로 진행되었다. 그는 300ml[한 컵]씩 하루 3번 공복에 자기 오줌을 마셨으며, 물도 조금씩 마셨다. 간염에 걸리면 GOT, GPT[간효소] 수치가 오른다. 그의 GOT와 GPT수치는 각각 250u/L, 340u/L이지만 2개월 동안 요료법을 시행한 후 각각 55u/L과 39u/L로 뚝 떨어졌다. 정상 간효소 수치는 약 40u/L이므로 정상으로 돌아온 것이다. 또한 황달증, 설사, 만성 피로감, 미열 등도 사라졌다. 약으로 치료되지 않는 간염이 오줌과 물을 마시고 치료된 것이다.

오줌을 마시면 장에서 발효되어 유익균과 효소가 증식되고 부패균 등 유해균이 감소함으로 음식물의 소화 흡수가 잘되고 해독작용이 촉진된다. 따라서 면역력이 증강되어 간염이 치유된다고 말할 수 있다. 또한 오줌에는 인터페론과 요소가 들어 있는데 이 물질이 항바이러스, 항세균 작용을 하므로 오줌을 마시면 간염이 치유된다.

▶ **효소, 비타민, 미네랄, 섬유질이 풍부한 곡채식이를 할 것**

약 1분마다 약 2리터의 피가 간을 통과한다. 이 혈액 순환과정에서 대사작용, 해독작용 등이 이루어진다. 피가 맑아야 이 간의 작용들이 촉진된다. 잡곡, 견과류, 씨앗류, 채소, 해조류 등을 섭취하면 피가 맑아져서 간이 건강해지고 면역력이 증강됨으로 간염이나 간경변 등의 치유 효과를 높인다.

된장, 청국장, 고추장 등에 효소가 많이 들어 있다. 발효과정을 거친 식초 등에도 많으므로 다른 음식과 함께 이 발효 식품을 충분히 먹는다.

박은순[62세]씨는 만성 B형 간염 때문에 간암에 걸렸다. 간암이 상당히 진행되었으므로 병원에서도 치료를 받을 수 없었다. 그녀는 현미, 사과, 포도 등으로 만든 발효식초와 함께 채소, 해조류 등을 충분히 먹고 B형 간염과 간암을 완치시켰다. 이 사실은 신문과 방송을 통해 알려졌다.

박은순씨는 이 식초로 깍두기, 김치, 겉절이 등을 만들었으며, 된장과 다진마늘, 그리고 소량의 조청에 이 식초들을 넣어 초장을 만들었다. 상추, 쌈배추, 풋고추, 오이, 피망으로 이 초장을 찍어 먹었다.

▶ 무즙, 녹즙

나는 무즙으로 간경변 환자를 치유시켰다. 간염, 지방간, 담석증 치료에도 무즙의 치료 효과가 높다. 무에는 전분 분해효소인 아밀라제와 카탈라제 등 효소가 많이 들어 있어 음식물의 소화, 흡수를 촉진하고 독성물질의 배출을 활성화시킨다.

또한 무에는 유황 화합물과 비타민 C등이 많이 들어 있어 항염증, 항암작용을 한다. 이처럼 무에 들어 있는 여러 효소, 유황 화합물, 비타민 C 등이 간세포를 활성화 시키므로 간경변 등 간의 질병이 치유된다고 말할 수 있다.

무를 잘게 썬 뒤 믹셔기에 넣고 간 다음, 삼배 등을 이용해 무즙을 만든다. 무즙이 매우면 오렌지, 감귤, 사과 등을 무와 함께 넣고 즙을 만든다. 이 무즙을 한번에 200ml[작은 1컵], 하루에 2~3번 먹는다. 공복에 먹는 것이 좋다.

색전술 등 항암 수술을 받은 간암 환자가 녹즙을 먹고 10년 이상 간암이 재발되지 않는 사례도 많다. 녹즙의 재료는 케일, 신선초, 민들레, 돌미나리, 컴프리, 미나리 등이다. 녹즙을 먹으면 설사를 할 수 있으나 무즙은 오히려 설사를 억제한다. 따라서 무즙과 녹즙을 혼합해서 먹는다.

▶ 영지버섯 + 감초 또는 쑥 + 감초

영지버섯 45g과 감초 5g을 물 5리터에 넣고 달여서 한번에 250ml씩 하루 3번 공복에 먹는다. 이와 같은 방법으로 1~2개월 치료한 결과 만성 B형 간염의 완치율이 약 95%에 달한 임상 치료가 있다.

간부종, 황달, 통증도 사라지고 GOT, GPT수치도 정상으로 돌아왔다. 영지버섯과 감초는 고혈압, 저혈압, 천식, 간염 등 여러 질병의 치유 효과를 높인다. 이 달인 물을 냉장고에 보관하면서 따뜻하게 해서 든다.

쑥+감초 달인 물 역시 간염 등 치료에 이용되며 만족한 효과를 얻을 수 있다.

▸ 야채 수프

무, 무청, 당근, 표고버섯, 우엉으로 만든 야채 수프가 간염, 간경변, 위염, 위궤양, 췌장염 등의 치유 효과를 높이는 것으로 여러 임상실험을 통해 확인되었다. 다 테이시 가즈씨에 의해 이 치유 방법이 널리 세상에 알려졌다.

무 1개, 무청[무 1개], 당근 2개, 우엉 1개, 말린 표고버섯 8장을 잘게 썬 뒤 약 4리터의 물에 넣고 달여서 먹는다. 한 번에 200ml, 하루에 3번 공복에 마신다. 나머지는 냉장고에 보관하면서 먹는다.

 * 금연, 금주를 실천할 것.
 * 약물, 화학물질, 한약제의 섭취를 억제할 것.
 * 스트레스를 운동, 명상 등을 통해 풀 것.
 * 고지방, 고단백, 고탄수화물[예 : 삼백식품]의 섭취를 억제할 것.

◈ 감기와 독감(나의 꿈과 신종 유행성 독감 참조)

◈ 고콜레스테롤(고지혈증)

콜레스테롤 수치가 높으면 고혈압, 심장병, 뇌졸중 등에 걸리기 쉽다. 콜레스테롤은 크게 고밀도 콜레스테(HDL)과 저밀도 콜레스테롤(LDL)로 분류된다. HDL을 좋은 콜레스테롤, LDL을 나쁜 콜레스테롤로 부르기도 한다. 따라서 HDL이 높을수록, LDL이 낮을수록 건강에 좋다. HDL은 몸속의 지방질 등을 간으로 운반해 정화시키지만 LDL은 간으로부터 합성된 지방산을 혈관을 통해 각 세포에 전달하며, 전달하는 과정에서 지방산을 혈관 등에 떨어뜨린다. 그러므로 HDL이 높으면 혈관이 정화되어 고혈압, 심장병 등이 치유될 수 있다. 그러나 LDL수치가 높으면 혈관벽에 지방 덩어리가 쌓여 혈관 내경이 좁아진다든가 최악의 경우 막힐 수 있다.

적정 콜레스테롤 수치

적정 콜레스테롤 수치는 동서양인에 따라 다르다. 동양인의 총 콜레스테롤 수치는 240mg/dl 미만을 권장하지만 서양인의 경우 200mg/dl 미만을 권장한다.

HDL수치는 40mg/dl 이상, LDL 수치는 130mg/dl 미만, 중성지방[혈액성 지방] 수치는 150mg/dl 미만을 권장한다.

예방과 자연치료

▸ 물을 충분히 마실 것

물을 적게 마시면 피의 점도가 높아지고 피가 끈적끈적해지므로 혈액순환이 억제된다. 피는 산소와 영양분[포도당, 지방산, 아미노산 등]을 실어 각 세포에 전달하며, 세포들은 이 산소와 영양분을 이용해 에너지[ATP]를 만들므로 사람이 활동할 수 있다. 그런데 탈수로 인해 피가 끈적끈적해지면 피돌림이 억제됨으로 자연히 수십 조의 세포에 산소와 영양분을 공급할 수 없다. 그러므로 영양분이 에너지로 전환이 잘 안되므로 이 영양분이 체지방이 되고 중성지방과 총콜레스테롤 수치가 올라간다. 그러나 물을 충분히 마시면 혈류가 촉진됨으로 영양분과 산소가 잘 전달되어 세포의 에너지화가 활성화 된다. 자연히 내장지방 등이 감소하고 총콜레스테롤과 중성지방 수치도 감소한다.

나는 콜레스테롤 약을 먹고 있는 환자에게 하루에 1.5~2리터 물을 주로 공복에 마시게 권함으로써 치유시켰다. 물론 약도 끊었다.

▶ 유산소 운동과 근력운동을 할 것

걷기 등 유산소 운동을 하면 혈류가 촉진됨으로 세포에 영양소와 산소가 잘 공급된다. 또한 각 세포의 미도콘드리아는 이 영양분과 산소를 이용해 에너지를 만드는데, 운동을 하면 미도콘드리아의 작용이 활성화 되므로 지방산 등 영양분의 연소와 분해가 잘 된다. 자연히 체지방이 감소하고 총콜레스테롤과 중성지방 수치가 내려간다.

근력운동[예 : 아령 등을 이용한 근력운동]을 통해 근육이 증강되면 기초 대사량[활동이 없을 때 소모되는 에너지 량]이 증가함으로 중성지방과 총콜레스테롤 수치가 내려간다.

많은 연구 결과 유산소 운동 등을 하면 좋은 콜레스테롤[HDL]수치가 올라가고 LDL수치가 내려간다. 따라서 충분한 물 섭취와 운동을 함께 하면 상승효과가 나타난다.

나는 이와 같은 방법으로 많은 고혈압, 심장병 환자들을 치유시켰다. 걸으면서 심호흡을 하면 걷기만 할 때보다 더 체지방 분해가 촉진된다. 따라서 총콜레스테롤과 중성지방 수치가 내려간다.

심호흡을 하면 맥박이 빨라지고 혈류가 촉진되며, 세포는 지방산 등 영양분과 산소를 이용해 에너지를 잘 만들므로 체지방이 감소한다. 그러므로 총콜레스테롤과 중성지방 수치도 감소한다. 비가 온다든가 추울 때 실내에서도 천천히 걸으면서 심호흡을 한다.

▶ 비만을 해소할 것

내장에 지방 덩어리가 많이 쌓여 있으면 총콜레스테롤 수치도 올라간다. 내장에 있는 지방은 직접 간으로 들어가 효소의 작용에 의해 지방산, 콜레스테롤, 중성지방 등으로 전환된다. 따라서 내장지방이 많을수록 총콜레스테롤 수치도 올라간다.

내장지방은 운동, 식이요법과 충분한 물 섭취, 금주 등에 의해서 해소된다[비만편 참조]

▶ 결명자

결명자에는 안즈라퀴논 유도체라는 성분이 들어 있어 콜레스테롤과 혈압을 내리고 심장병, 동맥경화증의 치료 효과를 높인다. 또한 결명자는 간장, 신장, 눈의 건강을 향상시킨다.

하루에 결명자 25g을 1.5리터의 물에 넣고 달여서 여러 번 나눠서 특히 공복에 많이 든다. 총콜레스테롤 260mg % 이상 동맥경화증 환자를 상대로 한 임상실험에서 4주 동안 치료한 결과 약 87mg %가 내려갔다.

‣ 갑상선기능저하증을 치료할 것

갑상선기능저하증 환자는 LDL콜레스테롤 상승과 HDL 저하로 인하여 고혈압, 동맥경화, 심장병 등에 걸릴 가능성이 높다. 갑성선 호르몬은 대사작용을 촉진함으로 LDL 수치를 낮추고 HDL 수치를 높인다. 그러나 갑상선 기능이 약해서 발병된 이 환자의 경우 LDL 수치가 높고 HDL 수치는 낮다. 따라서 갑상선기능저하증을 치료해야 한다.

규칙적인 운동과 식이, 물 · 요료법, 호르몬요법 등에 의해서 갑상선기능저하증이 완화된다.

‣ 마늘과 양파

마늘과 양파는 다른 어떤 식품보다 콜레스테롤 수치를 낮추는 것으로 여러 연구결과 밝혀졌다. 마늘에는 알린이란 유황 화합물이 들어 있어 콜레스테롤 수치를 낮추는 것으로 추정한다.

양파의 성분은 황화수소, 메르캅탄, 디설파이드류, 트리설파이드류, 알데히드 등이다. 이 성분들은 마늘의 알린처럼 휘발성이며 유황 화합물이다. 이 성분들이 콜레스테롤을 낮추는 것으로 알려졌다.

‣ 비타민 C, E, 베타카로틴 등 항산화 물질

여러 임상실험 결과 혈중 비타민 등 수치가 오르면 HDL 수치가 오르고 LDL과 중성지방 수치가 내려가는 것으로 밝혀졌다. 이와 같은 항산화 물질은 체내에서 활성산소를 억제함으로 좋은 콜레스테롤 수치를 올리고 나쁜 콜레스테롤을 내린다.

이 영양소들을 합성된 제재를 통해서 얻는 것보다 채소, 과일 등 식품을 통해서 획득하는 것이 바람직하다. 비타민 보충제를 복용할 경우 과다복용에 의한 부작용이 생길 수 있으나 식품을 섭취할 경우 영양소의 과다 복용할 우려가 없다.

◈ 고혈압

고혈압은 잘못된 식습관과 생활습관 때문에 발병됨으로 생활습관병이라고 한다. 심장은 수축과 이완작용을 통해 동맥으로 피를 보내고 정맥으로부터 피를 받아들인다. 이때 생기는 압력을 혈압이라고 한다. 피가 맑고 혈관이 건강하면 정상혈압을 유지하지만 그렇지 않으면 혈압이 높다.

예방과 자연치료

건강 증진을 위한 식이, 충분한 물 섭취, 운동, 금연, 금주, 카페인 섭취 억제, 스트레스 해소 등에 의해서 치료될 수 있다.

▶ 충분한 물 섭취
김정현(76세)씨는 최고 혈압이 180, 최저 혈압이 110이었다.

김씨는 하루에 약 2리터의 물을 6주 동안 마시고 최고 혈압이 130, 최저 혈압이 85로 나타났다.

물을 적게 마시면 피가 걸쭉해지고 끈적끈적해지므로 피의 흐름이 약하다. 따라서 심장이 펌프질을 해서 동맥으로 피를 보낼 때 피의 흐름이 약하므로 혈압이 오를 수밖에 없다. 그러나 물을 충분히 마시면 피가 묽어지고 피의 점도가 낮아지므로 혈관에서 피의 흐름이 촉진된다. 그러므로 피가 심장에서 동맥으로 들어갈 때 압력이 낮아져 정상 혈압이 된다. 김정현씨 뿐만 아니라 많은 고혈압 환자들이 물을 충분히 마시고 고혈압을 예방하고 치료하고 있다.

▶ 물 · 요료법

오줌에는 유로키나제, 칼리크레인, 프로스타글란딘 등의 성분이 들어 있으므로 오줌을 마시면 혈관 확장, 혈류 촉진작용이 일어나 고혈압이나 심장병 등이 치료된다. 물을 마셔야 오줌이 만들어지므로 오줌과 물을 각 4컵, 2컵씩 하루에 마신다. 오줌은 공복에, 물은 식사 후와 공복에 마신다. 오줌이 짜면 물을 타서 마시고 수분이 많은 과일을 먹으면 물의 양을 줄인다.

▶ 비타민, 미네랄, 항산화 물질, 섬유질

김경진(63세)씨는 고혈압 환자로써 혈압 약을 복용하였으나 현미, 조, 콩, 보리 등으로 만든 잡곡밥과 각종 채소, 미역, 다시마 등 해조류를 약 8주 동안 먹고 혈압 약을 끊었다.

비타민, 미네랄, 항산화 물질은 피를 맑게 하므로 혈류를 촉진시킨다. 또한 세포가 포도당, 지방산 등을 이용해 에너지[칼로리]를 만들 때 이 영양소들을 잘 분해하고 연소시킨다. 즉 비타민, 미네랄 등은 이 거대 영양소들의 대사작용을 촉진시킨다.

잡곡밥, 채소, 해조류에는 비타민, 미네랄, 항산화 물질이 많이 들어 있으므로 이 음식을 먹으면 혈액순환과 대사작용이 촉진된다. 따라서 심장에서 동맥으로 피가 들어갈 때 피의 압력[혈압]이 낮아진다. 우리의 전통적 식이를 통해 많은 고혈압 환자들이 치유되고 있다.

▶ 비타민 C, 칼륨, 마그네슘

특히 비타민 C, 칼륨, 마그네슘 등은 피를 맑게 함으로 피의 흐름을 촉진하여 혈압을 정상화 시킨다. 잡곡이나 채소, 해조류, 과일 등에 이와 같은 비타민과 미네랄이 풍부하게 들어 있으므로 전통 한국적 식이를 실천하면 약 없이 고혈압이 치유된다. 충분한 물 섭취와 함께 하면 더욱 치유 효과를 높인다.

▶ 운동을 규칙적으로 할 것

걷기 등 운동을 하면 심박동수가 올라가고 혈액 순환이 촉진된다. 피가 혈관에서 잘 흐를 때 심장에서 동맥으로 피를 보낼 경우 저항이 낮아지므로 피의 흐르는 압력[혈압]이 정상이 된다.

또한 운동을 하면 소위 좋은 콜레스테롤[HDL] 수치가 올라가고 나쁜 콜레스테롤[LDL]수치가 낮아진다. HDL수치가 오르고 LDL

수치가 낮아지면 혈관 내경이 좁아지고, 혈관이 굳어지는 동맥경화증이 치료될 수 있다. 동맥경화증 환자는 고혈압증을 함께 갖고 있다. 동맥경화증은 혈류를 억제시킴으로 고혈압을 일으킨다. 그러나 운동을 하면 동맥경화와 고혈압이 치료될 수 있다. 걷기, 자전거 타기, 수영 등 유산소 운동이 좋다. 당뇨, 복부 비만이 있어도 고혈압에 걸리며, 운동을 하면 혈당이 내려가고 복부 비만이 해소됨으로 고혈압도 치유될 수 있다. 걷기를 할 때는 심호흡과 함께 한다.

▶ 명상, 운동 등을 통해 스트레스를 해소할 것

정신적 과로, 번뇌, 불안, 잡념 등 만성적 스트레스 상태에 있으면 부신피질에서 아드레날린이 분비되어 혈관을 수축시킴으로 혈압이 오른다. 즉 혈관이 수축되면 혈류가 억제됨으로 혈압이 오른다. 그러나 명상 등을 하면 마음이 맑아지고 번뇌, 잡념 등이 생기지 않으므로 스트레스가 해소되어 혈압이 내려간다. 걸으면서 생각을 오직 숨소리, 몸 동작 등에 집중하면 명상의 효과가 나타난다.

나는 매일 맑은 공기 속에서 걸으면서 숨을 천천히, 길게, 깊이 코로 들이쉬고, 천천히 코와 입으로 내쉰다. 이때 생각을 오직 이 호흡할 때 나오는 소리와 몸 상태에 집중한다.

▶ 흡연과 과음을 억제할 것

흡연을 하면 혈관이 수축됨으로 혈압이 오른다. 따라서 금연을 해야 한다. 또 술을 많이 마시면 탈수증이 생기고 활성산소가 많이 발생함으로 혈관에 염증이 생겨 동맥경화증이나 고혈압에 걸리기 쉽다.

▶ 나토키나아제

나토키나아제는 청국장에서 추출한 것으로 여러 연구 결과 혈압을 낮추고 부작용을 일으키지 않는 것으로 밝혀졌다. 매일 청국장을 끓여서 먹어도 혈압이 내려가지만 나토키나아제처럼 혈압 하강 효과는 낮다.

▶ 셀러리

셀러리 약 110g[1일 섭취량]을 약 2주 동안 먹으면 혈압이 평균 12~14% 낮아지고 콜레스테롤 수치도 약 7% 낮아진다는 연구 결과가 있다. 셀러리, 무, 소량의 물을 믹서기에 넣고 갈아서 먹으면 좋다. 하루에 2~3번 나눠서 든다.

* 결명자, 메밀, 다시마, 미역, 양파, 마늘, 영지버섯 등이 혈압을 내리는 것으로 연구 결과 밝혀졌다.

* 육류 등에 많이 들어 있는 포화지방, 마가린, 과자, 라면 등에 많은 트랜스지방의 섭취를 억제할 것. 이 지방들과 음식들은 혈액의 점도를 높이고, 피를 끈적끈적하게 하므로 혈류를 억제시킨다. 따라서 고혈압이나 동맥경화, 심장병 등을 일으킨다.

* 백미, 흰 밀가루, 설탕 등 당부하지수[GL]가 높은 식품의 섭취를 억제할 것

* 음식을 짜게 만들어 먹지 않는다.

◈ 뇌졸중(중풍)

뇌졸중은 뇌의 혈관이 터지거나 막혀서 뇌 조직이 괴사되는 것을 말한다. 뇌 조직이 괴사되면 한쪽 팔다리가 움직이지 않거나 말이 어눌해지고, 기억력이 약화될 수 있다. 한번 괴사된 조직은 새로 재생되지 않으나 운동과 식이요법 등을 통해서 후유증을 많이 줄일 수 있다.

뇌졸중은 우리나라에서는 중풍이라고 부르며, 점점 증가 추세에 있다. 한번 뇌졸중에 걸리면 반신불수가 되기 쉬우므로 예방이 매우 중요하다.

뇌졸중의 전조 증상

* 얼굴, 팔, 다리의 한쪽이 갑자기 무감각해지거나 약해진다.
* 한쪽 또는 양쪽 눈이 갑자기 보이지 않거나 희미하게 보인다.
* 말을 하거나 이해하는 능력이 약해진다.
* 걷기가 힘들고 몸이 뜻대로 움직이지 않는다.
* 특별한 이유 없이 어지럽고 두통이 심하다.

이와 같은 한 가지 이상 증상이 나타나면 긴급히 병원을 방문해서 진찰을 받아야 한다. 즉각적인 응급치료는 발병을 억제한다.

예방과 자연치료

뇌졸중의 완치율은 낮으며 재발 가능성이 매우 높으므로 건강 증진을 위한 식이, 운동 등을 철저히 실천해야 한다. 뇌졸중의 요인인 고혈압, 동맥경화, 심장병, 당뇨, 비만증, 고콜레스테롤증 등을 먼저 치료해야 한다.

충분한 물 섭취, 요료법, 전통 한국적 식이, 규칙적인 운동 등을 통해서 이와 같은 질병들을 완치시킨다든가 완화시킬 수 있다.

[그림 1] 시간대별 뇌졸중 발병률[자료: 통계청 2003년]

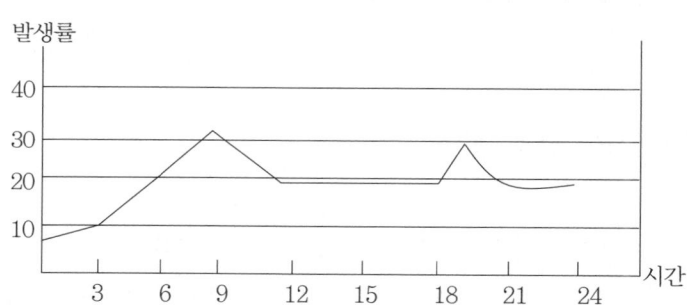

▶ 충분히 물을 섭취할 것

고혈압 비만편에서 언급했듯이 물을 하루에 1.5~2리터를 마시면 피의 점도가 낮아져 혈액순환이 촉진되고 총콜레스테롤 수치가 낮아진다. 또한 혈압, 혈당 수치가 낮아지고 비만증 환자일 경우 체중이 감소한다.

나는 많은 심혈관 환자들에게 충분한 물 섭취를 권유함으로써 치유시켰다. 밤에 잠자는 동안 사람들은 물을 잘 마시지 않으므로 새벽에서 오전까지 혈액의 점도는 매우 높아 끈적끈적해져 혈전[핏덩어리, 피떡]이 잘 생긴다. 따라서 그림에서 보듯이 뇌졸중은 새벽에서부터 꾸준히 증가하여 오전 9시경에 절정에 달한다. 그러나 물을 충분히 마시면 뇌졸중 등 심혈관 질병의 예방과 치유 효과를 높인다. 특히 노인들은 탈수상태에 있으면서도 갈증을 느끼지 않아서 위험하다.

노인들의 뇌졸중 발병률이 매우 높으므로 이런 사람들은 낮뿐만 아니라 취침 중 잠이 깼을 때, 그리고 아침에 일어나자마자 물을 자주 마셔야 한다.

뇌졸중이나 심장병은 아주 더운 여름과 매우 추운 겨울에 자주 발병된다. 심하게 더우면 땀을 많이 흘리게 되므로 혈액의 점도가 높아져 피가 끈적끈적해진다. 따라서 혈류가 억제되어 혈압이 오르고, 피의 응고[혈전]가 잘 생겨 뇌졸중과 심장병에 잘 걸린다. 그러므로 땀을 많이 흘릴 때에는 더욱 많이 물이나 보리차, 옥수수차 등 수분을 많이 섭취해야 한다.

더울 때 땀을 많이 흘린 후 선풍기나 에어컨을 작동시킨 뒤 잠을 자는 경우가 많은데 이와 같은 행위는 매우 위험하다. 잠을 자면 체온이 약간 내려간다. 여기에다 에어컨 등을 켜면 혈관이 수축되므로 혈액순환이 더욱 악화되어 뇌졸중이나 심장병에 잘 걸린다. 덥다고 실내온도를 너무 낮추지 말자. 이와 같은 잘못된 관습 때문에 7~8월에 이 질병들에 잘 걸린다.

▶ 요료법

오줌에는 혈관확장 작용, 혈류촉진 작용, 혈액응고 억제작용 등을 하는 물질들이 들어 있어 혈전생성을 억제하고 혈액순환을 촉진함으로 뇌졸중 등 심혈관 질병의 예방과 치유 효과를 높인다.

김효심[여, 82세]씨는 뇌졸중의 전조 증상인 어지럼증과 두통 때문에 아스피린 등 여러 약을 먹었으나 치료되지 않았다. 나는 이 할머니에게 요료법을 권유하였으며 하루에 아침, 점심, 저녁식사 전 각각 1컵씩 3컵을, 약 1개월 정도 마신 후 할머니의 두통과 어지럼증은 사라졌다. 이 할머니는 부끄럽기 때문에 다른 사람들에게 약을 먹고 치료하였다고 말했으나 나에게는 사실대로[요료법] 말했으며 감사함을 표했다.

물을 먹어야 오줌이 만들어지기 때문에 물도 함께 먹어야 한다. 그리고 오줌이 짜면 물 또는 보리차 등을 타서 함께 먹는다. 물만 마시는 것보다 오줌과 물을 함께 마시는 것이 뇌졸중 등 심혈관 질병의 예방과 치료 효과를 높인다. 토마토와 배, 사과 등 과일을 먹을 경우 물 섭취량을 줄일 수 있다.

당뇨 환자일 경우 음료를 자제할 필요가 있다. 소변에 당이 많이 들어있기 때문이다. 이 당뇨 환자는 물만 마시면서 하루에 1500 칼로리 이상 음식을 섭취해서는 안 된다.

▶ 칼륨, 비타민 C, A, E 등이 풍부한 전통 음식물을 섭취할 것

여러 학자들의 연구 결과 비타민 C, A, E는 동맥과 정맥을 튼튼하게 하고 혈류를 촉진한다. 각종 채소, 다시마 등 해조류, 현미 등 잡곡, 콩, 씨앗류, 견과류 등에 이와 같은 영양소들이 풍부하게 들어 있다. 또한 섬유질도 많이 들어 있어 혈압, 혈당 수치를 낮추고 배변을 촉진한다. 칼륨 역시 혈압을 낮춘다.

들기름은 오메가 –3가 많이 들어 있으므로 혈류를 촉진한다. 나물 등 음식을 만들 때 함께 먹는다. 토마토, 마늘, 양파, 부추, 삼채 등이 심혈관 지병의 예방과 치유 효과를 높인다. 고혈압이 있을 경우 나토키나아제를 복용하는 것이 좋다.

▸걷기나 운동을 규칙적으로 할 것

운동은 뇌졸중의 예방과 치료를 위해 필수적이다. 걷기 등 유산소 운동뿐만 아니라 근력운동을 하면 혈압, 혈당, 콜레스테롤 수치가 내려감으로 뇌졸중의 요인인 고혈압, 당뇨병, 비만증 등의 증세가 완화되고 경우에 따라서 치료될 수 있다.

김점순[서울, 67세]씨는 서서 산을 오를 수 없었으므로 양쪽 발과 손을 이용하여 집 근방에 있는 작은 산을 오르고 내려왔다. 그는 뇌졸중 때문에 한쪽 팔과 다리에 장애가 있었으나 이처럼 맑은 공기 속에서 양쪽 손과 발을 이용하여 등산을 약 2년 동안 하여 신체의 장애를 극복했다. 즉 그는 뇌졸중 이전처럼 손과 발을 정상인처럼 움직일 수 있었다.

김필상[남, 49세]씨는 역시 뇌졸중 때문에 한쪽 팔과 다리의 장애를 가졌다. 그는 장애인임에도 불구하고 길이 없는 야산에서 양손으로 나무를 자르고, 돌을 치우는 등 일을 하면서 약 2년 동안 길을 만드는 사이에 불구가 되었던 한쪽 손과 발이 정상으로 회복되었다. 김점순, 김필상씨의 불구가 되었던 한쪽 발과 손은 정상으로 회복되었지만 CT 등을 이용한 뇌 촬영 결과 뇌졸중 때문에 괴사된 뇌 조직은 전처럼 그대로 남아있는 것으로 밝혀졌다.

뇌졸중이 발병되면 한쪽 팔과 다리에 장애가 있을 수 있지만 맑은 공기 속에서 끊임없이 운동을 하고 양쪽 손과 발을 많이 움직이면 건강한 상태로 회복될 수 있다.

▶ 발끝치기를 할 것

박민주[28세]씨는 6년 전 오토바이 사고로 중상을 입었으며, 뇌출혈 상태가 되었다. 전혀 움직일 수 없었으므로 수년 동안 병상생활을 할 수밖에 없었다. 물론 발도 움직일 수 없었으므로 그의 어머니가 양손으로 그의 양발을 붙잡고 발끝치기를 시작해서 지금은 잘 걸을 수 있다. 또한 뇌출혈 부분이 이 발끝치기를 통해 크게 개선된 것이 영상으로 확인되었다. 발끝치기 방법은 '당뇨병편'을 참조할 것.

▶ 경동맥을 위한 운동을 할 것

경동맥을 통하여 뇌에 혈액이 공급된다. 경동맥은 목의 양 옆쪽을 지나가는 동맥이며, 이 동맥이 동맥경화증에 걸리면 뇌세포에 충분한 혈액을 공급할 수 없다. 따라서 경동맥경화증에 걸리면 뇌졸중 발병률이 높다.

목을 뒤와 옆쪽으로 약 10초 정도 돌려준 상태를 유지한 후 다른 쪽도 이와 같이 한다. 이처럼 목을 자주 스트레칭해 주면 뇌의 혈류가 촉진됨으로 예방과 치유 효과를 높인다. 머리를 360˚ 돌려주는 운동도 경동맥의 스트레칭 효과를 일으킨다. 왼쪽에서 오른쪽으로 또는 오른쪽에서 왼쪽으로 머리를 돌려준다. 화장실에서 일을 볼 때에도 이와 같은 목 운동을 한다

▶ 고지방, 고단백질 식품의 섭취를 억제할 것

이와 같은 식품은 피를 흐리게 하고 혈압을 올리며, 체질을 산성화 시켜 뇌졸중 등 심혈관 질병의 발병률을 높인다. 또한 설탕, 액상과당, 시럽, 흰 밀가루 등은 혈당과 인슐린 수치를 급상승시켜 호르몬 분비를 교란시킴으로 당뇨, 비만, 고혈압, 뇌졸중을 일으킬 수 있다.

* 금연과 금주를 실천한다.

▶ 온수 목욕이나 샤워할 때 조심할 것

뜨거운 물속에 갑자기 들어가면 체온이 급상승함으로 뇌졸중이나 심장병 등 심혈관 질병에 걸리기 쉽다. 따라서 욕탕에 들어가기 전에 먼저 온수로 몸을 씻은 후 욕탕에 들어간다. 집에서 목욕할 때는 미지근한 물을 먼저 욕탕에 넣은 뒤 욕탕에 들어간다. 그런 다음 따뜻한 물을 점점 공급한다.

◈ 당뇨병

당뇨병에는 제1형 당뇨병과 제2형 당뇨병이 있다. 어린이들이 제1형 당뇨병에 잘 걸린다고 하여 소아형 당뇨병이라고 하고, 성인들이 제2형 당뇨병에 잘 걸린다고 하여 성인형 당뇨병이라고 한다.

예방과 자연치료

▸ 제1형 당뇨병과 모유 수유

췌장의 베타(β)세포에서 분비되는 인슐린은 혈당을 각 세포에 전달하는 중요한 호르몬이다. 그런데 이 베타세포를 만드는데 이상이 있으면 인슐린이 분비되지 않으므로 제1형 당뇨병에 걸린다.

여러 연구결과 출생아가 너무 일찍부터 우유를 먹으면 우유 단백질에 있는 알부민펩티드[항원]가 인체에 들어가므로 이 펩티드를 제거하기 위해 항체가 생긴다.

이 항체가 펩티드뿐만 아니라 췌장의 베타세포도 공격함으로 베타세포가 손상을 입어 소아형 당뇨병이 발병되는 것으로 밝혀졌다.

산모가 우유를 먹어도 우유에 들어 있는 펩티드가 출생아에 전달되므로 어린이가 소아형 당뇨병에 걸릴 수 있다. 따라서 모유 수유 기간이 길면 길수록 제1형 당뇨병에 잘 걸리지 않는다. 산모 역시 우유 섭취를 억제한다. 출산 후 약 2년 동안 우유를 먹지 않아야 한다.

이하선염, 바이러스 감염, 간염 등에 의해 베타세포가 손상을
입어 소아형 당뇨병에 걸린다. 소아형 당뇨병에 걸리면 인슐린을
잘 생산할 수 없으므로 인슐린 주사를 맞아야 한다. 따라서 예방
이 매우 중요하다.

* N-니트로소[N-Nitroso: 베이컨 등에 많음] 섭취를 억제할
것. 스트렙토조토신은 동물실험에서 당뇨병 등을 일으킬 때 사용되
는 물질이다. 스트렙토조토신은 동물의 베타세포를 파괴하여 제1
형 당뇨병을 일으킨다. 베이컨, 햄, 소시지, 훈제 연어 등에서 발견
되는 N-니트로소는 스트렙토조토신의 구조와 작용이 비슷하다.
　이 물질은 체내에서 다량의 활성 산소를 일으켜 췌장의 베타세
포를 파괴하며, 베어컨 등을 습관적으로 먹을 경우 제1형 당뇨병
에 걸린다. 따라서 이와 같은 식품의 섭취를 억제한다.

▶ **인슐린 비의존성 당뇨병[성인형 당뇨병] 원인과 자연치
료**
　이 성인형 당뇨병은 잘못된 식생활 습관 때문에 발병되며, 식생
활을 개선하면 치유된다. 임신중 과식을 하면 태아가 성인이 되어
당뇨병에 걸릴 가능성이 높다. 2차세계대전 중 잘못 먹었던 시절
독일에서 태어난 아이들의 당뇨병 발병률이 평화시절 태어난 아이
들보다 약 50% 낮은 것으로 베르린대학 연구결과 밝혀졌다.

* 삼백식품[설탕, 흰 밀가루, 백미] 등 혈당부하 지수[GL]가 높

은 식품의 섭취를 억제한다. 이와 같은 식품을 습관적으로 먹으면 혈당 수치가 갑자기 오르므로 췌장의 베타세포에서 이 고혈당 수치를 처리하기 위해 인슐린이 과다하게 분비된다. 따라서 베타세포가 과부하에 걸리므로 결국 인슐린을 분비할 능력이 매우 낮아져 성인형 당뇨병에 걸린다. 이와 같은 식품의 섭취를 억제한다.

* 현미, 보리, 조, 수수, 팥, 콩, 율무 등 GL 지수가 낮은 식품을 먹는다. 삼백식품 등과 반대로 이 잡곡은 혈당부하 지수가 낮으므로 혈당을 천천히 올린다. 따라서 췌장의 베타세포 역시 이 낮은 혈당을 각 세포에 전달하기 위해 천천히 분비함으로 베타세포의 기능이 양호해진다. 2형 당뇨병 환자가 이와 같은 잡곡으로 밥을 지어서 적당히 먹고 운동 등을 하면 이 당뇨병이 치유된다. 물론 혈당강하 약을 끊을 수 있다.

* 심호흡과 함께 운동과 명상을 한다. 내장에 지방이 많으면 제2형 당뇨병에 잘 걸린다. 세포막은 콜레스테롤 등으로 구성되었으며 세포막에는 인슐린 수용체가 있어 혈당과 인슐린을 받아들인다. 내장 지방이 많으면 콜레스테롤 수치가 오르므로 세포막의 인슐린 수용체가 둔감해져 인슐린과 혈당을 잘 받아주지 못하므로 당뇨병에 걸린다. 그러나 걷기 등 유산소 운동과 근력운동을 하면 내장지방, 체지방이 감소함으로 콜레스테롤 수치도 내려가 인슐린 수용체가 인슐린에 잘 반응한다. 따라서 이 당뇨병이 잘 치료된다.

만성적 스트레스는 교감신경계를 활성화 시키므로 혈당과 혈압 수치를 올린다. 그러나 천천히 걷는 도중 심호흡과 함께 명상을 하면 부교감신경계가 활성화 되므로 혈압과 혈당 수치가 내려간

368

다. 특히 걸으면서 코로 숨을 천천히, 길게, 깊이 들이쉬고, 입과 코로 숨을 내쉬면 내장지방 등 체지방이 잘 감소함으로 당뇨병도 잘 치료된다. 걸을 때 생각을 오직 숨소리 등에 집중하면 잡념과 번뇌가 생기지 않으므로 마음이 맑아지는 등 명상의 효과가 나타난다.

▶ 발끝치기를 할 것

발끝치기를 하면 혈액순환과 신진대사 작용이 활성화 되므로 내장지방 등 체지방이 감소하고 혈당과 혈압수치가 내려간다.

이일만[남, 83세]씨는 8년 동안 당뇨병으로 고생하였으나 하루에 약 1,000번을 이 발끝치기를 하고 공복 혈당이 96이고, 식후 2시간 뒤 혈당 수치가 123이었다. 이 운동을 하기 전에 각각 130, 200이었으나 지금은 정상이다. 발끝치기는 다음과 같이 한다.

1. 양다리를 쭉 뻗고 매트 위에 앉는다. 또는 누워 있는 상태에서도 할 수 있다.

2. 양발 뒤꿈치를 맞닿게 한 뒤 양발의 끝을 맞부딪친다. 맨발 상태에서 서로 부딪치면 아프므로 한쪽 발끝 등 부분과 다른 쪽 발끝 바닥이 부딪치게 한다. 그러나 운동화 등을 신고할 때에는 통증이 안 생기므로 양발 끝을 부딪친다. 하루에 약 1,000번 이 발끝치기를 한다.

▶ 근력운동을 할 것

인체 내에서 쓰고 남은 혈당은 글리코겐 형태로 전환되어 간과 근육에 저장되며, 혈당 수치가 낮아지면 글리코겐은 혈당으로 전환된다. 그러므로 근육량이 많으면 남아도는 혈당이 근육에 많이 저장됨으로 혈당 수치가 낮아진다. 또한 근육에 인슐린 수용체가 많으므로 근육량이 많을수록 인슐린과 혈당이 많이 공급되어 혈당 수치가 낮아진다. 그리고 근육량이 많을수록 기초 대사량[활동하지 않는 상태에서 소비되는 에너지 양]도 증가함으로 체지방이 감소하고 혈당, 혈압, 콜레스테롤 수치가 내려간다.

하체 근육은 자전거 타기, 걷기, 절반쯤 앉았다 일어서기, 런지 등을 통해 상체 근육은 아령, 철봉에 매달리기, 팔 굽혀펴기, 악력기 등을 통해 증강된다.

▶ 비타민, 미네랄, 항산화 물질, 식이 섬유

스트렙토조토신(Streptozotocin)은 체내에서 다량의 활성산소를 일으켜 베타세포를 공격함으로 제1형 당뇨병을 일으킨다고 언급했다. 그러나 항산화 물질, 비타민, 미네랄은 활성 산소의 작용을 억제함으로 베타세포의 기능을 향상시켜 당뇨병을 치유시킨다.

비타민 A, B, C, E, D등 비타민, 크롬, 칼륨, 망간, 아연 등 미네랄, 유황 화합물, 폴리페놀류, 카로티노이드 등 항산화 물질을 식품을 통해서 섭취한다. 이와 같은 영양소들은 각종 채소, 해조류, 잡곡 콩, 견과류, 씨앗류 등에 많이 들어 있다. 그러므로 이 식품들로 잡곡밥, 반찬 등을 만들어 섭취하면 베타세포가 건강해지므로 당뇨병이 치유된다. 단 하루에 1,500~1,800칼로리를 섭취한다. 다행스럽게도 이 식품에는 섬유질이 많고, 칼로리는 적으므로 혈당 수치를 높게 올리지 못한다. 또한 포만감을 주고 배고 픔을 못 느끼게 한다.

　* 양파, 여주, 구지뽕나무잎 등이 혈당 수치를 많이 낮추는 것 으로 알려졌다. 여주는 매우 쓰므로 얼음이나 소금물에 잠시 담그 면 쓴맛이 빠진다. 이 여주와 양파 등으로 요리해서 먹으면 효과 적이다. 구지뽕나무 잎을 전기 열로 말려 가루로 만든 다음에 밥 을 할 때 이 가루도 함께 넣어 밥을 짓는다.

　* 반응성저혈당증을 전통 한국 음식으로 치유한다. 사탕, 설탕, 과자, 시럽 등을 자주 먹으면 혈당 수치가 갑자기 올라간다. 이 고 혈당을 처리하기 위해 베타세포에서 인슐린이 과다 분비된다. 따 라서 인슐린이 과다 분비됨으로 혈당이 지나치게 많이 세포에 주 입되어 저혈당 상태가 된다.

　이와 같은 현상을 반응성저혈당증이라고 한다. 반응성저혈당증 이 반복되면 당뇨병으로 진행된다. 그러나 전통 한국 식이인 잡곡 밥, 채소, 해조류 등을 섭취하고 사탕이나 설탕, 시럽 등 섭취를 억제하면 반응성저혈당증이 사라진다. 나는 이와 같은 방법으로 많은 환자를 치유시켰다.

　* 포화지방, 트랜스지방 등 인체에 유해한 지방 섭취를 억제한 다. 포화지방과 트랜스지방은 상온에서 고체, 반고체 상태가 된 다. 이 지방들은 간의 작용에 의해 콜레스테롤로 전환되며 콜레스 테롤은 세포막의 주요 구성 성분이다. 이 지방 등에 의해 만들어 진 콜레스테롤도 상온에서 딱딱하고 굳어지는 성질을 갖게 되므로

세포막 역시 딱딱해진다.

앞에서도 언급했듯이 세포막에는 인슐린 수용체가 있다. 세포막이 이 지방들 때문에 딱딱해지므로 인슐린 수용체의 기능이 약화되어 인슐린과 혈당을 잘 받아줄 수 없다. 따라서 혈당 수치가 오른다. 포화지방은 육류 등에 트랜스지방은 마가린, 과자, 라면 등에 많이 들어 있다.

* 오메가-3 오일을 하루에 약 15ml[1 숟갈] 정도 먹는다. 오메가-3 오일은 상온에서 액체 상태를 유지하며, 당뇨병 등 질병의 예방과 치료에 효과적임이 여러 연구 결과 밝혀졌다.

▶ **물과 식초[산도가 낮은 식초]**

한 컵의 물에 한 숟갈의 식초를 넣어서 먹으면 혈액 순환과 대사작용이 촉진됨으로 혈당과 혈압 수치가 떨어진다. 물만 마실 때보다 더 높은 치료 효과가 나타난다. 하루에 이 물, 식초 혼합물을 약 6컵 마신다. 만일 위가 아프면 물만 6컵을 마신다. 특히 식초에는 아세트산[초산]이 약 60% 들어 있는데 이 아세트산이 포도당, 아미노산, 지방산의 대사작용을 촉진한다.

나는 이 물, 식초요법을 당뇨, 고혈압 환자에게 권유했으며, 혈당과 혈압 수치가 내려간 것을 여러 번 확인했다.

* 과음을 억제하고 금연을 할 것
* 스테로이드제, 이뇨제, 피임약 등을 자주 이용하면 당뇨병 발병률이 높아진다.

약물요법의 한계

혈당 수치가 200mg/dl 이상이면 자연 치료법과 약물요법을 병행하는 것이 바람직하다. 이처럼 혈당 수치가 높을 경우 자연요법에만 의존하면 치유 기간이 길어진다. 단 약물요법을 병행할 경우 1년 이상 장기간 이용하면 오히려 약의 부작용으로 고생할 수 있다. 약물요법은 단기적 보조 수단이므로 1년 이내에 끝내야 한다.

미국 의과대학이 주축이 된 '당뇨연구회'는 경구 혈당강하제와 인슐린요법으로 치료한 결과를 발표했다. 혈당강하제를 사용하는 동안 사망한 환자들의 대부분이 심혈관계 질환으로 사망했으며, 이 사망률은 이와 같은 혈당강하제를 이용하지 않은 환자들보다 훨씬 높았다.

경구 혈당강하제나 인슐린은 혈당 수치를 내리는 등 어느 정도 혈당 조절을 가능하게 하지만 1년 이상 투약하면 심장, 신장, 위장, 간장 등이 손상될 수 있다.

또한 인슐린 등을 계속 투여하면 췌장 베타세포의 기능은 점점 약화된다. 투여된 인슐린 등 혈당강하제가 베타세포를 대신해서 작용함으로 베타세포는 쇠퇴하여 그 기능이 상실된다. 그러므로 혈당강하제를 오래 사용할수록 완치율은 낮아진다.

좋은 식습관과 생활습관을 유지하고, 규칙적으로 운동을 하며, 부차적으로 약물요법을 1년 이내에 끝내야 한다. 식후 2시간 혈당 수치가 180mg/dl 이하로 내려가면 자연요법만으로 혈당 조절이 가능하다.

김성철[남,72세]씨의 식후 2시간 혈당 수치가 180mg/dl이었을 때, 그는 과감히 약 4년 동안 매일 먹었던 당뇨약을 끊었다. 이와 동시에 그는 매일 하루 3번 식사 후 30분씩 3번[1.5시간] 걸었으며, 섬유질 등이 풍부한 곡채 식이를 하고 물을 약 2리터 마셨다.

그의 공복 혈당은 90mg/dl, 식후 2시간 혈당 수치는 125mg/dl이다. 약을 먹었을 때보다 혈당 수치가 더 내려갔다.

비록 공복 혈당이 100mg/dl 이하이고, 식후 2시간 혈당이 140mg/dl 이하를 유지한다고 하더라도 식이, 운동요법을 계속 실천해야 한다. 그렇지 않으면 당뇨병이 재발될 수 있다.

◆ 알레르기, 류머티즘 관절염, 건선 등 자가면역 질환

류머티즘 관절염이나 건선, 루프스 등은 자기면역 질환이다. 자가면역 질환은 우리 몸의 면역 조직이 관절, 피부 등을 적으로 인식하고 공격하여 염증이나 통증, 굳어짐 등을 일으키는 질병을 말한다.

나쁜 식습관 등 때문에 우리 몸속에 독성물질이나 노폐물이 쌓이면 인체의 면역 조직에 이상이 생겨 자신의 신체 조직을 적으로 오인 공격함으로 류머티즘 관절염 등이 발병된다. 그러므로 단식

374

등을 통해 몸속의 독성물질 등을 제거하고 식생활을 개선하면 이 자가면역 질환들이 치료된다.

예방과 자연치료

▶ 동물성 식품과 패스트푸드[예: 햄버거, 감자튀김, 콜라 등 탄산음료] 섭취를 억제할 것

이와 같은 고단백질, 고지방질 식품들은 피를 흐리게 할 뿐만 아니라 체내에 독성물질 축적을 촉진한다. 동물성 단백질의 소화 과정에서 요산이나 질산, 유산, 염산, 초산 등 산독성 물질이 생겨 몸속에 쌓이게 된다.

인간은 동물과 다르게 동물성 단백질을 완전히 소화시키는 효소를 갖고 있지 않기 때문에 소화과정에서 펩티드[항원]가 생긴다. 이 펩티드를 공격하기 위해 우리 몸은 항체를 만들며, 이 항체가 펩티드에 딱 달라붙어 정보를 수집하고 공격을 한다. 이와 같은 현상을 항원, 항체면역 복합체라고 한다. 이 면역복합체도 몸속에 축적되어 류머티즘 관절염 등 자가면역 질환을 악화시킨다.

독성물질은 간이나 신장 등을 통해 배출된다. 고지방 식이는 혈액순환과 대사 작용을 억제함으로 간과 신장의 기능을 약화시켜 해독작용을 억제한다. 따라서 고지방 식이는 이 자가면역 질환을 악화시킨다.

우유 등 유제품은 알레르기 식품으로 잘 알려졌으며, 우유 속의 단백질 역시 완전히 소화되지 않아 펩티드[여러 개의 아미노산으로 이루어진 단백질]가 남게 되며, 우리 몸은 항체를 만들어 이 펩티드뿐만 아니라 관절이나 피부 등도 공격한다. 이때 염증이나 통증, 굳어짐 등 증상이 나타난다.

특히 동물성 단백질 구조와 인체의 구조가 비슷하므로 인체의 면역조직이 항체를 만들어 관절 등 신체 조직도 제거되어야 할 적으로 알고 잘못 공격을 한다. 그러나 식물성 단백질을 섭취할 때는 식물성 단백질과 인체의 구조가 다르므로 이와 같은 현상이 일어나지 않는다. 단, 밀이나 호밀 등에 들어 있는 글루텐은 면역 반응을 일으킨다. 그러므로 자가면역 질환의 예방과 치료를 위해서 고단백질, 고지방질 등의 섭취를 억제한다. 또한 글루텐에 대한 알레르기 반응이 있으면 밀가루를 안 먹어야 한다.

▶ 단식을 할 것[단식원에서 할 것]

단식요법과 식이요법에 의해 류머티즘 관절염, 건선, 루프스, 아토피 등 피부염증 등의 완치된 사례들이 국내외 학술지에 발표되고 있다. 물을 마시면서 단식을 하면 체내의 독성물질, 면역 복합체, 펩티드 등의 체외 배출이 촉진됨으로 자가면역 질환 등이 잘 치료가 된다. 약 2~3주 정도 단식을 하고 섬유질, 비타민, 미네랄 등이 풍부한 곡채 식이를 하면 잘 치유된다.

물과 오줌을 먹으면서 단식을 하면 물만 마시면서 하는 단식보다 더욱 좋은 효과가 나타난다. 또한 오줌과 물을 먹으면서 단식을 하면 단식 기간이 길어도 크게 피로하지 않는 것으로 밝혀졌다. 어떤 류머티즘 관절염 환자의 경우 단식 없이 물 · 요료법과 식이요법만으로 이 질병을 치유시켰다.

▶ 장누수증후군[Leaky Gut Syndrom]과 요료법

많은 류머티즘 관절염 등 자가면역 질환 환자들은 장누수증후군에 시달리고 있다. 장의 점막은 아주 부드러운 세포로 이루어져 있으며 소장의 점막층을 통해 영양분이 흡수되고 있다. 소장, 대장 내의 나쁜 세균들이 많고 유익균이 적을 때, 소염, 진통제 등의 남용이나 스트레스, 음주 등 때문에 장의 점막은 미세한 손상을 입게 되며 장이 새게 된다.

이와 같은 현상을 장누수증후군이라고 한다. 이 장의 새는 곳으로 박테리아 등 세균이나 알레르기성 물질이나 펩티드 등이 들어가면 우리 몸은 항체를 만들어 공격함으로 염증이나 통증이 생긴다. 그러나 오줌을 먹으면 발효되어 유익균과 효소가 증가하고 유해균이 감소함으로 장누수증후군이나 만성 대장염 등이 치유되고 결국 류머티즘 관절염이나 건선, 루프스 등이 치유된다.

▶ 간이단식과 자가면역 질환

간이단식이란 식사 대신에 소량의 유동식을 먹으면서 하는 단식을 말한다. 유동식의 종류는 여러 가지이다. 무, 사과, 당근을 잘게 썬 뒤 믹셔기로 갈아서 한 번에 1컵씩 하루 3번 먹는 방법 등이 있다. 무, 사과, 바나나 또는 케일, 사과, 바나나 로 만든 유동식이 있다. 이와 같은 유동식을 약 3주 동안 먹고 단식을 해서 건선, 아토피 등을 치유시킨 환자들이 있다.

간이단식을 하면 완전 단식을 할 때보다 체내의 독성물질이나 항원, 항체면역 복합체 등의 체외 배출이 더디게 됨으로 치료 효과가 더 낮을 수 있다. 그러나 신체의 기력 회복이 간이단식을 할 때 더 빠를 수 있다.

▶ 섬유질, 비타민, 미네랄 등 풍부한 곡채 식이를 할 것

단식 후 이와 같은 곡채 식이를 하는 환자들과 전통 서구적 식사와 현대 의료 치료를 제공받은 환자들을 약 1년 동안 추적 연구한 결과가 미국의 권위 있는 의학 전문지 '랜싯[The Lancet]'에 발표되었다. 우유 등 유제품, 육류, 생선, 계란, 정제 설탕, 향신료, 방부제, 술, 커피 등이 단식 환자 그룹 식단에서 배제되었다.

단식 후 곡채 식이를 실천한 집단에서 아픈 관절의 수, 통증 지수, 아침 강직성, 악력 등에 경이로운 치료 효과가 나타났다.

ESR, CRP 염증 지수 역시 탁월하게 개선되었다. 이와 같은 치유 효과는 1년이 지난 지금까지도 계속 유지되고 있다. 그러나 현대적 의료 치료와 서구적 식이를 제공받은 환자들의 경우 증상이 크게 개선되지 않고 오히려 약의 부작용으로 비만, 위궤양 등이 나타났다. 특히 스테로이드의 부작용이 매우 심했다.

양송자[여, 80]씨는 60대 초반부터 두드러기, 피부 가려움 등 알레르기 증상으로 고통을 받았다. 이 알레르기 증상이 악화되어 식도가 좁아지므로 음식물을 제대로 삼킬 수가 없었다. 여러 유명한 대학병원들을 전전하면서 치료를 받았으나 효과가 없어서 일본 모 대학병원에서 처방한 방법을 실천함으로써 완치시켰다. 잡곡밥, 각종 야채, 과일, 깨, 들기름 등 식단이 이 일본 병원의 처방이었다.

이 식품들을 약 6년 동안 섭취하면서 알레르기 증상이 모두 없어졌을 뿐만 아니라 사라졌던 생리[월경]가 60~75세까지 지속되었으며, 흰 머리털이 검은 머리로 변해 갔다. 또 둔탁하고 낮은 노인성 목소리가 가장 높은 소프라노성 소녀의 목소리로 전환되면서 지금 80세인 데도 여성 합창단에서 노래를 부르고 있다. 양송자씨는 KBS TV에 출연해서 이 사실을 발표했다.

그녀는 멸치, 계란도 안 먹는 곡채식을 실천함으로써 이 알레르기를 치유시켰을 뿐만 아니라 더 젊어졌다. 만일 그녀가 단식 후 곡채식이를 했다면 6년이란 긴 치료기간이 필요하지 않았을 것이다. 그리고 영송자씨처럼 여성 노인들이 이와 같은 식품을 섭취함으로써 생리와 건강을 되찾았다는 사례들이 언론을 통해 발표됐다.

특히 참깨에는 어떤 식품보다 칼슘과 아연이 많이 들어있으며, 항산화 물질인 비타민 E와 리그난을 많이 함유하고 있다. 이 리그난이 폐경 후 여성 호르몬 상태를 개선하고 유방암 위험과 콜레스테롤 수치를 개선한다. 이 참깨의 리그난이 그녀의 회춘을 도와준 것이다. 깨죽이나 떡 고물로 이용해서 참깨를 많이 먹을 수 있다.

* 수영, 스트레칭, 맨손체조, 마사지, 온천목욕 등은 류머티즘 관절염 치료에 중요한 역할을 한다.

* 많은 연구 결과 오메가 −3 오일이 관절의 아침 강직, 통증, 염증의 치료 효과를 높이는 것으로 밝혀졌다. 생 들기름에 오메가 −3가 많다. 하루에 한 숟갈씩 먹는다.

* 생강의 전저롤, 시네롤과 울금의 쿠르쿠민 등 항산화 물질이 관절의 통증이나 염증, 강직 등의 증상을 크게 개선시키는 것으로 연구 결과 밝혀졌다. 생강과 울금을 김치나 국 등에 넣어서 자주 먹는다.

* 탱자 달인 물을 아토피 환부에 바르면 증상이 호전되고 치료될 수 있다. 산초 기름을 하루에 한 숟갈씩 먹고, 이 기름을 아토피 환부에 바르면 치료될 수 있다.

▶ 퇴행성 관절염과 초란

8개의 계란껍질을 1.8리터의 식초에 넣고 약 1주일이 경과하면 녹는다. 계란껍질에는 칼슘이 많이 들어있으므로 계란껍질이 녹은 식초에 다량의 칼슘이 들어 있다.

물 1컵에 1숟갈씩 넣어서 하루에 5컵 정도 먹으면 퇴행성관절염에 효과가 크다. 산도가 낮은 식초를 이용하는 것이 좋다.

칼슘제를 먹으면 소화 흡수가 잘 되지 않지만 이 식초의 흡수율은 매우 높다.

◈ 목통증

컴퓨터, 스마트폰 등의 장기적 사용으로 인해 젊은 사람들도 목통증을 호소한다. 이처럼 잘못된 자세 때문에 목통증이 자주 생긴다. 또한 척추는 경추[목 척추], 흉추[가슴 척추], 요추[허리 척추]로 이루어졌으며 흉추와 요추가 아파도 목이 아플 수 있다.

예방과 자연치료

척추는 근육과 인대, 힘줄, 신경조직에 의해 생리적으로 깊이 연관되어 있다. 따라서 흉추나 요추가 손상되고 아프면 경추의 통증이 생길 수 있다. 경추 등 척추가 강해지기 위해서 척추를 둘러싸고 있는 근육과 인대가 증강되어야 한다. 스트레칭, 근육운동, 체조 등을 통해 경추 등 척추의 통증이 해소된다. 또한 올바른 자세를 유지해야 한다.

▶ 등배운동
1. 양 발을 어깨 넓이보다 좀 더 길게 벌리고 선다.
2. 허리, 목, 머리를 그림[등배운동 1]처럼 앞으로 구부린다. 쭉 편 양팔과 양손이 바닥에 닿을 때까지 구부린다.
3. 바닥을 향했던 양팔과 양손을 만세를 하듯이 그림[등배운동 2]처럼 위로 올림과 동시에 등, 목, 머리를 이번에는 뒤로 젖힌다. 2와 1의 운동을 각각 8번씩 하며, 하루에 3회 공복상태에서 한다. 오랫동안 컴퓨터 작업 등을 하는 사람들은 휴식 시간에 이 등배운동을 자주 한다.

이 등배운동을 통해 경추 디스크 등 목 통증이 잘 치유된다. 특히 등배운동[그림 2]의 치유효과가 높으며, 이 등배운동을 자주한다.

[그림 2] 등배운동

등배운동·2   등배운동·1

▶ 철봉에 매달리기

양손으로 철봉을 붙잡고 매달리면 요추, 흉추뿐만 아니라 경추도 스트레칭된다.

1. 양손으로 철봉을 붙잡은 채 몸을 늘어뜨린다.

2. 1의 운동을 하면서 전신을 좌와 우로 조금씩 흔들어 준다. 이렇게 몸을 흔들면 더 높은 스트레칭 효과가 나타난다. 약 50~60초 정도 철봉을 붙잡는다.

경추 등 척추에 디스크 등이 있으면 철봉을 붙잡고 있는 상태에서 '뚝' 소리가 난다. 이 소리는 부정렬된 척추가 교정된 것을 의미한다. 그리고 통증도 사라진다.

▶ **똑바로 앉은 자세에서 턱을 몸쪽으로 당기면 뒷목이 늘어난다.**

턱을 가슴 쪽으로 당긴 상태에서 목을 뒤쪽으로 밀면 양 귀가 어깨선과 일직선이 된다. 이 자세를 약 10초 정도 유지한다. 시간이 날 때마다 자주 한다. 컴퓨터나 스마트폰 등을 자주 이용하면 소위 거북이목 현상이 나타난다. 이 교정 운동을 자주 하면 양쪽 귀와 어깨선이 일직선이 되어 거북이목 증상이 사라진다.

▶ **목 운동을 자주 할 것**

목을 좌우 양쪽으로 기울인 뒤에 뒤로 돌려준다. 먼저 목을 오른쪽으로 기울인 뒤 가능한 한 뒤쪽으로 크게 돌려준다. 이 상태를 약 10초 정도 유지한다. 그런 다음에 목을 왼쪽으로 기울인 뒤 뒤쪽으로 크게 돌린다. 역시 약 10초 정도 이 상태를 유지한다. 화장실에서 용변을 볼 때에도 할 수 있다. 시간이 날 때마다 자주 한다

이 스트레칭은 목 근육의 긴장을 해소하고 가동 범위를 넓힌다. 또한 뇌에 혈액을 공급하는 경동맥이 목 양쪽으로 지나가므로 이 운동을 하면 뇌의 혈류가 개선되어 머리가 개운해진다.

▶ **목 근육 강화운동**

1. 선 자세 또는 앉은 자세에서 정면을 보고 목과 허리를 쭉 편다.
2. 깍지 낀 양손을 뒷머리에 댄다.
3. 이 깍지 낀 양손으로 뒷머리를 앞으로 당김과 동시에 이 당

김에 저항해서 목에 힘을 주어 저항한다. 따라서 양손으로 머리를 앞으로 당겨도 목에 힘을 주어 저항함으로써 머리가 앞으로 굽어지지 않는다. 이 운동을 자주 하면 목과 그 주변의 근육이 증강되어 경추가 강해진다.

[그림 3] 목 근육강화운동

▶ **앉을 때 바른 자세를 유지할 것**

자가용 차 시대가 오면서 앉은 자세 불량 때문에 요통과 목 통증을 호소하는 사람들이 매우 많다. 운전석에 앉을 때에는 엉덩이, 허리를 등받이에 밀착시킨 상태에서 운전을 해야 한다. 이때에 허벅지와 척추의 각도는 약 110 ° 정도 되어야 한다. 그리고 장시간 앉아서 운전하는 것은 허리와 목의 건강에 해로우므로 휴게소 등에서 쉬면서 체조 등을 통해 몸을 풀어 주어야 한다.

취침시 높은 베개는 안 좋으며, 등을 침대에 바르게 눕히고 자는 것이 좋다.

▶물을 충분히 마실 것

머리의 무게는 약 4~5 kg 정도 된다. 경추의 추간판[디스크]이 이 머리 무게를 지탱하고 있다. 추간판은 중심부의 수핵과 수핵을 둘러싸고 있는 섬유륜으로 구성되어 있다. 이 수핵이 머리 무게의 대부분을 떠받치고 있다. 젤리 모양의 수핵의 주요 성분은 물이다. 따라서 충분한 물을 마셔야 수핵의 기능이 좋아져 경추가 건강해진다. 물과 오줌을 마시면 더욱 좋다.

◈ 무릎 통증

무릎 통증은 무릎 연골손상, 불량한 걷기, 허벅지 뼈[대퇴골]와 장딴지 뼈[경골]의 뒤틀림 등에 의해서 자주 발생된다.

예방과 자연치유

무릎 통증은 바르게 걷기, 스트레칭, 자전거 타기, 무릎 주변 근육 강화운동, 수중운동 등에 의해서 치유된다.

▶올바르게 걷기

발에는 안쪽[내쪽]과 바깥쪽[외측]이 있다. 의외로 많은 사람들이 발의 바깥쪽인 새끼발가락 쪽에 치우쳐 걷는다. 이렇게 걸으면

O자형 다리가 되어 무릎 관절의 퇴행성이 빨리 진행된다. 걸을 때 발뒤꿈치가 먼저 바닥에 닿게 한 다음 발의 중지와 엄지발가락에 중심을 주면서 걷는다. 이렇게 걷는 것이 올바른 자세이다. 이렇게 걸으면 O자형 다리가 교정이 되며 무릎 통증도 사라진다.

나쁜 걷기 자세에서 올바른 자세로 바꾸면 초기에 무릎 통증이 더 심해질 수 있다. 그러나 계속 올바른 걷기를 진행하면 교정이 되면서 통증도 사라진다. 신발의 외측이 내측에 비교하여 유난히 많이 닳았으면 잘못된 걷기 때문에 생긴 것이다. 올바르게 걸으면 디스크 등에 의한 허리 통증도 사라질 수 있다. 바르게 걷기를 통해 무릎 통증을 치유한 사람이 많다.

▶ 앞과 뒤로 발차기[스트레칭]

1. 왼쪽 손으로 책상, 탁자 등을 붙잡고 몸의 균형을 유지하면서 오른쪽 발로만 선다.

2. 왼쪽 무릎을 굽혀 다리와 발이 뒤로 가도록 한다. 그런 다음에 무릎을 펴고 발과 다리를 내림과 동시에 왼쪽 발과 다리를 태권도 '앞발차기'처럼 앞으로 올린다. 이처럼 왼쪽 발과 다리를 앞과 뒤로 올렸다 내렸다 한다. 특히 앞으로 많이 올린다. 약 15번 한다.

3. 이번에는 오른쪽 손으로 탁자 등을 붙잡고 왼쪽 발로 선다. 그런 다음에 오른쪽 발과 다리를 앞과 뒤로 올렸다내렸다를 반복하면서 무릎 스트레칭을 한다. 이 운동을 할 때 서 있는 발에는 실내화를 신고, 올리고 내리는 발에는 실내화를 신지 않는다.

386

[그림 4] 앞과 뒤로 발차기

무릎 통증은 허벅지 뼈[대퇴골]와 장딴지뼈[경골]의 뒤틀림 때문에 잘 생기는데 이 스트레칭을 하면 이 뒤틀림이 해소되어 무릎통증이 사라진다. 이 스트레칭은 태권도의 '앞발차기'와 비슷하다. 태권도의 앞발차기를 실내에서 하면 층간 소음이 심할 수 있지만 이 스트레칭을 하면 소음이 생기지 않는다.

60대 이상 여성으로 구성된 태권도 수련 단체가 있으며, 이 여성수련원들은 무릎과 허리 통증 때문에 고생을 많이 하였으나 앞발차기 등을 하면서 무릎 통증이 사라졌다는 보도가 있었다.

▶ 발끝치기를 할 것

한삼수[77세]씨는 무릎 통증 때문에 잘 걸을 수 없었다. 그러나 이 발끝치기를 하면서 그의 무릎 통증이 사라졌다. 그는 하루에 약 1천 번 발끝치기를 했다. 발끝치기를 하면 다리와 무릎의 혈류가 촉진되고 허벅지 뼈와 정강이뼈의 뒤틀림이 교정되었기 때문에 무릎 통증이 해소된다고 말할 수 있다. 이 방법은 '당뇨병편'을 참조할 것.

▶ 자전거 타기

자전거 타기를 하면 허벅지, 종아리, 무릎 주변의 근육이 증강됨으로 관절도 강해진다. 무릎 관절에 물이 찬 중증 환자가 자전거 타기를 통해 완치된 사례도 있다. 실내뿐만 아니라 실외 자전거 모두 이용하면 좋은 효과가 나타난다.

환자들은 처음에 천변 등 평탄한 길에서 자전거를 타는 게 좋다. 어느 정도 염증과 통증이 사라지면 낮은 오르막길에서 탈 수 있으나 무리를 해서는 안 된다.

▶ 앉았다 일어서기

1. 양발을 어깨 넓이로 벌리고 선다.
2. 양 무릎을 굽히고 반쯤 앉았다 일어서기를 반복한다. 약 40~50번씩 하루에 3회 정도한다.
3. 앉았다 일어설 때 힘이 들면 탁자나 책상을 붙잡고 일어선다.

이 운동을 하면 무릎 주변의 근육이 증강됨으로 무릎 역시 강해진다. 무릎 관절은 근육과 인대, 힘줄로 둘러싸여져 있다. 이 운동을 통해 근육 등이 증강되면 무릎이 강해진다.

▶수중운동

박문자[58세]씨는 무릎이 아파서 잘 걸을 수 없었다. 그녀는 수중운동이 무릎 통증에 좋다는 말을 듣고 물속에서 걷기, 아쿠아로빅을 약 3개월 동인 실천한 결과 무릎 통증이 사라졌다. 지금은 장거리를 걸을 때 뿐만 아니라 계단을 오르내릴 때에도 통증을 느끼지 않는다. 물의 부력 때문에 무릎 통증 환자도 물속에서 통증 없이 운동을 할 수 있다. 다른 환자들도 수중운동을 통해 효과를 얻고 있다.

▶물 · 요료법을 실천할 것

연골의 주요 성분은 콜라겐이며 콜라겐 합성을 위해서 비타민 C, 마그네슘, B6, 비타민 A, 아연, 구리, 단백질이 필요하다. 이 영양소의 섭취도 중요하지만 소화와 흡수도 매우 중요하다. 장 속에 유산균이 많을 때 여러 영양소들의 소화와 흡수가 되지만 장 속에 부패균 등 유해균이 많으면 영양소들의 소화, 흡수가 억제된다.

오줌을 먹으면 오줌이 발효되어 유익균들이 증식됨으로 음식물의 소화와 흡수를 촉진한다. 오줌을 하루에 3~4컵씩 마시고 무릎 통증 등 관절염이 치료된 사례가 많다. 물도 적당히 먹어야 오줌이 만들어진다. 나는 꿈을 통해서 오줌이 장 속에서 발효된 것을 알았다. 이 영양소들은 잡곡, 견과류, 씨앗류, 채소, 해조류 등에 많다.

▶가부좌 등 나쁜 자세를 개선한다

양 다리를 접고 무릎을 구부리면서 장시간 앉으면 다리의 혈액

순환이 잘 안되므로 통증이 생기고 무릎 변형이 일어날 수 있다. 따라서 되도록 의자 생활을 권한다. 쪼그려 앉기 무릎 꿇기 등은 역시 무릎 건강에 좋지 않다.

* 장시간 서 있을 때 발을 자주 움직인다. 움직이지 않고 장시간 서 있으면 무릎에 하중이 많이 가므로 통증이 생긴다. 따라서 버스 등에서 서서 갈 때는 제자리에서 자주 걷는다.

* 비만을 해소할 것.

* 금연을 할 것.

* 과음을 억제할 것.

◈ 무 좀

무좀은 땀이 많이 나는 고온, 다습한 여름에 번성하는 피부병이다. 사상균이 원인인 무좀은 특히 발에서 자주 나타나며, 성인 2명 가운데 1명이 이 병에 걸린 것으로 알려진 흔한 질병이다. 당뇨병 환자가 무좀에 걸릴 경우 발 괴사가 일어나기 쉬우므로 빨리 치료되어야 한다.

자연치료와 예방

▸ 요료법

나 자신이 발톱과 발가락에 무좀이 있었으며, 요료법으로 쉽게 치료했다. 면봉에 오줌을 적신 후 이 면봉으로 환부에 발랐다. 그 다음에 머리털 등을 말리는 기구인 팬[Fan]으로 환부에 묻은 오줌을 말렸다. 하루에 취침 전 1번, 일주일 동안 이와 같은 방법으로 치료하면 완치된다.

만일 발바닥 전체에 무좀 증상이 있다면 오줌으로 족욕을 한 후 팬으로 가볍게 말린다. 오줌 속의 요소는 항세균, 항바이러스, 항박테리아 작용을 함으로 무좀 등이 잘 치료된다.

나는 이와 같은 방법으로 많은 환자를 치유시켰다. 오줌과 물을 1:1비율로 섞은 후 족욕을 할 수는 있으나 순수 오줌으로 한 것만큼 효과가 적다.

▶ 식초와 정노환(正露丸)

정노환은 소화가 잘 안된다든가 위장이 불쾌할 때 복용하는 약이며, 정제형 약과 액체형 약이 있는데, 여기서 사용하는 정노환은 약 30ml 정도의 액체형 정노환이다.

식초는 살균작용을 한다. 식초가 민간요법으로써 무좀 치료에 이용되고 있다. 총산도가 6.0~7.0 정도 되는 식초에 액체형 정노환[약 30ml]을 넣어 희석한 후 이 혼합물로 족욕을 한다.

물집, 무좀 등 증상이 심한 경우에도 취침 전 하루에 1번, 3~4번[일주일 동안] 치료하면 완치된다. 이때 주의할 것은 산도가 높은 식초를 이용하면 부작용이 생길 수 있으므로 이처럼 산도가 비교적 낮은 식초를 이용하는 것이다. 이 방법으로 나는 많은 환자들을 치료했다. 한 환자는 여러 병원 치료를 10년 이상을 받았으

나 다시 재발되었다. 그러나 이와 같은 방법으로 완치되었으며 수
년이 지났으나 재발이 안 되고 있다.

　＊ 매일 미지근한 물로 약 5~10분 정도 족욕을 한다. 족욕 후
수건으로 습기를 제거한 후 팬으로 더 발을 말려주면 사상균 증식
이 억제된다. 이 방법이 좋은 예방법이다.

　＊ 신발을 오랫동안 신을 경우, 휴식 시간에 신발을 벗어 발에
통풍을 시켜 준다. 이렇게 습기를 제거하면 예방이 된다.

◆ 백내장, 황반변성, 녹내장

　백내장은 눈의 노화와 영양섭취 부족, 당뇨 합병증 등 때문에
수정체가 흐려져서 사물을 뚜렷하게 볼 수 없는 증상을 말한다.

　녹내장은 안구 방수의 배출에 이상이 생겨 발생한다. 안구 방수
는 눈을 순환하면서 일정한 안압을 유지시킨다. 안구는 여러 인대
에 의해 유지되며, 이 인대의 주요 구성 성분은 콜라겐이다. 콜라
겐이 부족하다든가 그 구성 성분에 이상이 있으면 이 인대가 약해
지므로 이 인대가 밑으로 처지게 된다. 따라서 안구 방수의 배출
길에 장애가 생겨 안압이 높아져서 녹내장이 생긴다.

　당뇨병, 고혈압 등으로 눈의 혈류가 억제된 경우, 스테로이드
제, 감기약 등을 자주 이용한 사람이나 컴퓨터 등을 지나치게 사
용하는 사람들에게서 녹내장이 잘 발병된다. 녹내장에 걸리면 시

야가 점점 좁아진다.

황반변성은 역시 눈의 노화 때문에 잘 발생한다. 황반은 물체의 상이 맺히는 망막의 중심부에 있다. 황반변성은 경동맥경화증 등 동맥경화증으로 인해 눈에 혈액 공급이 원활하지 못해서 발병된다.

황반변성은 녹내장과 정반대로 물체의 중앙 부분을 볼 수 없고 그 주변만을 볼 수 있다. 또한 물체가 구부러지게 보이고, 독서하는 동안 단어들이 사라져서 글을 정확히 읽을 수 없다.

예방과 자연치료

이 눈의 질병들은 눈의 혈액순환 장애와 영양 섭취 부족, 눈의 지나친 사용 때문에 발생한다. 따라서 이 원인들을 개선하면 예방과 치료가 가능하다. 그러나 많이 진행된 녹내장과 황반변성의 치료는 쉽지 않다.

▶ 물 · 요료법

오줌과 물을 적당히 마시고 오줌으로 눈을 씻으면 황반변성이나 녹내장, 백내장 등 눈 질병의 예방과 치유 효과가 높다. 이 치유 효과는 세계요료법회의 때 확인되었다.

인도의 아움키나스 제타리 박사[뉴델리 의사, 58세]는 자신의 백내장을 요료법으로 완치시켰다. 그는 한 쪽 눈에 백내장을 앓고 있었는데 오줌을 마시고 오줌으로 눈을 씻음으로써 완치시켰다고 발표했다.

V. M. 씽[인도, 69세]씨는 자신의 초기 녹내장을 오줌 3컵을 나눠서 공복상태에서 마시고, 자기 오줌으로 눈을 씻음으로써 완치시켰다. 물론 많은 치료 사례들도 있으나 생략한다.

노인들과 백내장 환자의 수정체에서 카드뮴 등 중금속이 정상치보다 2~3배 많이 들어있는 것으로 연구결과 밝혀졌다. 카드뮴은 항산화 효소와 안토시아닌, 베타카로틴, 단백질, 아연 등의 결합을 억제함으로 백내장 등 눈의 질병을 일으킨다. 그러나 오줌을 먹으면 장내에서 발효되어 유산균과 효소가 생성됨으로 카드뮴 등 독성물질의 체외 배출이 촉진된다.

황반변성의 경우 망막에서 신생혈관과 출혈이 생겨 발병한다. 그러나 오줌 속의 요소는 신생혈관과 출혈을 억제하고 치유시키므로 초기 황반변성의 경우 오줌으로 눈을 세척하면 치유된다. 콜라겐은 안구 인대의 주요 구성성분이며 콜라겐이 부족하면 녹내장이 생길 수 있다고 설명했다.

프롤린 히드록 실라아제(Prolin hydroxylase)는 콜라겐 합성에 관여하는 중요한 효소이다. 이 효소는 인공적으로 만들 수 없으나 세포와 유익균에 의해 만들어진다.

오줌을 마시면 장내에서 유익균과 효소가 만들어지므로 이 효소 생성이 촉진되어 콜라겐 합성이 잘 이루어진다. 따라서 오줌을 마시면 녹내장 등 눈의 질병이 치유된다.

고혈압이나 동맥경화 등은 황반변성을 일으킬 수 있으나 오줌에는 혈류를 촉진하고 혈관을 확장하는 칼리크레인, 유로키나제 등이 들어 있어 고혈압이나 동맥경화 등의 치유 효과를 높이므로 초기 황반변성도 치유될 수 있다. 결막에 염증이 있는 경우 오줌으로 눈을 씻으면 하루만에 치유된다.

▸ 비타민 C, B6, A, 아연, 구리, 단백질

이 영양소들은 프로린 히드록 실라아제 효소의 보조 효소로써 콜라겐 합성에 중요한 역할을 한다. 안구 인대의 주요 구성요소인 콜라겐이 부족하면 녹내장이 생길 수 있으나 이 효소와 보조 효소 작용으로 콜라겐 합성이 촉진되어 녹내장이 치유된다. 보조 효소 없이 콜라겐 합성이 잘 안 된다. 이 영양소들은 각종 채소, 해조류, 현미 등 잡곡과 콩 견과류, 과일, 씨앗류에 많이 들어 있다.

여러 연구 결과 신선한 채소나 해조류, 과일, 잡곡 등을 많이 먹는 사람들이 그렇지 않는 사람에 비교하여 황반변성, 녹내장 등 발병률이 매우 낮은 것으로 나타났다.

▸ 식물성 황산화 물질을 섭취할 것

안토시아닌, 베타카로틴, 이소플라본, 루틴, 카테킨 등 항산화 물질은 활성산소의 공격을 예방하고 콜라겐의 조직과 기능을 향상시킨다. 안토시아닌은 복분자나 불루베리, 뽕나무 열매에 많고, 루틴은 메밀, 감귤, 베타카로틴은 당근, 호박, 이소플라븐은 콩과 식물 등에 많다.

* 걷기 등 운동을 하면 고혈압, 동맥경화 등의 치유 효과를 높이므로 황반변성 등 눈 질병의 치유에도 적용된다.

▸정상 혈당 수치를 유지할 것

혈당 수치가 높으면 눈의 혈관과 콜라겐이 파괴됨으로 황반변성이나 녹내장이 발병될 수 있다. 걷기 등 운동과 식이요법 등을 통해 정상 혈당 수치를 유지한다.

▸알레르기성 식품을 배제할 것

녹내장 환자가 알레르기 증상을 갖고 있을 경우 알레르기성 식품[예: 밀가루, 우유, 계란, 옥수수 등]을 배제하면 증상이 호전되고 치유될 수 있다.

* 스테로이드 계통 약물 사용을 억제할 것.

이 약들은 관절염이나 피부염 등 염증성 질환에 이용된다. 이약들은 콜라겐 조직과 혈관조직을 파괴시키므로 녹내장과 황반변성을 일으킬 수 있다.

* 카페인은 안압을 높이는 것으로 연구 결과 밝혀졌다. 따라서 카페인이 많이 든 커피 등을 많이 먹어서는 안 된다.

* 금연을 할 것.

* 눈을 꼭 감는 습관을 갖자. 우리는 하품을 할 때 눈을 감는다. 눈을 꽉 감으면 눈의 혈류가 촉진되며, 눈의 근육과 인대가 이완된다.

* 컴퓨터, 스마트폰 이용을 자제한다. 이 기구들을 자주 이용하면 VDT증후군에 걸려 녹내장 등에 걸릴 가능성이 높다. TV 화면을 장시간 보면 눈이 과로해지므로 되도록 라디오 등을 듣는다.

▶ 눈 운동을 자주 할 것

독서 등을 장시간 하면 눈이 피로해진다. 그러나 눈 운동을 하면 이 피로가 빨리 해소된다. 먼 곳과 가까운 곳을 교대로 본다든가 안구를 상하 좌우로 굴려 주면 눈 근육과 인대의 긴장이 풀어진다.

◈ 변비증

변비증이 생기면 장 속의 변뿐만 아니라 독성물질의 배출이 억제되고, 장 속에서 가스가 차므로 기능성 소화 장애나 장 염증, 용종 등이 잘 생긴다.

한 연구 결과에 의하면 한국인의 경우 50세 이상 약 50%가 대장에 용종을 갖고 있는 것으로 밝혀졌다. 이 용종이 시간이 경과하면서 대장암으로 진행된다. 따라서 용종의 가장 큰 원인인 변비증이 치유되어야 대장암 등을 예방할 수 있다.

원인과 자연치료

섬유질이 부족한 식품이 변비증의 가장 큰 원인이다. 육류와 생선, 그리고 3백 식품[설탕, 흰 밀가루, 백미] 등 섬유질이 매우 적은 식품이 변비증을 일으킨다. 섬유질은 영양분을 갖고 있지 않지

만, 마치 스펀지처럼 장에서 수분을 빨아들여 변을 묽게 함으로
배변을 촉진한다.

섬유질은 채소나 과일, 해조류, 현미 등 잡곡과 콩, 견과류, 씨
앗류 등에 많이 들어있다. 따라서 이와 같은 식품을 먹으면 건강
해지고 변비증이 해소된다. 특히 섬유질은 장 내의 유익균의 먹이
이므로 유익균의 증식을 촉진한다. 유익균은 효소를 만들며, 유익
균과 효소가 많을수록 음식물의 소화, 흡수, 배설이 촉진된다. 이
와 반대로 부패균, 칸디다균 등 유해균은 섬유질이 풍부한 식품을
먹을수록 감소한다.

생선에는 오메가 −3 오일이 많아 건강에 좋은 식품으로 잘 알
려졌지만 생선의 단백질 역시 변비증을 일으킨다.

▸ 물을 충분히 마실 것

하루에 1.5∼2리터의 물을 공복에 시간차를 두고 마시면 배변
이 촉진된다. 위에서 점액질 등 위액이 분비되듯이 대장의 내벽에
서도 점액질이 분비되어 배변을 촉진한다. 물을 충분히 마시면 위
와 장이 건강해질 뿐만 아니라 음식물의 소화나 흡수, 배설이 촉
진된다. 즉 대장의 점액질 분비가 활성화 되어 변이 묽어지고 잘
배출된다.

▸ 물 · 요료법

물만 마실 때보다 오줌과 물을 함께 먹으면 더욱 건강해지고 통
변도 더 잘 된다. 또한 오줌을 마시면 장 속의 적당한 온도, 습도,

협기성 세균 등에 의해 발효되어 아시도필루스, 바실루스 등 유산균과 효소가 만들어진다. 따라서 음식물의 소화 흡수가 촉진되고 변비증이 해소된다.

오줌을 조반 전에 2컵, 점심 전에 1컵을, 물을 조반, 점심, 석식 후에 1컵씩 마신다.

▶서서 무릎 굽혔다 펴주기 운동을 반복할 것

이 운동을 하면 장운동이 활성화되므로 변이 잘 나온다. 서 있을 때 무릎의 각도는 $180°$ 이다. 약 $45°$ 정도 약간 무릎을 굽혔다 펴주면서 무릎 굴신 운동을 반복하면 무릎 관절에 과부하가 생기지 않으므로 쉽게 이 운동을 할 수 있다. 변을 보는 동안 변이 잘 나오지 않으면 이 운동을 한다.

1회에 10~15번 무릎을 굽혔다 폈다를 반복한다. 이 운동을 하면 무릎 주변 근육이 증강되므로 무릎 관절이 건강해진다. 만일 이 운동을 할 때 무릎이 아프면 중단한다. 1회에 완전 배변이 어려우면 2회 정도를 한다.

▶걷기 등 유산소 운동을 할 것

변비증은 운동량 또는 활동량이 부족한 사람에게서 자주 나타난다. 운동량이 부족하면 위와 장의 연동운동이 약화됨으로 위와 장의 기능이 약화되고 변비증이 잘 생긴다. 특히 오랫동안 병상 생활을 한 환자들에게서 변비증이 잘 생긴다.

걸으면서 코로 숨을 천천히, 길게, 깊이 들이 쉬고 천천히 코와 입으로 숨을 내쉬면서 심호흡을 하면 위와 장의 연동운동이 촉진 됨으로 배변이 잘 된다.

▶ 스트레스를 해소할 것

긴장, 불안, 걱정, 번뇌 등은 변비증을 잘 일으킨다. 이 스트레스성 감정 등을 해소하기 위해서는 운동과 명상만큼 좋은 것이 없다. 우리는 걸으면서 명상을 한다. 심호흡을 하면서 걸을 때 생각을 오직 심호흡을 할 때 나오는 소리 등에 집중하면 잡념이 생기지 않으므로 정신이 맑아진다. 이렇게 마음이 차분해지고 맑아지면 부교감신경이 활성화 되므로 위와 장의 연동운동이 촉진되어 배변이 잘된다.

▶ 유산균제[프로바이오틱스]

시판되는 유산균제를 복용하면 장내에서 유산균이 증식되고 이와 반대로 유해균이 감소한다. 이 증식된 유산균이 배변을 촉진한다. 변비증 환자가 이 유산균제를 복용하고 좋은 효과를 보고 있다.

앞에서 언급했듯이 오줌을 마시면 장내에서 발효되어 유산균 내지 유익균이 많이 생성됨으로 배변이 촉진된다. 시간적, 경제적, 치유 효과적인 측면에서 물·요료법이 유산균제보다 더 우수하다. 유산균이 많이 들어 있는 요구르트를 먹어도 좋은 효과가 나타난다.

▶ 삼씨가루, 들깨가루, 결명자 가루를 먹을 것

삼씨는 섬유질이 많고, 매끄러우므로 배변을 촉진한다. 삼씨가

루를 1숟갈씩 국이나 죽 등에 넣어서 먹는다. 볶은 들깨가루 역시
배변을 촉진한다. 볶은 결명자 가루도 좋다.

▶ 피마자 기름

김정구씨[75세]는 수년 전부터 3일에 한 숟갈씩 피마자 기름을
아침식사 전에 먹고 변비증을 해소하고 있다. 피마자 어린 순을
나물로 만들어 먹는다. 또한 피마자 기름을 적당히 먹으면 인체에
유해하지 않다.

▶ 안트라퀴논(antraquinone)

완화제와 변비에 효과가 있다는 차 등에는 안트라퀴논이 들어
있어 배변을 촉진한다. 안트라퀴논은 장운동을 심하게 일으켜 설
사를 하게 한다.

완화제를 자주 먹으면 장 점막이 손상되고 음식물의 소화, 흡수
가 억제됨으로 건강에 해롭다. 그리고 장운동이 약화되는 장 무력
증에 걸린다. 따라서 식이요법, 물·요료법, 운동 등을 통해 치유
시킨다.

▶ 다시마, 미역 등을 섭취할 것

팝콘, 멸치, 명태, 김 등 수분이 적은 식품은 변비증을 일으킬
수 있다. 칼슘 섭취를 위해 멸치를 많이 먹지만 멸치에는 동물성
단백질이 많이 들어 있고, 섬유질이 부족해 변비증을 일으킬 수
있다. 그러나 다시마, 미역 등에는 섬유질, 칼슘 등이 풍부하게 들

어 있어 멸치 대용으로 이용할 수 있다. 물론 잡곡, 채소, 견과류 등에 칼슘이 많다.

▶ 아침식사를 꼭 먹도록 할 것

한 미국대학 연구 결과 아침식사를 거르는 사람의 약 2/3는 아침에 변을 보지 않는 것으로 밝혀졌다. 아침식사를 하지 않으면 위와 장의 연동운동이 억제됨으로 변비증이 생기기 쉽다. 또한 아침식사를 하지 않으면 점심과 저녁식사를 많이 하게 되므로 비만해지기 쉽다. 아침에 시간이 없는 경우에는 불린 잡곡, 콩 등을 믹서기로 갈아서 죽을 만들어 먹으면 좋다. 이 죽과 함께 토마토나 사과, 키위, 바나나 등을 먹으면 더욱 좋다. 노인들의 경우 식사량이 적으면 변비증이 생기기 쉽다. 그러나 이와 같은 과일과 채소를 먹으면 배변이 잘된다.

▶ 규칙적인 배변 시간을 정할 것

일반적으로 식사 후 배변을 하는 것이 옳다. 시간이 없어서 배변을 참으면 대장의 점막이 장의 내용물로부터 수분을 흡수함으로 변이 굳어져 변비증이 생길 수 있다.

▶ 변을 본 후에 휴지로 닦을 때 휴지를 항문 깊숙이 넣어서 세척할 것

항문 바로 위에 직장과 직장 위에 S결장이 있다. 이 대장들의 직경이 협소함으로 변의 흐름이 원활하지 못하여 이곳들에서 변비증과 암이 잘 생긴다.

휴지에 타액을 묻혀서 이 휴지를 항문 깊숙이 넣어서 닦아주면 직장 등이 자극을 받아 이곳에 머문 변이 추가로 나올 수 있다. 다시 휴지로 닦은 후 경우에 따라 좌욕을 한다.

또 상처에 침을 바르면 상처가 잘 아문다. 침에는 페록시다아제라는 효소가 들어 있어 해독, 항암작용을 한다. 음식물을 잘 씹어서 먹는 사람이 비만 등 생활 습관병 뿐만 아니라 암에도 잘 걸리지 않는다.

◈ 불면증

숙면을 해야 면역력이 증강되고 건강하며 장수할 수 있다. 불면증은 육체적 활동과 운동 부족으로 인해 피로감이 없을 때, 또한 독서 등 정신적 활동이 부족할 때 잘 일어나며, 스트레스나 불안, 공포감 등이 있으면 불면증이 생긴다. 또 하지 불안증후군으로 인해 수면 중에 발이 저린다든가 공복감 때문에 불면증이 생기며, 주로 당뇨병이나 저혈당증 환자가 공복감을 자주 느낀다.

자연치유법

불면증은 육체적, 정신적 활동과 운동, 온수 목욕, 심호흡과 명상 등에 의해 치유될 수 있다.

▶ 취침 약 3~4시간 전에 걷기 등 운동을 할 것

심호흡을 하면서 약 40분 동안 걸으면 피로해지므로 피로감을 해소하기 위해 잠이 잘 온다. 운동 후 샤워나 온수 목욕을 하면 더욱 효과적이다.

▶ 심호흡과 함께 명상을 할 것

스트레스나 불안감 등이 있으면 잠이 잘 오지 않는다. 그러나 침대에 누워서 심호흡과 함께 명상을 하면 잡념이 일어나지 않으므로 잠이 잘 온다.

침대에 누워서 코로 숨을 천천히, 길게, 깊이 들이쉴 때 생각을 오직 이 숨소리에 집중하고 숨을 천천히 내쉴 때 기독교인들은 주기도문을 외우고, 불자들은 나무아미타불 등 염불을 하면 불안감이나 스트레스가 사라지고 머리가 심호흡 때문에 피로해지므로 잠이 잘 온다. 약 5~10분 정도 반복해서 이 명상법을 실천한다.

주기도문을 외우거나 염불을 할 때 생각을 이 소리 등에 집중한다. 무종교인들은 오직 호흡 소리에만 집중하면 잡념이나 불안감 등이 생기지 않고 스트레스가 해소된다.

나는 매일 잠자기 전 심호흡과 함께 이 명상법을 실천함으로써 잠을 잘 잔다. 나는 침대에 누워서 심호흡을 하면서 반야심경과 천수경을 외운다.

▸독서나 작문 등을 할 것

잠자기 전 독서를 한다든가 일기 등 글을 쓰면 뇌가 피로해지므로 잠이 잘 온다. 2~3시간 동안 잔 후 더 이상 잠이 안 올 때에도 독서를 하면 다시 잠이 온다.

▸오줌을 마실 것

사람의 오줌에는 S성분[Factors]이 들어 있으며 이 S 성분이 수면을 촉진하는 것으로 밝혀졌다. 또한 공복감 때문에 잠이 잘 안 올 수 있는데 오줌을 한 컵 마시면 공복감이 해소됨으로 숙면을 한다. 또한 따뜻한 한 컵의 오줌을 마시면 부교감신경이 교감신경에 대하여 우위에 있게 되므로 몸과 마음이 이완되어 잠이 잘 온다. 일반적으로 부교감신경은 따뜻한 음료수나 음식을 먹을 때와 휴식을 취할 때 활성화 되므로 심박동이 부드럽게 되고 혈액순환이 활성화 되며 몸과 마음이 이완된다. 특히 잠이 더 이상 오지 않을 때 독서 등을 한 후 오줌을 마시면 다시 잠을 잘 자게 된다.

▸다리 저림증과 맛사지

잠을 자는 도중에 발고 다리가 저리면 잠을 잘 잘 수 없다. 이런 사람들의 경우 자기 전에 발과 다리를 잘 주물러 준다든가 맛사지를 해주는 것이 좋다. 다리의 동맥경화 때문에 저림증이 생길 수 있으며, 이때는 평상시에 물을 충분히 마시면 다리의 동맥경화증이 치료된다.

앞과 뒤로 발차기[무릎 통증편 참조]를 하면 다리 근육의 긴장이 풀어진다. 자기 전에 약 10번씩 이 발차기를 한다. 다리 근육을 꽉 조이는 양말이나 잠옷은 다리 저림증을 유발시킨다.

▶ 발끝치기를 할 것

이청춘[75세]씨는 하지동맥경화증 때문에 잘 걸을 수 없었을 뿐만 아니라 잠을 잘 때 다리가 저려서 잠을 잘 잘 수 없었다. 그러나 이 발끝치기를 하면서 하지동맥경화증이 치유되고 다리 저림증도 사라져 지금은 잠을 잘 잔다. 하루에 약 1,000번을 바닥에 누워서 했다. '당뇨병편'에 발끝치기 방법을 참조할 것.

▶ 자기장요법(Magnet Field Therapy)을 할 것

자기장요법은 자기와 전류를 이용하여 불면증이나 관절염 등 통증을 완화시키는 치료법이다. 자장에는 북극과 남극이 있으며 북극[음극]을 두피에 접촉시킴으로써 수면 촉진의 효과를 일으킨다.

여러 임상실험 결과 효과가 있는 것으로 나타났다. 이때 주의할 것은 임신부, 심장 박동기 삽입 수술을 받은 사람, 혈전용해제 복용자들은 이 자기장요법을 피하는 것이 좋다.

* 길초근[쥐오줌풀]이 효과적이다 길초근 추출물과 정제는 독일, 스위스 등 유럽과 미국 등에서 수면제로 이용되고 있다. 여러 임상실험 결과 이 추출물과 정제는 조기 수면을 촉진하고, 수면의 질을 향상시키는 것으로 나타났다. 일반 수면제는 졸림증, 집중력 약화 등의 부작용을 일으키지만 길초근은 부작용을 일으키지 않는 것으로 밝혀졌다.

▶ 저혈당증 억제

밤에 혈당 수치가 떨어지면 공복감이 생겨 잠이 잘 안 온다. 당수치가 떨어지면 아드레날린, 글루카곤, 코티졸 등 당 수치 조절 호르몬이 분비되어 뇌를 자극함으로 공복감을 느낀다.

저혈당증은 설탕 등 삼백식품, 과자, 쨈, 시럽, 액상과당 등 단음식을 자주 먹는 사람들이 잘 걸린다. 그러나 가공, 정백하지 않은 현미 등 잡곡, 콩, 견과류, 채소, 해조류 등을 먹으면 저혈당증, 불면증의 예방과 치유 효과를 높인다.

▶ 햇빛을 자주 쬘 것

맑은 공기 속에서 햇빛을 자주 쬐면 수면을 촉진하는 세로토닌과 멜라토닌이 잘 분비된다.

▶ 적당한 실내 습도와 온도를 유지할 것

숙면을 위한 실내 온도는 18~20°이며, 습도는 55~60%이다. 너무 덥거나 춥거나 건조하거나 습해도 숙면하기 어렵다. 침실의 공기는 맑아야 하므로 창문을 약간 열어놓는다.

▶ 정해진 수면시간을 지킬 것

규칙적으로 정해진 시간에 자고 일어나야 한다. 수면을 촉진하는 멜라토닌은 밤 10시부터 새벽 4시에 분비됨으로 이 시간 전과 후에 자는 것이 바람직하다.

* 과음을 억제할 것.

* 안대와 귀마개 등을 이용한다. 침실 주위가 너무 밝고 소란스러워도 숙면을 할 수 없다. 가로등 등 때문에 침실이 너무 밝으면 멜라토닌 분비가 억제된다.

* 카페인 섭취를 억제할 것.

* 자기 전에 TV시청을 하면 숙면을 할 수 없다는 보고서가 있다. 감정을 일으키는 장면이 마음의 안정을 저해함으로 불면증을 일으킬 수 있다. 그러나 신앙 등에 관한 TV는 오히려 불안감 등을 해소시키므로 숙면을 가져올 수 있다.

스마트 폰 등으로 게임 등을 해도 숙면을 못하는 것으로 밝혀졌다.

◈ 비 만

운동요법이나 식이요법, 효소요법, 충분한 물 섭취 등에 의해 비만증을 치료할 수 있다. 나는 키 170cm에 체중이 81kg였으나 이와 같은 방법으로 14kg을 감량했다. 현재 체중은 67kg이며 정상이다. 비만 가운데 복부 비만은 고혈압, 당뇨, 심장병, 유방암 등 암을 발병시키므로 되도록 빨리 치유되어야 한다.

비만증의 예방과 자연치료

▶ 운동요법
앉아서 양팔, 몸통, 머리 휘돌리기[그림참조]

1. 매트 위에 양 다리를 쭉 뻗고 허리를 세우고 앉는다.

2. 양팔을 쭉 뻗은 뒤 좌와 우로 적당한 강도로 휘돌린다. 이때 몸통과 머리도 팔의 돌아가는 방향으로 돌려준다. 좌로 돌릴 때 1번, 우로 돌릴 때 1번씩 세면서 60번을 1셋트로 2셋트[120번]를 한다. 하루에 3회 공복 상태에서 하는 것이 효과적이다. 지금도 나는 식사하기 전에 실행하고 있다.

서 있는 상태에서 양팔 휘돌리기를 하면 무릎이 아프지만 앉아서 하면 전혀 부작용이 일어나지 않는다. 이 휘돌리기 등을 실내에서 할 때는 창문을 열어놓고 한다.

손 빨래를 할 때 양손으로 빨래감을 비틀면 물이 빠지듯이 양팔, 몸통, 목을 휘돌리면 이 신체조직들의 체지방 분해가 촉진되고 근육량이 증가한다.

이 앉아서 양팔 휘돌리기 운동은 KBS에 두 번이나 각각 다른 단체에 의해 출연된 운동, 즉 장대를 겨드랑이에 끼고 서서 좌우로 몸 전체를 돌리는 운동에 영향을 받고 만들어졌다. 이 장대를 이용한 운동을 통해 뱃살을 빼고 체중 감령에 성공했다. 이 장대를 이용한 휘돌리기를 하면 무릎 통증이 생길 수 있다.

[그림 5] 양팔 휘돌리기

▶ 누워서 양다리와 양발을 동시에 올렸다 내리기를 할 것

1. 매트 위에 등을 대고 누워서 양다리와 양발을 약 60°올렸다 내린다. 바닥 쪽으로 내릴 때는 양발과 다리가 바닥에 닿지 않게 한다.

2. 양다리와 양발을 위로 올릴 때는 숨을 깊이 들이 쉬고 내릴 때는 숨을 내쉰다.

3. 15~20번을 1셋트로 3셋트[45~ 60]를 한다. 하루에 공복 상태에서 3회를 한다. 나는 식사 전에 지금도 이 운동을 계속하고 있다.

이 운동을 하면 척추 근육과 복부 근육이 증강되고 지방분해가 촉진된다. 따라서 복부 비만과 요통의 예방과 치유 효과를 높인다.

이 운동과 함께 심호흡을 하므로 체지방 분해가 촉진된다.

[그림 6] 양발 올렸다 내리기

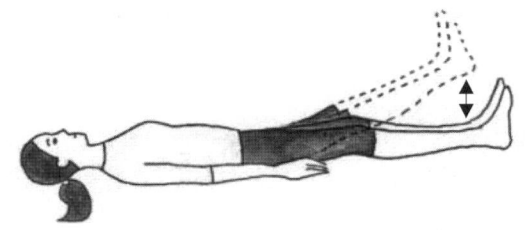

▶ 윗몸 일으키기

1. 먼저 양다리를 쭉 펴고 매트 위에 앉는다.

2. 매트에 등을 대고 눕자마자 곧바로 누울 때 생기는 반동작용을 이용해 상체를 일으킨다. 바닥으로부터 상체를 반쯤[45°] 올렸다 내렸다를 반복한다. 상체를 내릴 때는 숨을 들이 쉬고 상체를 올릴 때는 숨을 내쉰다.

3. 양다리와 발을 바닥에 고정시킨 상태에서 윗몸만 일으켰다 내린다. 어떤 사람은 기구나 가구 등을 이용해 양발을 고정시키지만 나는 양발에 힘을 주어 고정시키면서 상체만 반쯤 일으키고 내린다.

4. 윗몸을 일으킬 때 양손에 온 힘을 주어 주먹을 불끈 쥔다. 그리고 상체를 눕힐 때 손바닥을 편다. 이렇게 주먹을 불끈 쥐면 팔과 어깨, 가슴 등의 근육이 증강된다.

5. 10번을 1셋트로 2셋트[약 20번]한다. 역시 식사 전 공복 상태에서 하루 3회씩 한다.

이 운동을 하면 복부나 등, 가슴, 어깨, 팔 등의 근육이 증강되고 이 신체 조직의 체지방 분해가 촉진된다.

▶ 걷기와 심호흡

식사 후 잠시 휴식을 취한 뒤 걸으면서 심호흡을 하면 혈액순환과 대사작용이 촉진됨으로 섭취된 영양소의 열량화가 활성되어 비만 해소에 큰 도움이 된다. 음식이나 술 등을 먹으면 혈당과 인슐린 수치가 오르므로 체지방 축적이 잘 된다. 그러나 걷기 등 운동과 심호흡을 하면 지방 축적이 억제된다.

▶ 복식호흡[심호흡]을 하고 흉식호흡[얕은 호흡]을 억제할 것

심호흡을 하면 폐에서 가스교환이 촉진됨으로 산소가 체내로 많이 유입되고 유해물질인 탄산가스가 체외로 배출된다. 이 다량의 산소가 혈관을 타고 세포에 전달되며, 세포는 이 산소와 영양소를 이용해 우리가 활동할 수 있는 에너지를 만든다. 따라서 지방질과 포도당 등의 연소가 촉진되어 복부 비만이 사라진다. 그러나 얕은 호흡을 하면 폐의 가스 교환이 활발하지 않으므로 체지방 분해가 억제된다. 걸으면서 심호흡을 하면 상승작용이 일어나 더욱 체지방 분해가 잘 된다.

▶ 접시돌리기와 심호흡

접시돌리기를 통해 체중 감량, 혈당, 혈압, 총콜레스테롤 수치를 낮춘 사례가 매우 많다는 것이 언론에 알려졌다. 나는 직접 새로운 접시돌리기를 계발해서 실천하고 있으며, 그 효과가 매우 좋았음을 실감하고 있다.

1. 양발을 약 50cm를 벌리고 서서 앞을 본다. 정면을 보고 있는 상태에서 양발을 가로로 직선을 유지한다. 키가 큰 사람은 양발 사이를 더 넓혀야 하고 작은 사람은 좁힐 수 있다.

일반 접시돌리기를 할 때는 양발의 위치가 세로로 일직선이 되지만 나의 접시돌리기는 가로로 양발이 일직선이 되게 한다. 가로로 양발이 일직선이 된 상태에서 하면 더 안정적이고 쉬우며 효과적이다.

2. 오른 손으로 접시를 잡고 왼쪽에서 오른쪽으로 크게 원을 그리면서 돌린다. 접시 잡은 손이 위로 갈 때는 숨을 들이쉬고 아래로 내려 갈 때는 숨을 내쉰다. 이렇게 10번을 크게 원을 그리면서 돌린다. 이렇게 돌린 다음 왼손으로 돌린다. 이와 같은 심호흡과 팔의 운동이 체중 감량 등의 효과를 일으킨다.

3. 왼손으로 잡은 접시를 이번에는 오른쪽에서 왼쪽으로 크게 원을 그리면서 돌린다. 이때에도 접시를 잡은 손이 위쪽으로 갈 때 숨을 들이쉬고 아래쪽으로 내려갈 때 숨을 내쉰다. 이렇게 약 10번을 돌린다.

4. 오른손, 왼손 각각 10번을 한 셋트로, 8~10셋트를 한다.

5. 심호흡을 접시돌리기와 교차로 한다.

심호흡을 하면서 천천히 앞으로 걷는다. 그런 다음 뒤로 걸으면서 역시 심호흡을 한다. 이렇게 약 5분 정도 걸으면서 심호흡을 한 다음 접시돌리기를 한다. 걸으면서 심호흡을 오랫동안 하면 뇌가 빨리 피로해지지만 접시돌리기를 교대로 하면 이와 같은 부작용이 일어나지 않고 운동과 심호흡의 효과를 높여준다. 실내의 좁은 공간에서 앞으로 걸은 다음 몸의 방향을 바꾸지 않고 뒤로 걸으면 무릎이 아프지 않는다. 혹시 무릎이 아프면 [앞과 뒤로 발차기 무릎통증편]을 참조할 것.

이 같은 교차운동을 약 30분 정도 한다. 그리고 앞과 뒤로 걷는 것이 무릎 건강에도 좋다. 이 교차운동은 실내에서 하면 좋다. 특히 날씨가 좋지 않다든가 공기 질이 나쁠 때 실내에서 쉽게 할 수 있다. 이렇게 약 30분 정도를 하면 땀이 난다.

▸ 식이요법

식이요법은 다이어트의 중추적 역할을 한다. 잡곡밥, 채소, 해조류 등을 잘 씹어서 먹는 것만큼 좋은 식이요법은 없다고 말할 수 있다. 나뿐만 아니라 많은 체중 감량에 성공한 사람들이 이 식이요법을 실천하고 있다. 이 식이요법을 통해 체중을 감량할 수 있고 건강을 유지할 수 있다.

▸ 잘 씹어서 먹을 것

꼭꼭 씹어서 먹는 식이요법을 일명 프렛처리즘이라고 한다. 1930년대 미국의 억만장자인 포드, 프렛처는 비만, 당뇨, 고혈압, 심장병 등에 걸려 여러 치유 방법을 썼으나 오히려 더욱 악화되었다. 그러나 지인으로부터 잘 씹어서 먹으면 과식하지 않게 되므로 비만증이 해소된다는 말을 듣고 실천함으로써 약 1년 만에 약

50kg의 체중 감량에 성공했다. 물론 고혈압, 당뇨, 심장병 등도 좋아졌다. 현재 우리나라에서도 이 방법을 통해 체중 감량에 성공한 사람들이 많다.

음식을 천천히 먹으면 뇌에서 렙틴이란 호르몬이 분비되어 포만감을 느끼므로 과식하지 않는다. 그러나 음식을 잘 씹지 않고 빨리 먹으면 렙틴이 분비하기도 전에 과식을 한다. 그리고 잘 씹지 않고 과식을 하면 위장이 혹사됨으로 위장병에 잘 걸린다. 프렌처리즘은 렙틴 호르몬을 이용한 다이어트 방법이다.

한 부인은 키 162cm에 체중이 82kg에 달했다. 그녀는 잡곡밥, 김치, 나물, 미역, 다시마, 각종 채소 등을 잘 씹어서 먹음으로써 약 25kg을 감량했다. 먼저 잡곡밥을 잘 씹어서 죽처럼 만든 뒤 삼킨 후 반찬을 역시 잘 씹어서 삼켰다. 그녀의 식사 시간은 40~60분이었다.

▶ 두부와 두유 유동식을 할 것

식물성 단백질인 두부와 두유 등 유동식을 먹고 체중 감량에 성공한 사람들이 있다. 탄수화물과 지방질은 체지방 축적을 촉진하지만 콩 등에 많이 든 단백질은 체지방 축적을 억제한다.

잡곡밥 반 공기와 두부 등으로 만든 된장국, 채소, 해조류 등을 먹으면 혈당 수치가 많이 오르지 않으므로 비만 해소에 큰 도움이 된다. 아침 출근 때문에 장시간 식사할 수 없는 경우 두부 등을 이용한 유동식을 짧은 시간에 먹을 수 있다. 두부[1/3모], 사과[1/2개], 바나나[1개], 두유[120ml],무설탕 요구르트 등을 믹셔기에 넣고 갈아서 먹는다.

▸ 식사 전에 과일을 먹을 것

한 연구에 의하면 과일을 아침식사 전에 먹는 것이 식사 후에 먹는 것보다 혈당 수치가 훨씬 낮은 것으로 나타났다. 평균 50mg% 더 낮은 것으로 밝혀졌다.

혈당은 인슐린에 의해 세포에 전달된 후 남게 되면 체지방으로 전환되어 복부 등에 축적된다. 따라서 식사 전에 과일을 먹으면 체지방 축적이 억제된다. 이 방법으로 체중 감량에 성공한 사람들이 많다. 또한 식사 전에 과일을 먹으면 포만감이 생기므로 과식을 하지 않게 된다. 특히 단과일 대신에 토마토 등을 먹는다.

▸ 물을 하루에 1.5~2리터 마실 것

이처럼 물을 충분히 마시면 걸쭉한 피가 묽어지므로 혈류가 촉진되고 대사작용이 활성화 된다. 따라서 체지방 분해가 잘 된다.

* 백미, 흰 밀가루, 설탕 등 당 부하지수[GL]가 높은 식품을 먹으면 혈당 수치가 갑자기 오르고 인슐린도 함께 많이 분비되어 비만증이나 당뇨병 등에 걸리기 쉽다. 되도록 잡곡이나 채소, 해조류 등 당부하지수가 낮은 식품을 먹어야 한다.

* 아침식사를 하면 점심과 저녁을 과식하지 않으므로 체중 감량에 큰 도움이 된다.

* 간식과 야식을 억제하고 저녁은 되도록 5시경에 할 것.

* 과음을 억제하고 육류 등 고지방 식이를 억제할 것.

▶ 단식과 곡채식이를 할 것

물만 먹고 약 3~4주 동안 단식을 하면 체중이 약 10kg 정도 빠진다. 소량의 원당[가공하지 않은 설탕]이나 조청 등을 먹고 하는 단식을 간이단식이라고 하며, 이 간이 단식을 약 25일을 하고 약 10kg을 감량한 사람을 확인했다. 이 사람[남, 76]은 복부비만, 당뇨, 무릎 통증으로 고생하였으나 간이단식을 통해 복부비만이 사라지므로 당뇨와 무릎 통증도 함께 치유되었다.

다음은 하루에 복용할 물과 식품이다. 곡채식이를 잘 지키면 절대로 요요현상이 일어나지 않는다. 간이단식을 시작하기 약 3주 전부터 곡채식이[잡곡밥, 야채, 버섯 등]를 실천해서 피를 맑게 하고 건강 체질을 유지한다.

단식 기간에 하루에 물 2리터, 원당 또는 조청 큰 3수저, 된장 큰 1수저를 먹는다. 원당이나 조청을 한 번에 1수저씩 3번에 나눠서 먹고 된장은 물에 타서 먹는다. 단식 동안 다른 음식은 절대로 먹지 않는다.

간이단식이 끝나면 이와 같은 곡채식이를 실천한다. 잡곡밥이 딱딱해서 못 먹겠다고 말하는 사람들이 있는데 저녁에 솥에 잡곡을 안치면 잡곡밥도 부드러워진다.

암은 신생혈관이 생겨서 성장하며, 비만 역시 신생혈관 때문에 증대한다. 육류 등 식품이나 햄버거, 콜라, 라면 등 가공 식품들은 신생혈관 생성을 촉진하지만 특히 십자화과 채소나 녹황색 채소, 버섯들은 신생혈관 생성을 억제한다. 생선이나 빵, 과자, 튀김 등도 먹지 말아야 한다. 술이나 식용유 역시 비만을 촉진함으로 먹지 않는 대신에 참깨나 들깨, 견과류를 먹는다. 이 같은 주의 사항을 잘 지키면 절대로 요요현상이 일어나지 않는다.

단식이 끝나면 토마토, 오렌지, 감귤, 배, 사과 등 과즙이 많은 과일을 1~2일 먹은 후 곡채식이를 한다. 그리고 간식을 절대 금한다. 약 3주일 동안 단식을 하면 단식원에서 하지만 이 간이단식을 하는 동안에는 집에서 하며, 하루에 약 30분 정도 가벼운 산책을 하면서 할 수 있다. 3~4주 동안 물만 마시고 단식을 해서 비만과 당뇨병 등을 치유한 사람들이 많이 있다. 이처럼 2회를 하면 더욱 좋은 결과를 가져 온다. 1회는 단식원에서, 2회 부터는 집에서도 할 수 있다.

▶ 욕탕을 이용하여 체중을 감량한다

따뜻한 물에 몸을 담그면 신진대사가 활발히 작용을 하고 땀이 많이 나오므로 체지방이 잘 분해된다.

75세 한 부인은 2개월 동안 시내 욕탕을 이용한 후 약 20kg을 감량했다. 1주일에 2회 욕탕을 이용했으며, 1회에 20분씩 3번 욕탕에 몸을 담갔다. 한 번에 오랫동안 욕탕에 몸을 담글 수 없으므로 20분 담근 후 밖으로 나와서 냉수를 마시며 20분 휴식을 취한 뒤에 다시 욕탕에 들어갔다. 땀이 많이 나오므로 수분 보충을 위해 냉수를 꼭 마셨다.

욕탕에 몸을 담글 때 배꼽까지 묻히도록 한다. 전신을 담그면 위험하므로 조심해야 한다. 그리고 곡채식이를 실천하며 잘 씹어서 음식물을 먹도록 한다.

이 부인은 과체중 때문에 무릎이 붓고 통증이 심했으나 이 방법으로 20kg을 감량한 후 통증과 무릎 부종이 사라졌다. 지금 이 부인은 잘 걸으며 건강하다. 권투 등 운동선수들이 경기 전에 체중을 감량하기 위해 이 따뜻한 욕탕을 이용하기도 한다.

◈ 신부전, 신장염 등 신장병

신장병의 주요 증상은 고혈압, 부종, 단백뇨, 혈뇨이다. 신장[콩팥]은 혈관 덩어리이며, 이 신장에 염증이 있으면 혈류가 억제됨으로 고혈압이 된다. 신장은 간과 함께 독성물질을 배출하는데 신장에 염증 등이 있으면 독성물질이 배출되지 못하므로 다리나 손 등이 붓는다.

신장은 피를 걸러내는 작용을 하며, 이 과정에서 혈당과 아미노산 등 영양분을 다시 흡수하는데 염증 등이 있으면 아미노산을 흡수하지 못하고 오줌과 함께 배출된다. 따라서 오줌에 아미노산[단백질의 일종]이 많으면 오줌 색이 뿌옇다. 이것을 단백뇨라고 한다. 신장병이 있으면 소량의 피가 오줌과 함께 나올 수 있다. 또한 신장이 있는 등과 옆구리에 통증이 있을 수 있다.

원인과 자연치료

급성신염은 편도선염이나 감기를 앓고 난 후에 자주 발병되며, 알레르기성 질병, 류마티즘, 화농성 피부염 등을 앓고 난 후에도 발병된다. 약물의 부작용 때문에 증상이 악화된다. 급성신염이 잘 치료되지 않으면 만성신염이나 신부전증으로 진행된다. 고혈압이나 당뇨병 등이 있어도 신동맥경화증에 걸리기 쉽다.

▶ 오리 + 옻

오리 한 마리를 내장만 제거한 후 물을 붓고 푹 삶는다. 이 삶은 오리와 용기를 냉장고에 1~2시간 넣어 두면 그 국물 위에 지방이 뜬다. 이 지방을 제거한 후 그 삶은 오리에 물을 더 붓고, 마른 옻나무 껍질을 삶은 오리 속에 넣고 다시 푹 삶는다.

환자는 이 오리+옻의 삶은 물만 한 번에 250ml씩 하루 3번, 식사 약 30분 전에 마신다. 하루 복용량은 750ml[250×3]정도 된다. 경우에 따라서 건데기도 밥과 함께 먹을 수 있다.

옻 알레르기 반응이 나타나는 사람은 소량의 옻 껍질을 오리와 함께 삶아서 먹는다. 또한 옻 알레르기를 억제하는 약이 시판되고 있으며, 환부에 계란 노른자위 또는 밤 껍질 삶은 물로 문지르면 알레르기 증상이 사라진다. 한 번 옻을 먹으면 우리 몸에 면역력이 생겨서 두 번째 부터는 옻 알레르기가 생기지 않는다.

나는 이와 같은 방법으로 신부전증 등 많은 신장병을 치료했다. 많은 신장병 환자들이 의사가 처방한 약을 먹고 증상이 더 악화되었다. 그러나 오리＋옻 치료법을 약 2~3개월 실천하면 완치된다. 이 오리＋옻 치료법은 만성신장염, 신부전, 신경화증 등에 치료 효과가 매우 좋다.

▸ 물 · 요료법

만성신부전증 환자인 알리 K[독일 59세 남]씨는 혈액 투석을 받았던 중증 환자였으나 한 번에 약 250ml[한 컵]자기 오줌을 하루에 3번[250×3], 약 3개월 동안 마신 결과 혈액 투석을 중지할 정도로 빨리 회복됐다. 그의 주요 증상은 고혈압, 단백뇨, 부종, 요독증이었으나 이와 같은 증상도 모두 해소됐다.

오줌 속에는 혈류를 촉진하는 칼리크레인, 혈관을 확장하는 프로스타글란딘 E1, 혈전을 용해하는 유로키나제 성분이 들어 있기 때문에 모세혈관 덩어리인 사구체 질병의 치료 효과를 높인다. 또한 오줌을 마시면 장에서 발효되어 효소가 증식됨으로 신장세포의 분열과 증식이 촉진되어 치료 효과를 높인다.

▸ 강냉이 수염

마른 강냉이 수염 200g에 물 3리터를 붓고 달인다. 한 번에 250ml 달인 물을 하루 3번[250×3] 식사 약 30분 전에 마신다. 나머지는 냉장고에 보관하면서 마신다.

부종이 심한 급, 만성 신장염 환자 10명을 이와 같은 방법으로 치료한 결과 모든 환자에게서 부종이 없어졌고 혈뇨, 단백뇨, 고혈압 증상도 치료 4주 만에 모두 사라졌다. 만일 이 치료기간 동안 완치가 안 되면 몇 주 동안 더 연장해야 한다.

▶ 메 밀

메밀가루 150g으로 죽이나 묵을 만들어 하루 3번 나눠서 먹는다. 메밀가루에 물을 조금 붓고 질척하게 한 다음 차츰 물을 더 첨가해서 열을 가해 죽을 쉽게 만들 수 있다. 급·만성 신장염 환자 8명, 신경화증 환자 4명을 이와 같은 방법으로 치료한 결과 부종, 고혈압, 단백뇨 증상이 없어졌고 두통과 요통, 피로감도 사라졌다. 치료 기간은 4주였다. 유효율은 80~90%이다. 만일 이 치료 기간 동안 완치가 안 되면 치료 기간을 연장해야 한다

메밀에는 모세혈관을 튼튼하게 하는 루틴이란 성분이 6mg%나 들어 있어 모세혈관으로 이루어진 사구체 염증이나 동맥경화증의 치료 효과를 높인다.

* 비타민, 미네랄, 항산화 물질 섬유질 등이 풍부한 곡채 식이를 실천하면 피가 맑아지므로 신장병의 치유 효과를 높인다. 특히 신장은 혈관 덩어리이므로 맑은 피가 흘러야 잘 치료된다.
* 고지방, 고단백질, 고당질, 고염 식이를 억제할 것.

이와 같은 식품은 피를 탁하게 하고 피의 점도를 높이며 혈당과 혈압을 올려 신장의 혈액 순환을 억제하므로 오히려 신장병을 악화시킨다.

* 걷기 등 유산소 운동을 하면 신장의 혈류와 대사작용이 촉진됨으로 치료 효과를 높인다.

◈ 암

　요즈음 한국에서 약 40만 명이 암으로 고통 받고 있으며 매년 약 9만 명이 암으로 사망한다. 암은 활성산소에 의한 유전자 손상, 또는 세포분열 과정에서 이상이 생겨서 발생한다. 사람은 약 60조의 세포로 구성되어 있으며, 하루에 모든 사람들에게서 약 7천만 번 세포 분열이 일어난다.

　유전자[DNA]는 세포분열에 중요한 작용을 한다. 흡연이나 과음 등 나쁜 생활습관은 유전자 손상을 일으키며, 이 유전자 손상은 세포 분열 과정에서 약 5,000개의 암 세포를 발생시킨다. 특히 흡연과 과음 등을 하면 체내에서 활성산소가 생성되어 유전자를 손상시키고 혈관 등 신체 조직에 염증을 일으키고 암을 발병시킨다.

　이 암세포들은 평상시에는 성장과 증식이 억제된 상태로 존재하지만 어느 시점에 발암촉진 물질을 만나면 이 암세포는 무한 증식하고 다른 신체 조직으로 전이한다.

예방과 자연치료

　암의 원인을 알면 자연적으로 치료 방법도 찾을 수 있다. 암은 흡연이나 과음 등 나쁜 생활습관과 피를 흐리게 하고 면역력을 약화시키는 서구적 식이, 고염분 섭취, 비만, 스트레스, 변비증, 약물 남용, 화학물질 노출 등 때문에 발병된다. 이와 같은 원인들은 활성산소를 많이 일으켜 암을 발병시킨다.

섬유질이나 비타민, 미네랄, 효소, 항산화 물질이 풍부한 곡채식이, 규칙적인 운동과 심호흡, 명상, 식물요법 등을 실천하면 면역력이 증강됨으로 암세포도 사라진다.

백혈구는 면역력을 담당한다. 백혈구에는 매크로퍼지, 과립구, 림프구가 있다. 이 백혈구들은 몸속의 이물질을 삼키고 바이러스, 박테리아, 세균 등을 죽인다. 특히 림프구에 T세포, B세포, NK(Natural Killer)세포가 있으며, NK세포는 암세포를 잘 죽이는 것으로 잘 알려졌다. 따라서 이와 같은 방법으로 면역력이 증강되어 NK세포 등이 활성화 되면 암으로부터 해방될 수 있다. 이밖에 물·요료법, 효소요법, 항암 식물, 독물요법 등이 면역력을 증강시킨다.

▶ 물 · 요료법

필립. L[독일, 57세]씨는 직장암 4기이므로 암 절단 수술을 통해 2개의 종양을 제거했다. 통상적으로 이와 같은 수술을 받으면 대장에 인공 항문을 만들어 배변을 하지만 그는 인공 항문을 거절하고 요료법을 실천했다.

그는 요료법을 통해 대장암, 유방암, 위암, 식도암, 후두암 등이 치료된다는 사실을 신문과 방송 등을 통해 알고 있었다. 또한 그는 41세 때 신부전증으로 고생했으나 오줌과 물을 충분히 먹고 현대적 의술로써 치료할 수 없는 이 신부전증을 완치시킨 경험을 갖고 있다. 즉 오줌의 효능에 대한 강한 신뢰성을 갖고 있기 때문에 수술 후 방사선이나 화학적 요법에 의존하지 않고 요료법과 함께 섬유질, 비타민, 미네랄, 항산화 물질이 풍부한 곡채 식이와 걷기 등 운동을 실천했다. 한 번에 약 300㎖[한 컵]씩 하루에 4번 공복에 마셨으며 물도 2컵 정도 마셨다.

수술 당시 암 표시 지표는 12. 4이었으며, 수술 후 한 달이 경과할 때의 이 지표는 4.6으로 뚝 떨어졌다. 물·요료법을 시행한 지 약 4개월이 지났을 때의 암 표시 지표는 정상[1.7]이 되었다. 현재 직장암 수술을 받은 지 7년이 지났으나 재발되지 않고 그는 건강하게 살고 있다.

인도에서는 3명의 악성 유방암 환자들이 유방 제거 수술의 권유를 물리치고 단식과 함께 물·요료법을 실천하고 완치시켰다. 이 사실이 인도의 신문과 잡지에 발표되었다. 어떤 환자는 단식 약 4~3주 만에 완치되었다.

한 유방암 환자의 증상은 매우 심각했다. 암으로 인해 유방에 궤양이 생겼으므로 고름 등 액체가 흘러나오고 냄새가 매우 고약했다.

의사는 천에 그녀의 오줌을 적셔 유방의 궤양 깊은 곳에 삽입했으며, 천이 마를 때까지 두었다가 요를 적신 새 천을 갈아주는 요습포를 오랫동안 지속했다. 이와 같은 요습포를 약 1주일 동안 계속하는 동안 궤양이 아물었다. 오줌 속의 요소는 상처와 궤양을 치유시킨다.

오줌의 항암작용

인간의 장에는 백혈구 등 인체 면역조직의 약 70%가 자리 잡고 있는 것으로 잘 알려져 있다. 따라서 위와 장 등 내장 조직이 건강하면 NK세포 등 암 킬러세포가 활성화 되어 암이 치유된다.

오줌을 마시면 장에서 발효되어 바실루스 등 유익균과 효소가 증식되고 부패균 등 유해균과 그 독성물질이 감소한다는 것을 나는 세계 최초로 발견했다. 따라서 오줌을 마시면 장이 건강하고 인체의 면역력이 증강된다.

또한 증식된 유익균과 효소는 SOD등 항산화 효소의 작용을 활성화 시켜 암을 일으키는 활성산소[유해산소]을 억제한다.

1966년 미국의 베이러 연구원들은 오줌의 디렉틴[Directin]이란 물질이 항암작용을 하는 것을 발견했다. 디렉틴을 암세포 배양액에 넣었더니 무질서적으로 증식된 암세포들이 정상 세포들처럼 일렬로 나열하여 질서를 유지하는 현상을 발견하였다.

이와 같은 현상은 돌연변이 된 암세포가 정상 세포로 전환되는 것을 뜻한다. 오줌에서 추출된 디렉틴은 부작용을 일으키지 않는다. 이밖에 오줌에는 인터페론, 요산, 안티네오플라톤, 에이치-11[H-11]등 항암물질이 들어 있다.

암은 산소를 싫어한다. 활성산소에 의해 손상된 신체 조직에 염증이 생기고 세포의 돌연변이로 인해 암세포가 생긴다. 암세포와 손상된 신체 조직에 충분한 산소를 공급하면 세포가 건강해지고 손상된 조직이 치유된다.

오줌 속에는 칼리크레인이 들어 있어 혈류를 촉진하고 혈압을 내린다. 또한 혈관 확장 작용을 하는 프로스타글란딘, 혈전용해 작용을 하는 유로키나제가 들어 있다. 따라서 오줌을 마시면 혈액 순환이 촉진됨으로 산소와 영양소가 혈관을 타고 약 60조의 세포에 잘 전달된다. 그리고 산소 등을 공급받은 세포는 대사작용이 촉진되어 탄산가스 등 독성물질을 잘 배출함으로 면역력이 증강되어 암의 치유 효과를 높인다.

▶ 단식과 물 · 요료법

단식을 하면 세포와 조직이 휴식을 갖게 되므로 암 등 질병의 치유 효과를 높인다. 또한 음식물의 소화, 흡수, 배설되는 과정에서 생기는 활성 산소, 노폐물, 독성물질이 생기지 않으므로 치유 효과를 높인다.

오줌과 물을 마시면서 단식을 하면 몸속에 축적된 독성물질의 배출과 내장지방 등 체지방 분해가 촉진된다. 내장 지방이 많으면 여성호르몬[에스트로겐]생성이 많아져 유방암이나 자궁암, 난소암 등의 발병률이 높다. 물 · 요료법과 단식을 통해 체지방과 비만이 해소됨으로 유방암 등이 잘 치유된다.

▶ 맑은 공기 속에서 운동을 할 것

로타. P[독일 53세]씨는 만성 B형 간 바이러스 보균자이었으며, 40대 중반에 간암 판정을 받고 색전술 등 항암 치료를 받았다. 그러나 간암 말기이기 때문에 항암 치료도 효과가 없었으며 혈관,

임파선, 폐에도 암세포가 전이되었다.

항암 치료를 받던 중 로타. P씨의 백혈구 수치가 너무 낮으므로 의사도 더 이상 치료할 수 없었다. 의사는 그의 암 치유 가능성은 1%에 불과하며 맑은 공기 속에서 운동을 하고 건강한 식생활을 할 것을 조언했다.

그의 집 뒤에는 야산이 있었으며 그는 비가 오나 눈이 오나 날씨와 계절에 관계없이 산에 올랐으며 수 시간 동안 산에서 생활했다. 한 겨울에도 산에 올라가 계곡물로 냉수마찰을 하면서 몸과 마음을 단련시켰다.

3개월 밖에 살지 못할 것이란 의사의 말과 다르게 그의 검었던 얼굴색은 밝은 색으로 전환되었으며, 허약했던 그의 몸은 강한 근육질이 되어 갔다.

전에는 고기와 술을 많이 먹었으나 이와 같은 식품의 섭취를 억제하고 섬유질, 비타민, 미네랄, 항산화 물질이 풍부한 곡채 식이를 실천했다. 이처럼 자연 치료를 실천한 지 3년이 지난 후 그는 담당 의사를 방문해서 CT 촬영 등 검사를 받은 결과 완치 판정을 받았다.

담당 의사도 그의 경이로운 변화에 입을 다물지 못했다. 이와 같은 사실이 신문과 방송을 통해 보도되었으며, 수많은 암환자들이 그에게 조언을 구했다. 그는 기꺼이 그의 경험담을 자세히 전해 주었다.

음이온은 특히 숲속에 많으며, 이 음이온이 활성산소를 억제함으로 항암작용을 한다. 활성산소[유해산소]는 유리기[자유기]를 만들며 이 유리기가 암세포를 만든다. 따라서 로타 P씨처럼 숲속에서 생활하면 활성산소의 생성과 작용이 억제됨으로 암이 치유된다고 말할 수 있다. 일반적으로 음이온 수치가 1000/cc이면 양호하다. 숲속의 음이온 수치는 3000/cc ~ 2000/cc 정도 된다. 우리나라에서도 췌장암 등 환자가 숲속에서 생활하면서 암을 완치시켰다.

위암, 폐암, 대장암, 유방암 환자들도 그처럼 운동과 식이요법을 실천했으며, 이 환자들 역시 증상이 호전되고 완치되어 갔다.

▶ 항산화 물질이 풍부한 식품을 먹을 것

우리 몸을 구성하는 세포와 물질은 원자로 구성됐다. 원자는 하나의 핵과 2개의 전자로 이루어졌다. 활성 산소에 의해 2개의 전자 가운데 1개의 전자를 빼앗긴 원자를 유리기 또는 프리라디칼이라고 한다. 전자 1개를 빼앗긴 유리기는 다른 원자로부터 1개의 전자를 빼앗아 안정된 상태를 유지하려고 한다. 이처럼 유리기에 의해 전자 쟁탈전이 벌어지는데 이와 같은 연쇄반응을 산화라고 한다.

암세포도 세포의 산화로부터 시작된다. 즉 활성산소가 유리기를 일으키고 유리기는 암세포를 만든다. 이 활성산소를 억제하면 암의 예방과 치유 효과를 높인다. 이 활성산소는 항산화 물질에 의해서 분해되고 억제된다.

우리 몸은 활성산소의 공격을 방어하기 위하여 SOD 등 산화방지 효소[항산화 효소]를 생산하지만, 이것만으로는 불충분하므로 식품을 통해 섭취해야 한다.

비타민 C, E, 베타카로틴 등 항산화 물질 역시 다른 원자들처럼 1개의 핵과 2개의 전자로 이루어졌다. 암 환자가 이와 같은 항산화 물질을 먹을 경우 이 환자의 유리기가 항산화 물질 원자로부터 1개의 전자를 빼앗아도 이 항산화 물질 원자는 유리기가 되지 않는다. 그리고 이 환자의 원자는 정상 상태가 되므로 더 이상 전자 쟁탈전이 일어나지 않아 산화가 억제된다. 즉 항산화 물질을 먹으면 활성산소의 작용이 억제되어 암의 예방과 치유 효과가 나타난다.

항산화 물질에는 베타카로틴, 비타민 C, 비타민 E, 유황 화합물, 카로티노이드, 폴리 페놀류 등이 있다. 비타민 B1, B2, B6 등 비타민 B군은 체내에서 SOD 등 효소를 돕는 보조효소로서 작용함으로 항산화 작용을 활성화 시킨다. 이와 같은 항산화 물질은 대부분 채소류, 해조류, 잡곡, 콩, 과일 등에 많이 들어 있다. 항산화 물질과 식품은 다음과 같다.

비타민 C: 풋고추, 피망, 브로컬리, 양배추, 무, 딸기, 키위, 귤, 오렌지, 레몬 등

베타카로틴: 당근, 시금치, 호박, 부추, 파슬리

비타민 E: 들기름, 참기름 등 식물성 기름, 견과류, 호박씨 등 씨앗류, 아몬드, 장어

유황 화합물: 마늘, 양파, 양배추, 무, 순무, 브로컬리 등

폴리페놀: 대두, 가지, 녹차, 카레, 양파, 사과, 참깨, 메밀, 생강, 맥주

430

▸ 푸코이단은 강력한 항암작용을 한다는 것이 입증되다

푸코이단은 미역, 다시마 등 해조류에 많이 들어 있으며, 오끼나와 주민들의 다시마 소비량은 일본인 평균 소비량의 약 2배에 달하지만 암 평균 발병률은 일본인의 약 2/3에 불과하다. 다시마, 당근, 무, 표고버섯 등을 된장과 함께 국을 만들면 더욱 맛이 좋고 항암 효과가 높다.

▸ 버섯을 먹을 것

버섯에는 암의 예방과 치료 효과를 높이는 베타글루칸, D-프랑크션, 비타민 D, 식이 섬유가 풍부하게 들어 암의 예방과 치료에 이용되고 있다. 햇빛에 말린 표고버섯, 영지버섯, 꽃송이버섯, 말굽버섯, 송이 등 식용 및 약용 버섯이 많이 있다. 실제로 버섯, 채소, 해조류, 잡곡밥 등을 먹고 암을 완치한 사람들이 매우 많다.

▸ 청국장, 된장 등 콩으로 만든 발효식품을 먹을 것

청국장에 든 납두균은 인체에 이로운 유익균이며, 단백질 분해 효소, 당화 효소가 많이 들어 있으므로 음식물의 소화, 흡수를 촉진한다. 또한 된장도 발효과정에서 유익균이 많이 생긴다. 이와 같은 식품을 먹으면 장내에서 유익균이 증식되고 유해균이 감소함으로써 인체의 면역력이 증강된다.

52세의 한 부인은 췌장암에 걸렸는데 췌장암 말기이기 때문에 병원에서도 치료할 수 없었다. 그녀는 청국장과 함께 섬유질, 비타민, 미네랄 등이 풍부한 곡채 식이를 약 6개월 동안 실천함으로써 췌장암을 완치시켰다. 물론 CT 등 촬영 결과 말기 췌장암이 흔적도 없이 사라진 것으로 나타났다.

청국장에 들어 있는 나토키나아제는 혈전[피떡]을 용해함으로 청국장을 먹으면 혈액순환이 촉진되어 고혈압 등 심혈관 질병의 치료 효과를 높일 뿐만 아니라 면역력을 증강시켜 암을 극복할 수 있다. 또한 나토키나아제는 장속의 발암물질 등 독성물질의 배출을 촉진한다. 국내의 한 대학 연구팀이 실험 쥐를 상대로 한 연구에서 된장, 간장 등에도 항암 성분이 있다는 것을 밝혔다.

▶ 식초와 곡채 식이

간염 편에서 언급했듯이 박은순씨는 식초와 섬유질, 비타민 미네랄 등이 풍부한 채소나 해조류, 곡물 등을 섭취하고, 만성 B형 간염 뿐만 아니라 병원에서도 치료할 수 없었던 간암을 치료했다.

발효된 식초에는 유산균이 많이 들어 있으며, 식초와 함께 채소 등을 먹으면 유산균 등 유익균이 증식됨으로 부패균, 칸디다균 등 유해균들이 감소한다든가 사라진다. 그리고 이 유익균들은 변비증을 억제하고 독성물질의 체외 배출을 촉진한다.

섬유질은 장내 유익균의 먹이이므로 섬유질이 풍부한 채소나 해조류, 잡곡 등을 먹으면 역시 유익균이 증식되고 유해균과 그 독성물질이 감소함으로 면역력이 증강되어 NK, B세포, T세포 등 면역세포의 기능이 활성화 된다.

박은순씨는 깍두기, 겉절이, 김치 등을 만들 때 식초를 넣어서 먹었다. 사과, 현미, 포도, 복분자 등으로 발효식초를 만들며, 산도가 낮은 식초를 이용해야 한다. 산도가 높은 식초는 위장을 손상시킬 수 있으므로 조심해야 한다. 또한 빙초산 역시 매우 위험하다. 식초는 부패를 억제하며 김치 등에 식초를 넣으면 소금의 양을 줄일 수 있다.

▶ 마 늘

미국 식품안정청은 항암 작용을 하는 40개의 식품을 피라미드형으로 그렸다. 이것을 '디자이너 푸드 리스트(Designer Food List)라고 하며, 마늘의 항암작용이 뛰어나므로 이 디자이너 푸드 리스트 최첨단에 마늘이 자리잡고 있다. 이 40개의 식품은 대부분 섬유질, 비타민, 미네랄, 항산화 물질 등이 풍부한 채소, 해조류, 잡곡, 콩, 과일, 견과류, 씨앗류 등이다.

마늘에는 알리신, 아호엔, 아릴엘 캡탄, 다이아릴설파이드, 유화 아릴 등 여러 종류의 유황 화합물이 들어 있으므로 강력한 항암 작용을 한다.

한 위암 수술을 받은 환자가 식초와 간장에 절인 마늘장아찌 25쪽[1일 복용량]을 밥과 함께 먹고 7년이 지난 지금까지 재발되지 않고 있다. 이 환자는 내장에 지방이 많이 쌓여서 복부 비만이 심했으나 이 식초 장아찌를 먹고 약 12kg을 감량했다.

기셀라. K[독일 여, 42세]는 폐암 3기였는데 수술과 항암 치료를 거부하고 다량의 마늘을 섭취함으로써 이 폐암을 완치시켰다. 자연치료사인 그녀는 마늘의 항암작용을 확신했다. 마늘이 아주

맵기 때문에 독일의 전통 발효식품인 사우어크라우트[식초와 소금에 절인 양배추]를 만들 때 마늘도 함께 넣어서 발효시켜서 먹었다. 이 마늘은 우리가 먹는 마늘장아찌와 비슷하다.

이 발효시킨 마늘은 맵지가 않으므로 음식과 함께 한 끼에 25쪽씩 하루 75쪽을 먹었으며 8년이 지난 지금까지 재발되지 않았으며 병원에서 완치 확정판결을 받았다.

그녀는 또한 민들레를 채취하여 말렸다가 수년 동안 계속 민들레 차를 마시고 있다.

우리나라에서도 이와 비슷한 폐암 치료 사례가 방송을 통해 발표됐다. 폐암 2기인 이 환자는 마늘을 전자레인지에 넣고 구워서 먹었다. 한번에 100쪽씩 하루 3번 300쪽을 밥과 함께 먹고 폐암을 완치시켰다. 물론 병원에서 CT 등 촬영을 통해서 완치 판정을 받았다.

* 고지방, 고단백질 등 서구적 식이를 억제할 것.

* 흡연과 과음을 억제할 것.

* 과다한 고춧가루와 염분 섭취를 억제할 것.

* 벤조피렌 등 발암물질의 섭취를 억제할 것. 벤조피렌은 육류와 생선이 탈 때 만들어진다.

* 말린 과일 섭취를 조심할 것. 곶감 등 말린 과일에는 곰팡이균이 서식한다. 과일을 말리는 과정에서 방부제를 사용할 수 있다.

* 방향제, 탈취제, 각종 유해 세제, 약물, 화학물질 등을 피한다. 그러나 소다를 세제로 이용하면 좋다(무세제 세탁기를 이용한다.)

* 가스를 이용해 음식을 조리할 때 유해물질이 나오므로 조심한

다. 조리할 때 환기를 잘 시킨다.
  * 변비증, 비만증을 해소한다.

◈ 어깨통증

회전근개는 극상근, 극하근, 견갑하근, 소원근의 4개 근육과 힘줄로 이뤄져 있다. 어깨뼈, 위팔뼈를 연결하며, 어깨관절의 운동과 역학적 안정성에 관여한다. 회전근개 파열은 전상방 어깨관절통을 일으키는 원인 가운데 가장 빈도가 높은 질병이다.

회전근개는 나이가 들어감에 따라 퇴행성 변화를 가져오는데 특히 극상근 힘줄에 이상이 있을 때가 가장 많다. 파열은 항상 극상근 힘줄이 위팔뼈 대결절의 윗부분에 부착하는 부위에서 일어난다. 보통 45~65세에서 잘 일어난다.

나는 회전근개파열 등 어깨통증을 스스로 치유했다. 나의 회전근개파열은 한 의사에 의해 진단된 것임을 밝혀둔다.

맨손체조

1. 양발을 어깨 넓이로 벌리고 서서 양팔을 가능한 한도까지 앞과 뒤를 굴리면서 올려 준다. 처음에는 높이 올리기가 힘들지만 이 체조를 계속하면 높이 올릴 수 있다. 처음에 30° 밖에 올릴 수

없었으나 계속 이 체조를 하면 60°, 90° 그리고 약 2개월 정도 하였을 때 360° 올릴 수 있었다. 즉 한 바퀴 돌릴 수 있었다.

2. 1의 운동을 약 2개월 하면 360°[한 바퀴] 돌릴 수 있다. 그 다음 부터는 양팔을 앞쪽에서 뒤쪽으로, 그리고 뒤쪽에서 앞쪽으로 각각 8번 돌린다. 이 맨손체조를 공복상태에서 하루에 3회씩 한다.

3. 역시 양발을 어깨넓이로 벌리고 서서 한쪽 팔을 같은 쪽 옆, 위쪽으로 굴려가면서 올려서 펴준다. 그리고 한 바퀴 돌려 준다. 이렇게 하면 팔이 앞쪽에서 시작해서 옆과 위쪽으로, 그리고 뒤쪽으로 돌아가게 된다. 이처럼 한쪽 팔을 8번 돌린 후 다른 쪽 팔도 그쪽 방향으로 8번 돌린다. 이 맨손체조를 공복상태에서 하루 3회씩 한다. 많은 사람들이 나이가 많아지면 관절의 기능이 약화됨으로 어깨통증이 잘 생긴다. 또한 컴퓨터 작업 등을 해도 어깨 관절 통증이 잘 생긴다.

나는 이 맨손체조를 통해 여러 환자들의 통증을 완화시켰다. 어깨가 아프지 않아도 이 맨손체조를 하면 예방이 가능하다. 즉 어깨 관절이 스트레칭이 되므로 통증이 사라진다.

근력운동을 통해 어깨 근육이 증강되면 어깨 통증이 잘 안 생긴다. 다음과 같이 하면 어깨 근육이 증강된다.

1. 아령이나 악력기 등을 이용하여 근육을 증강시킨다.

2. 철봉에 매달리기

양손으로 철봉을 붙잡고 매달리면 척추, 경추 등 통증이 사라지고 어깨 주변의 근육, 인대 등이 스트레칭이 되고 증강된다. 한 번 철봉에 매달릴 때 약 50~60초 정도 매달린다.

하루에 3~4회 한다. 철봉에 매달리는 동안 몸을 좌우로 가볍게 흔들어 준다. 매달리기 전에 철봉의 안전 점검을 한다.

화장실 문틀 등에 끼울 수 있는 조립식 철봉이 시판되고 있다. 매달리기 전에 꼭 안전 점검을 해야 한다.

오십견 등 어깨통증

▶ 손과 팔 회전운동

1. 양발을 어깨넓이로 벌리고 서서 책상이나 탁자 앞에 선다.
2. 아픈 어깨 쪽 손과 팔을 아래로 늘어뜨린다. 이와 동시에 다른 쪽 손으로 책상 등을 붙잡고 허리를 굽힌 채 몸의 균형을 유지한다.
3. 늘어뜨린 손과 팔을 원을 그리면서 한 방향으로 약 10회 돌린다. 그런 다음 반대 방향으로 약 10회 돌린다. 이때에 손에 가벼운 물병이나 아령 등을 붙잡고 돌리면 팔과 어깨의 스트레칭 효과가 높아진다. 팔과 어깨를 들어 올릴 수 없을 때 이 스트레칭을 한다.

◈ 역류성 식도염

역류성 식도염을 알기 위해서 식도, 위, 십이지장의 구조와 기능을 어느 정도 파악해야 한다. 식도와 위 사이에는 분문이라는 밸브가 있으며, 이 밸브는 음식이 식도에서 위로 내려갈 때에만 열린다.

또한 식도열공 역시 음식물이 위에서 식도로 역류하는 것을 방지한다. 식도열공은 횡격막에 있으며, 식도는 이 구멍[식도열공]을 통과해서 위에 연결된다. 이 역류방지 밸브 역시 음식물이 이 밸브를 지날 때에만 열리며 평상시에는 닫혀 있다.

식도의 점막은 위에서 분비되는 위산에 약하므로 위로 들어갔던 음식이나 위산이 식도로 올라오게 되면 식도의 점막이 위산에 의해서 손상되고 염증이 생기는데 이것을 역류성 식도염이라고 한다.

탈수 등 여러 원인으로 분문과 식도열공이 열려서 위의 내용물 등이 식도로 역류하며 역류성 식도염이 발병된다.

원인과 자연치료

▶물을 충분히 마실 것

위와 십이지장 사이에는 유문(Pyloric Valve)이란 밸브가 있다. 십이지장은 식도처럼 위산에 약하므로 중탄산 용액 등으로 위산을 중화시킬 수 있을 때 유문이 열려 위 내용물이 십이지장으로 내려온다.

췌장은 혈액 속의 물을 이용하여 중탄산 용액을 만들어 십이지장과 소장의 환경을 염기성으로 조성하여 위 내용물을 받아들일 준비를 한다. 그러나 탈수상태일 때 췌장은 이와 같은 작용을 할 수 없으므로 신경전달 물질을 통해 유문에 신호를 보내 열지 못하

438

도록 한다. 만일 이 밸브가 열려서 위산 등이 십이지장과 소장으로 내려오면 이 조직들이 손상됨으로 굳게 닫혀 있어야 한다.

　이처럼 위에 갇혀 있는 음식이 내려가지 못하기 때문에 식도와 위 사이에 있는 밸브[분문]와 횡격막에 있는 밸브[식도열공]는 유문과는 다르게 느슨해진다. 특히 누운 자세에서 위 내용물과 위산이 식도로 역류하여 속쓰림 등 증상이 나타난다. 이 이론을 처음 발표한 학자는 F. 뱃맨겔리지 M. D이다.

　담즙 역시 위산을 중화시키는 작용을 한다. 간은 체내 수분을 이용하여 담즙을 만들지만 탈수상태일 때 간의 작용이 억제되어 담즙이 십이지장으로 잘 내려올 수 없으므로 유문은 더욱 굳게 닫히고 담석 등이 잘 생긴다.

　한 역류성 식도염 환자[70대]는 수년 동안 약을 먹으면서 치료를 하고 있으나 완치가 안됐다. 나의 권유로 그는 하루에 약 2리터[6컵 정도] 물을 약 4주 정도 마시고 완치시켰다. 물론 약을 끊었다.

　그는 물의 효능에 대해 놀라움을 금할 수 없었다. 이처럼 물을 충분히 마시면 췌장은 중탄산 용액을 충분히 만들어 십이지장과 소장의 환경을 염기성으로 조성한다. 따라서 위와 십이지장 사이의 밸브가 열려 위 내용물이 십이지장과 소장으로 내려온다. 자연히 위 내용물이 식도 쪽으로 역류할 수 없어 이 질병이 치유된다.

　* 탄수화물[밥, 채소, 해조류, 과일 등] 위주의 식사를 할 것.소화 과정에서 탄수화물은 위에 머무는 시간이 짧고 소화가 잘된다. 또한 섬유질이 풍부한 잡곡이나 채소 등을 먹으면 장에서 유산균

이 많이 증식됨으로 영양소의 흡수가 잘되고 배변이 촉진되며, 독성물질의 체외 배출이 잘 이루어진다. 그러나 고단백질, 고지방질, 알코올 섭취를 억제한다. 이 음식들은 위에 머무는 시간이 길다.

  * 과식을 억제할 것.
  * 비만을 해소할 것. 과다한 복부 비만은 위장이 식도 쪽으로 올라가게 하므로 역류성 식도염을 일으킬 수 있다.
  * 식사 후 잠시 쉬었다가 걷기 운동을 한다. 걸으면 위와 장의 연동운동이 촉진됨으로 소화가 잘 되고 위 내용물이 십이지장으로 잘 내려간다.
  * 약물 사용을 억제한다. 의사들은 역류성 식도염에 제산제를 처방해 준다. 그러나 제산제 등을 자주 이용하면 위산이 부족해지므로 칼슘 등 영양소의 소화, 흡수가 억제되고 헬리코 박터, 칸디다[곰팡이균]의 증식이 촉진된다.
  * 음식물을 잘 씹어서 먹는다.
  * 커피, 탄산음료, 맥주 등의 섭취를 억제할 것.

◈ 요 통

대부분의 사람들은 여러 번 허리 통증을 경험한다. 30~40대 요통의 주요 원인은 허리 근육, 인대 등의 염좌상이거나 자세 불량이다. 노인층의 경우 디스크, 척추관협착증 등 퇴행성 질병이 주요 원인이다.

예방과 자연치료

요통은 견인요법과 근육강화요법, 바르게 걷기 등에 의해 치유
될 수 있다.

▶ 철봉에 매달리기

철봉에 약 1분 정도 매달리면 척추의 추골, 근육, 인대 등이 펴
지고 요통도 사라진다. 나 역시 척추측만증 때문에 고생을 많이
하였으나 이 견인요법 등에 의해 완치시켰다.

많은 디스크, 척추관협착증 환자들이 이 방법을 통해 좋은 효과
를 보고 있다. 양손으로 철봉을 붙잡고 매달리는 동안 몸을 좌와
우로 가볍게 흔들면 스트레칭 효과가 높아진다. 시중에서는 문틀
에 끼우는 조립식 철봉이 시판되고 있다. 철봉에 매달리는 동안
'뚝' 소리가 척추에서 날 수 있다. 이 소리는 척추 교정을 뜻한다.

▶ 거꾸로 매달리기[견인요법]

소위 '거꿀이'를 이용해서 요통을 해소하는 사람들이 많다. 이
기구를 이용하는 동안 발과 다리 등은 상부에 있게 되고 머리와 상
체는 하부에 있게 되므로 체중에 의해 허리가 펴지고 이완된다. 고
혈압과 뇌졸중 위험이 있는 사람은 이 기구 사용을 삼가해야 한다.

▶ **코브라 자세[요가]**

요가의 코브라 자세를 실천하면 앞으로 굽었던 허리가 펴지고 정상화 되는 효과가 나타난다.

[그림 7] 코브라 자세

1. 매트 위에 배와 몸의 앞면을 깔고 눕는다.
2. 양팔을 편 후 양손 또는 양 팔꿈치로 매트를 누르면서 상체를 세운다. 하체는 그대로 매트 위에 있게 된다. 이 모습이 코브라처럼 보인다고 해서 코브라요가라고 한다.
3. 2의 동작을 처음에는 20~30초 유지한 후 차츰 증가하여 약 1분 정도 유지한다. 하루에 3~4회 한다. 이와 같은 방법을 통해 만성요통을 해소한 환자들이 많다.
4. 양손으로 매트를 누르면서 상체를 세울 때 허리가 아프면 양 팔꿈치로 매트를 누르면서 한다.

▶ **추나요법**

1. 등을 매트 위에 대고 눕는다.

2. 오른쪽 허리 또는 엉덩이가 아프면 왼쪽 다리를 쭉 펴서 매트
에 대고 오른쪽 무릎과 다리를 그림처럼 왼쪽 다리 위로 돌린다.

3. 상반신과 얼굴을 반대쪽인 오른쪽으로 돌린다. 이렇게 하면
허리가 비틀어지게 된다.

[그림 8] 추나요법

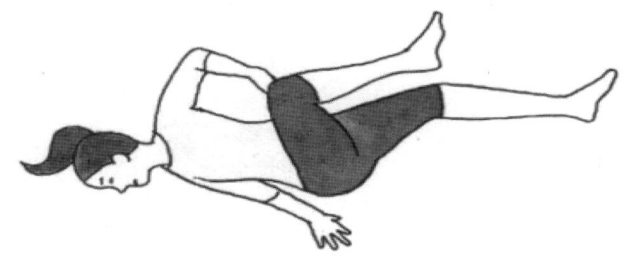

4. 왼쪽 손으로 오른쪽 구부린 무릎을 눌러 상체와 하체를 비튼다.
이렇게 하면 요추와 골반 등이 교정되면서 '뚝' 소리가 날 수 있다.

많은 환자들이 이 방법을 통해 통증을 해소하고 있다. 나 역시
지금도 이 방법을 이용한다.

5. 그 다음에는 반대 방향으로 바꿔서 하면 신체의 균형을 위해
좋다.

▶ **쪼그려 앉았다가 일어서기**

런지(Lung)운동은 허리, 엉덩이, 다리 등의 근육을 강화시킨다.

쪼그려 앉았다 일어서기와 자전거 타기도 허리 근육, 허벅지 근
육을 강화시킨다.

[그림 9] 런지와 쪼그렸다 앉았다 일어서기

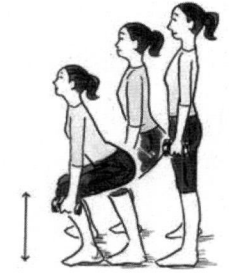

런지   쪼그렸다 앉았다 일어서기

▶바르게 걷기

발에는 안쪽[내측]과 바깥쪽[외측]이 있다. 많은 사람들이 바깥쪽 발에 치우치면서 걷는다. 이렇게 걸으면 O자형 다리가 될 뿐만 아니라 허리가 옆으로 휘어진 척추측만증(Scoliosis) 등에 걸린다. 이처럼 잘못 걷는 사람들의 신발 뒷굽의 바깥쪽이 안쪽에 비교하여 많이 닳아진다.

이 환자들은 바르게 걷기만 해도 다리와 허리가 정상으로 돌아온다. 걸을 때 발의 안쪽[내측]에 치우치면서 걸으면 O자형 다리가 정상으로 될 뿐만 아니라 허리와 골반이 정상으로 교정된다. 이렇게 바르게 걸으면 처음에 무릎이 아플 수 있지만 계속 걸으면 통증이 사라지고 무릎, 허리, 골반 등이 건강해진다. 척추가 교정된 후에는 걸을 때 발 뒤꿈치를 먼저 바닥에 딛고 중지와 엄지에 치중해서 걷는다.

444

▶ 등 근육강화 운동

척추는 근육과 인대, 힘줄로 감싸여져 있으며, 만일 등과 배의 근육이 약하면 척추도 약해져 추간판[디스크]탈출증 등이 잘 생긴다. 디스크 환자나 요통이 있는 사람이 계단이나 비탈길을 오르면 등과 배의 근육이 증강되고 척추를 감싸고 있는 근육, 인대 등도 강해지므로 디스크와 요통이 치유될 수 있다.

척추를 감싸고 있는 근육, 인대 등이 약하면 추간판탈출증이 잘 생긴다. 그러나 계단이나 비탈길을 자주 오르면 이 근육과 인대가 강해지므로 탈출된 추간판이 정상으로 돌아온다.

환자가 고층 아파트에 살 경우 계단을 따라 올라가고 승강기를 타고 내려오면 좋은 효과를 볼 수 있다. 18층 아파트일 경우 약 20번 하루에 오르면 1개월 이내에 디스크 등이 사라질 수 있다.

▶ 배영(背泳)을 할 것

배영을 소위 송장수영이라고 하며 누구나 쉽게 할 수 있다. 물속에서 양다리와 양발을 자주 물장구치듯 위와 아래로 움직이면 몸이 물 위에 떠서 전진한다. 물론 양팔과 양손을 함께 이용한다. 특히 물속에서 양다리와 양발을 상하로 움직이면 등과 배의 근육이 증가되고 척추도 강해진다.

이 배영을 약 40분 한 후 따뜻한 물에 약 30분 정도 담근다. 그런 다음 양손으로 철봉을 붙잡고 매달린 채 몸을 좌우로 가볍게 흔들어 주면 디스크, 척추관협착증, 척추측만증 등이 잘 치료된다. 나는 이 방법으로 척추측만증을 치유시켰다.

배영, 아쿠아로빅, 물속 걷기 등을 통해 요통과 무릎 통증을 치유한 사람들이 많다.

▶ 양발과 양다리를 올렸다 내리기[비만편 참조]
매트 위에 등을 대고 반듯이 누워서 양발과 양다리를 올렸다 내리기를 반복하면 허리와 복부의 근육이 강화되어 허리가 튼튼해진다.

▶ 물을 하루에 약 1.5리터 정도 마실 것
물은 척추 관절에서 윤활유 역할을 한다. 또한 물은 척추뼈[추골] 사이 사이에 있는 디스크 수핵[디스크 중심부]의 주요 성분으로 상체 체중을 지탱한다.

디스크는 중심부의 수핵과 디스크를 둘러싸고 있는 섬유질로 된 섬유륜으로 이루어졌다. 이 디스크 수핵이 상체 무게의 약 75%, 나머지 25%를 섬유륜이 지탱하고 있는 것으로 알려졌다. 따라서 물을 적게 마시면 디스크가 수축되고 얇아지므로 추골 사이의 완충 역할을 제대로 하지 못한다.

나는 물과 오줌을 각각 2컵, 4컵을 마신다. 물만 마시는 것보다 이렇게 마시면 건강에 지대한 공헌을 한다. 특히 공복에 시차를 두고 마신다.

▶ 콜라겐 합성을 촉진할 것
추간판의 주요 성분은 콜라겐이므로 콜라겐 합성에 필요한 비타민 C, 비타민 B6, 비타민 A, 아연, 구리 단백질을 섭취해야 한다.

이와 같은 영양소들은 현미나 통밀 등 잡곡과 콩, 채소, 해조류, 과일 등에 많다. 그리고 단백질은 이와 같은 식품을 먹으면 잘 합성된다. 고기와 생선을 안 먹어도 잘 합성된다. 들기름 등 식용유를 적당히 먹는다.

* 비만은 요통을 일으키는 큰 적이다. 식이요법, 운동 등을 통하여 비만을 해소해야 한다.[비만편 참조]

* 되도록 의자에 앉아서 생활을 하며, 의자가 불량하면 골반과 척추가 손상됨으로 의자의 선택이 중요하다. 방바닥에 앉아서 오랫동안 생활하면 척추가 굽어지고 O자형 다리가 되기 쉽다.

장시간 의자에 앉아 있으면 척추에 하중이 많이 가므로 요통이 생길 수 있다. 따라서 1시간마다 일어서서 스트레칭을 한 후 잠시 걷는 뒤 다시 앉아서 일 등을 한다.

* 금연을 할 것.

한 연구에 의하면 흡연자는 비흡연자보다 디스크의 발병률이 약 1.5배 높은 것으로 나타났다. 흡연을 하면 혈관이 수축됨으로 혈류가 억제되어 추간판에 충분한 수분과 영양소가 공급될 수 없다.

* 과음을 억제할 것.

◆ 욕창(蓐瘡)

욕창은 오랫동안 병상에 누워 있는 환자의 엉덩이 등 피부가 짓

물러서 생기는 궤양 또는 부스럼이다. 한 번 욕창이 생기면 잘 낫지 않기 때문에 불치병으로 간주한다. 특히 당뇨병 환자의 욕창 치료가 매우 어렵다. 그러나 다음과 같이 하면 잘 낫지 않는 욕창도 신기하게 잘 낫는다. 특히 환부에 얼음찜질을 함으로써 환부의 혈류를 개선시켜 치료 효과를 높인다.

1. 치료하기 좋게 환부가 위로 올라오도록 환자의 복부 등 전면이 침대를 향하도록 눕힌다.

2. 환부를 깨끗이 한 다음 얼음찜질을 약 20~30분 정도를 한다. 얼음조각들이 든 비닐봉지를 이용하여 얼음찜질을 쉽게 할 수 있다.

3. 헤어드라이어 등을 이용하여 환부의 습기를 제거하여 건조시킨다. 이처럼 얼음찜질 후 건조시키면 환부의 혈액순환이 촉진되어 피부의 재생력이 높아진다.

4. 치료용 연고를 바른 후 거즈 등을 이용해 환부를 덮는다.

5. 큰 베개 등을 이용하여 환자를 옆으로 눕힌다. 때때로 환자를 좌우 양쪽으로 교대해 가면서 눕힌다. 이와 같은 방법으로 약 3~4주 치료를 하면 증상이 심한 욕창도 잘 낫는다. 이와 같은 방법으로 하루에 한 번씩 치료한다.

◈ 위통증, 위궤양, 십이지장 궤양

위궤양과 십이지장 궤양을 소화성 궤양이라고 한다. 소화성궤양과 위의 통증의 가장 큰 원인은 탈수이다. 소염, 진통제의 과복용, 헬리코박터균, 스트레스, 밀가루 식품 등 식품 알레르기, 과다 염분, 흡연, 과음 등도 소화성 궤양, 위통증의 원인일 수 있다.

자연치료

▶물을 충분히 마실 것

김순자[58세]씨는 약 6년 동안 위궤양으로 고생했다. 물론 그녀는 병원 치료를 꾸준히 받았으며 제산제, 항히스타민제 등을 꾸준히 먹었으나 치료가 안 되어서 출혈로 인해 얼굴이 백지장처럼 하얗게 변했다.

그녀는 나의 권유로 1일 보리차와 끓인 물 6컵씩을 마셨다. 침대에서 일어나자마자 1컵, 아침식사 전에 1컵, 식사 후에 1컵, 오후에 1컵 등 6컵의 물을 마시고 약으로 고칠 수 없는 위궤양을 완치시켰다. 물론 김순자씨는 채소, 해조류 등 소화가 잘되는 식품을 먹고, 육류 소비를 억제하였으며 식사 후에는 약 30분 정도 걸었다.

위는 안쪽으로부터 점막층, 점막하층, 근육, 장막[복막]층으로 구성되었다. 점막층에는 위액을 분비하는 위샘이 있다. 위액 가운데 위산은 화학적으로 염산이며, 염산은 강한 산성이므로 쇠도 녹일 수 있다. 이 위산이 위통과 소화성궤양의 원인이다.

위액 가운데 점액질과 중탄산염이 잘 분비되면 위산을 중화시키므로 위통과 소화성궤양이 치유된다.

물을 적게 마시면 점액질과 중탄산염의 분비가 억제됨으로 위통과 소화성궤양이 생기지만 물을 충분히 마시면 점액질 등의 분비가 촉진됨으로 이 질병들이 치유된다. 이 때문에 위의 통증이 있는 사람이 물을 마시면 금방 통증이 사라진다. 찬물과 뜨거운 물은 안 좋고 미지근한 물이나 보리차가 좋다. 이 이론을 처음 발표한 학자는 F. 뱃맨겔리지 M. D이다.

▶ 물 · 요료법

자기 오줌과 물을 각각 1리터와 0.6리터를 마셔도 소화성궤양이 치료된다. 오줌의 약 93%는 물이며, 나머지 7%는 요소, 요산 유기질, 칼륨, 나트륨 등 무기질, 각종 비타민, 호르몬, 효소 등으로 구성되었다.

특히 오줌 속의 요소는 항균작용을 하므로 헬리코박터균 등이 사라져 치유 효과를 높인다. 또한 요에는 요산, 인터페론, 디렉틴 등 항염증, 항암 성분이 들어 있어 여러 질병의 치료 효과를 높인다. 오줌이 짜면 물을 첨가해서 마신다.

나는 이와 같은 물 · 요료법을 소화성 궤양 등 질병의 환자들에게 권유함으로써 치유시켰다. 오줌을 마시면 장에서 발효되어 유산균 등 유익균이 증식되고, 이와 반대로 헬리코박터균 등 유해균이 감소된다. 이 유익균은 다량의 효소를 만들므로 소화, 흡수를 돕고 해독, 항활성 산소 작용을 하여 여러 질병의 치료 효과를 높인다.

▸ 양배추와 무 그리고 약간의 물

양배추에는 높은 함량의 글루타민이 들어 있어 소화성 궤양의 치료 효과를 높이는 것으로 알려졌다. 무에는 전분 분해 효소인 아밀라아제[디아스타제]등이 많이 들어 있어 음식물의 소화, 흡수를 돕는다. 양배추에는 수분이 적으므로 즙을 내는 것이 쉽지 않다. 따라서 2~3잎의 양배추와 수분이 많은 무, 그리고 약간의 물을 믹서기에 넣고 갈아서 즙을 만든다.

나는 위궤양 환자들에게 공복상태에서 물을 충분히 마시게 한 다음, 식사 후에 약 200ml의 이 즙을 마시게 함으로써 좋은 효과를 거두었다. 하루에 400~600ml 정도 마신다.

김순자씨도 이와 같은 방법으로 치료하였다. 이 즙을 먹으면 식사 후에 물을 안 마셔도 된다.

▸ 비타민 A, C, E, 아연

헬리코박터균은 다량의 활성산소를 만들어 위궤양 등을 일으킨다. 그러나 이와 같은 항산화 물질은 활성산소의 생성과 작용을 억제함으로써 위장병의 치유 효과를 높인다.

이 영양소들은 각종 채소, 해조류, 잡곡, 견과류, 들기름 등에 들어 있다. 이 식품을 통해서 섭취한다. 또한 마늘은 헬리코박터균의 증식과 작용을 억제함으로 마늘을 자주 먹는다.

▸ 식품 알레르기

우유 등 유제품은 위산 생성을 촉진함으로 안 먹어야 한다. 글루텐은 알레르기를 일으키므로 글루텐이 많은 밀가루, 호밀가루 섭취를 억제한다. 전, 수재비, 국수 등이 여기에 해당된다. 계란 역시 자주 알레르기를 일으킨다.

▶ 고단백, 고지방 식이 억제, 금주할 것

육류 등 고단백, 고지방 식이는 소화과정에서 위에 머무는 시간이 탄수화물[밥, 채소, 해조류]에 비교하여 약 1.5~2배가 길다. 여기에 술을 마시면 3~4시간 길어진다. 따라서 알코올, 고지방, 고단백질 음식의 섭취를 억제한다. 음식물이 위에 머무는 시간이 길면 위산 분비가 많아져 손상될 수 있다.

* 금연을 할 것.

흡연만큼 활성산소를 많이 만드는 것도 드물다. 활성산소는 위 점막층을 파괴함으로써 염증과 궤양 그리고 암도 유발한다.

* 과다한 염분 섭취를 억제한다.

* 매운 고추와 고춧가루, 섭취를 자제한다. 이 식품들은 위에 자극을 주므로 좋지 않다.

* 음식물을 잘 씹어서 먹는다.

* 식사 후 잠시 휴식을 취한 뒤 약 30분 정도 걸으면 위와 장의 작용이 활성화 되어 음식물의 소화, 흡수가 잘 이루어진다.

* 제산제, 항히스타민제를 억제할 것.

제산제를 의사들은 위궤양 환자들에게 처방하지만 제산제를 복용하면 위궤양의 원인인 헬리코박터균의 성장을 촉진한다. 또한 자주 복용하면 위의 기능과 작용이 억제된다. 따라서 물 등을 마시면서 자연적으로 치료되어야 한다.

* 아스피린 등 약물은 위궤양을 일으키므로 복용을 억제할 것.

◈ 저혈압

저혈압은 수축기 혈압[최고혈압]이 100mmHg 이하, 확장기 혈압[최저혈압]이 65mmHg이하일 때를 말한다. 저혈압은 만성 피로감, 현기증, 어지럼증 등을 일으키므로 심각하게 삶의 질을 떨어뜨리고 의욕감을 상실케 한다.

저혈압의 예방과 치료

저혈압증은 물·요료법, 식물요법, 운동 등을 통해 혈액순환을 촉진하면 완치될 수 있다. 그러나 화학약물로써 치료할 수 없다.

▸ 물·요료법
저혈압은 혈액순환이 원활하지 못해서 발병된다. 오줌에는 혈관 확장 작용을 하는 프로스타 글란딘, 혈류촉진 작용을 하는 칼리크 레인, 혈전[피떡] 용해작용을 하는 유로키나제가 들어 있기 때문에 오줌을 먹으면 혈액순환이 촉진됨으로 저혈압이나 고혈압, 심장병의 치료 효과를 높인다.

실제로 오줌과 물을 각각 900ml[3컵], 600ml 정도 공복상태에서 시차를 두고 마심으로써 저혈압증을 치료한 사람들이 많다. 물을 마셔야 오줌이 만들어지므로 물도 어느 정도 마신다. 토마토 등을 먹으면 물의 섭취량을 줄일 수 있다.

* 영지버섯 40g+감초 5g

이 내용물을 물 3.5리터에 넣고 달여서 하루에 3번 한 번에 1컵[2.5ml]씩 공복에 마신다. 나머지는 냉장고에 보관하면서 먹는다. 이렇게 약 1개월 정도 먹으면 피로감이나 현기증, 두통 등이 사라진다.

* 말린 쑥 40g + 감초 5g

이 내용물을 물 3.5리터에 넣고 센 불로 끓인 후 약한 불로 약 1시간 정도 달인다. 하루에 3번, 한 번에 1컵씩 공복에 마신다. 나머지 달인 물을 냉장고에 보관하면서 든다. 마시기 전에 따뜻하게 해서 먹는다. 치료 기간은 1~2개월이다.

* 걷기 등 유산소 운동을 규칙적으로 할 것. 저혈압은 고혈압처럼 혈류가 억제되어서 발병된다. 따라서 걷기 등 운동을 하면 피돌림이 촉진됨으로써 저혈압 증상이 완화된다.

* 잠을 충분히 잘 것. 잠을 충분히 자면 혈류와 대사작용이 촉진됨으로 저혈압이나 고혈압 등 심혈관 질병의 치유 효과를 높인다. 운동, 독서, 작문, 햇빛 쬐기 등을 하면 잠이 잘 온다.

* 약 복용을 조심할 것. 저혈압증은 고혈압 약, 협심증 약, 이뇨제 우울증 약 등의 부작용 때문에 발병될 수 있다. 따라서 고혈압, 협심증 등 심장병을 자연요법으로 치료한다.

* 구토, 설사, 출혈 등 때문에 저혈압증이 생길 수 있으므로 이럴 경우 물을 충분히 마셔야 한다.

* 저혈압증은 오랫동안 병상생활을 한 사람에게 나타날 수 있으므로 이 환자들은 가능한 한 자주 걸어야 한다.

◈ 치 질

치질은 선진국형 질병이다. 서구 국민의 1/3, 50대 이상의 1/2이 치질 환자이다. 식생활의 서구화로 인해 우리나라에서도 치질 환자가 꾸준히 증가하고 있다.

넓은 의미에서 치질은 치핵, 치루, 치열로 분류되며, 우리가 보통 말하는 치질은 치핵이다. 치질은 항문 또는 직장 주위의 정맥이 압력을 받아 정맥이 늘어나고 혈류가 억제되어 생긴다.

치핵은 내치핵과 외치핵으로 분류된다. 내치핵은 항문 직장선 [약 3cm 길이의 항문관 부위] 안쪽에서 발생하며, 심할 경우 항문 밖으로 빠져 나온다. 외치질은 항문 직장선 밖에서 발생한다. 내치질과 외치질이 혼합된 복합형 치질이 있다. 치핵은 전체 치질의 약 70%를 차지하며, 치핵 환자의 약 70%는 복합형 치질이다.

치루는 변속의 세균 등에 의해 항문 주변에 염증과 농양이 생기는 것을 말한다. 경우에 따라서는 항문 주변에 구멍이 생긴다.

치열은 항문 주변의 피부나 점막에 상처가 생기는 것으로 열항 또는 항문열창이라고 한다. 치열 등 치질은 변비증 때문에 잘 생기며, 특히 치열은 변이 굳어졌을 때 잘 생긴다. 치열의 증상으로써 작열감이나 통증, 배변 장애 등이 있다.

예방과 자연치료

치질은 좌욕이나 식이요법, 충분한 수분 섭취, 운동 등을 통해 완치될 수 있다. 특히 치질은 요료법에 잘 반응한다.

▶ 고섬유질 식이요법
고섬유질 식이는 변비증을 해소하고 배변을 촉진함으로 복압과 배변시 항문 부분의 압력을 해소하여 치질의 예방과 치료 효과를 높인다.

가공하거나, 정백하지 않은 현미나 조 등 잡곡과 콩, 채소, 해조류, 과일 등에는 섬유질뿐만 아니라 비타민, 미네랄, 효소 등이 풍부하게 들어 있어 변비증을 해소할 뿐만 아니라 건강을 증진시킨다. 또 치질은 변비증 때문에 생기기 때문에 먼저 변비증을 해소해야만 한다.

▶ 고단백 식품의 섭취를 억제할 것
육류나 생선 등 동물성 식품에는 섬유질, 비타민, 미네랄 등이 매우 적게 들어 있어 변비증 등을 일으킨다. 장 운동[연동운동]이 약한 노인들은 변비증에 잘 걸릴 수 있으므로 이와 같은 식품의 섭취를 억제해야 한다.

▶ 좌욕과 요료법

온수로 좌욕을 하면 항문 부위와 회음부가 따뜻해지므로 혈행이 촉진되어 염증이나 부기, 통증이 완화된다. 자신의 오줌만을 이용하여 좌욕을 하면 높은 효과가 나타난다. 상처나 동상 등이 있을 때는 환부에 오줌을 바르면 빨리 나아진다. 오줌 속에 있는 요소가 항균작용을 하므로 치유 효과를 높인다. 이와 같은 효과는 치질에서도 나타난다. 10년 이상 된 만성치질이 오줌 좌욕으로 치유된 사례가 많다.

하루 1회 취침 전 약 10~15분 동안 좌욕을 한다. 좌욕을 할 때 항문의 괄약근을 오므렸다 닫았다를 반복한다.

* 물·요료법을 실천할 것[변비증 참조]

물과 오줌을 공복에 자주 마시면 변비증이 해소됨으로 치질의 치유 효과를 높인다.

▶ 수술과 요료법

외과적 처치로써 치핵을 절단하는 방법이 있는데 이 수술 부위가 잘 아물지 않는 경우가 많다.

한 부인[64세]은 이 절단 수술을 받은 지 8개월이 지났어도 수술 부위가 아물지 않아 심적, 신체적으로 고생을 했다. 특히 대, 소변을 볼 때 그 환부에 소변 등이 닿을 때 통증이 심했다.

나는 이 환자에게 깨끗한 티슈나 치킨 타올에 자기 오줌을 적신 후 항문 속에 하루 한 번 갈아 넣기를 권했는데 약 3주 후 환부가 깨끗이 아물었다. 소염 진통제나 연고 등으로도 아물지 않은 수술 부위가 요료법으로 완치된 것에 대해 나 자신도 감탄을 했다.

▶ 출혈과 요료법

출혈은 내치일 때 잘 생긴다. 출혈이 있을 경우 약천 또는 깨끗한 치킨 타올에 오줌을 적신 후 항문 속에 갈아 넣는다. 이렇게 하면 출혈이 멈추고 치료가 잘된다.

▶ 올바른 배변

총 배변 시간이 약 5~10분을 넘지 않도록 한다. 변이 잘 안나오면 배변 활동을 멈추고 일어나야 한다. 배변은 자율신경 작용에 의한 대장의 배출운동에 의해서 이루어진다. 자율신경은 척추나 횡격막, 위장 등 내장 조직에 분포되어 있다. 따라서 배변시 되도록 허리를 쭉 펴고 심호흡을 하며, 손으로 하복부를 문지르면 배변이 촉진된다.

배변 후 화장지로 대강 처리하고 물 티슈 또는 물에 적신 치킨 타올 등으로 항문의 청결을 유지할 수 있다. 변비증이 있을 경우 '변비증편'을 꼭 참조할 것.

▶ 국소적 치료

바셀린(Vaseline)을 치질 환부에 바르면 통증과 가려움증을 줄일 수 있다. 이 밖에 치료 방법에는 하마메리스워터[위치 헤이즐], 코코아 버터, 페루발삼, 상어 간유, 대구 간유, 산화 아연 등이 있다.

* 걷기나 자전거 타기 등 유산소운동을 하면 위와 장의 연동운
동과 대장의 배출운동이 촉진되어 변비증과 치질의 예방과 치료
효과를 높인다.

◈ 폐경과 여성의 질병

폐경은 서구에서 자주 나타나는 중년 여성의 병적 생리현상이
다. 서구에서는 폐경을 질환으로 보고 있지만 전통 동양 식이 문
화권에서는 폐경과 관련된 징후가 별로 나타나지 않는다. 그러나
경제가 발전하면서 서구적 식이가 만연하면서 우리나라 등에서도
폐경 증상이 급증하고 있다.

과다한 에스트로겐[여성 호르몬]과 과소한 황체 호르몬(黃體
hormone)때문에 이 두 호르몬의 균형이 깨져서 폐경 증상이 나
타난다 라는 이론이 설득력이 있다.

난소의 난포에서 에스트로겐이 분비되지만 40세 이후 난포가
더 이상 남아있지 않으므로 에스트로겐 분비가 급속히 줄어든다.

배란된 난자가 난포에서 분리된 뒤, 이 난포에서 황체 호르몬이
만들어지지만 40대 이후 난소의 난포가 소진됨으로 황체호르몬
역시 만들어지지 않는다. 그러나 에스트로겐은 내장지방과 환경
여성 호르몬[예: 여러 공해물질, 세제, 향수 등]으로부터 만들어지
지만 황체 호르몬은 그렇지 않다. 이 때문에 에스트로겐과 황체
호르몬의 균형이 깨져서 폐경 증상이 나타난다.

특히 서구적 식이[고지방, 고단백질, 고당질]는 비만증을 일으킨다. 또한 서구 문화는 많은 공해물질 등 환경 여성 호르몬을 양산시키고 있다. 따라서 서양 문화권에서 폐경 증상이 자주 나타나는 것은 이상하지 않다.

황체 호르몬은 에스트로겐의 작용을 억제하지만 황체 호르몬이 폐경 후 절대 부족함으로 과잉 에스트로겐의 작용을 억제할 수 없다. 과잉 에스트로겐은 폐경, 유방암, 자궁암, 과다 월경 출혈 등 여러 여성의 질병을 일으킨다.

예방과 자연치료

1960~1970년대 이전 우리나라 여성들에게 폐경 증상은 흔하지 않았다. 그러나 식생활의 서구화로 인해, 그리고 환경 여성 호르몬의 급증으로 인해 폐경 증상을 호소하는 여성이 급증하고 있다. 따라서 서구적 식이를 억제하고 전통 한국적 식이를 실천하며, 매일 규칙적인 운동과 활동을 하면 폐경 증상은 사라진다.

▶ 식이요법

섬유질이나 항산화 물질 등이 풍부한 전통 한국적 식이에는 지방질이 적게 들어있고, 식물성 에스트로겐과 황체 호르몬이 많이 들어있으며, 환경 여성 호르몬이 매우 적게 들어있으므로 폐경 등 증상을 거의 일으키지 않는다.

식물성 에스트로겐은 인체의 에스트로겐 수용체에 적합할 수 있는 식물성 호르몬이다. 식물성 에스트로겐의 약 2%만이 에스트로겐으로써 작용을 하지만 낮은 에스트로겐 활성을 통해서도 인체의 에스트로겐 균형을 이루고 효과를 가져 온다.

콩 등 식품을 통해 식물성 에스트로겐을 섭취하면 에스트로겐 수용체에 결합함으로 에스트로겐을 차단하기 때문에 항에스트로겐으로 불리운다. 따라서 식물성 에스트로겐은 과다 여성 호르몬[에스트로겐]으로부터 일어나는 여성 호르몬 우세를 배제하여 폐경 증상을 일으키지 않는다.

식물성 에스트로겐은 콩, 현미 등 잡곡류, 들기름, 아마인유, 견과류, 채소 등에 많다.

또 가공, 정백하지 않은 채소, 과일, 곡류 등에 항체 호르몬 성분이 많이 들어있어 이와 같은 식품을 섭취하면 에스트로겐과 황체 호르몬의 균형을 이루어 여성 호르몬 우세가 일어나지 않는다. 따라서 현미, 조, 수수, 콩, 채소, 해조류, 과일, 견과류 등을 섭취하면 건강해질 뿐만 아니라 폐경 등 중상이 잘 일어나지 않는다.

▶ 당귀

당귀는 보혈 작용을 하므로 골수의 조혈 기능을 근본적으로 돕고 피를 맑게 하는 청혈작용을 한다. 또한 당귀는 혈중 지질과 콜레스테롤을 제거하고 어혈을 풀어주므로 혈류를 개선하여 폐경 등 여성 질환에 이용되고 있다. 당귀[24g]를 천궁[16g] 또는 계피[16g]와 함께 달여 마신다.

▶ 운동

걷기 등 운동을 규칙적으로 하면 좋은 콜레스테롤[HDL] 수치가 올라가고, 나쁜 콜레스테롤[LDL] 수치가 내려가며, 골수의 조혈 작용이 촉진된다. 또한 혈류 개선과 대사작용이 촉진됨으로 각 신체 조직에 산소와 영양소의 공급 원활, 심폐기능 향상, 혈당과 혈압하강, 스트레스 해소 등의 효과가 나타난다.

운동의 이와 같은 효과 때문에 홍조, 동맥경화, 관절통증, 피로감, 우울증, 골다공증 등 폐경 증상이 해소된다. 독일, 스웨덴 등여러 나라 연구 단체의 임상실험 결과 일주일에 4~5시간 운동을하는 폐경기 여성들은 호르몬 대체요법 없이 폐경 증상을 경험하지 않는 것으로 밝혀졌다.

▶ 명상, 요가, 종교

상실감, 불안감, 우울증 등 증상이 있을 때에는 명상과 요가를하면 폐경 증상이 완화된다. 종교에 귀의해도 좋은 효과를 본다.대부분의 사람들은 자신의 실존을 모르고 세파에 표류하면서 살고있다. 종교, 철학, 명상 등을 통해 자신의 정체성[실존]을 알면 우울감 등 부정적인 감정이 사라진다.

▶ 물ㆍ요료법을 실천할 것

서구적 식이를 하는 여성은 섬유질, 비타민, 미네랄 등의 섭취가 부족함으로 비만해지고, 변비증이 잘 생기며 채식을 하는 여성에 비교하여 에스트로겐 수치가 약 2배나 높아 폐경 등 여성의 질병에 잘 걸린다.

또한 서구적 식이로 인해 장내 유익균과 효소가 부족하고 부패균 등 유해균과 그 유해균 등으로부터 나오는 독성물질이 많아 장, 간, 갑상선 등에 염증이 생기기 쉽고, 이 신체 조직들의 기능이 약화된다. 특히 간은 비타민 B군, 엽산 등 보조효소를 이용하여 에스트로겐, 환경 여성 호르몬 등을 해독하여 담즙을 통해 배출하는데, 장내 유익균이 부족하면 비타민 B군과 엽산[folic acid, 葉酸]의 생성이 억제되어 폐경 증상이 나타난다.

간 기능이 장내 유해균의 증식으로 인해 약화되면 폐경 뿐만 아니라 갑상선기능저하증을 일으킬 수 있다. 갑성선 호르몬인 T4[비활성형]는 활성형인 T3 전환이 잘 되어야 갑상선 기능이 정상화된다. 간은 효소의 작용으로 비활성형인 T4를 활성형인 T3로 전환시키는데 핵심적인 역할을 한다.

오줌을 마시면 오줌이 장내에서 발효되어 락토비실루스(Lato bacillus), 비피도 박테리아(Bifido bacteria) 등 유익균과 유익한 효소가 만들어지며, 이 유익균에서 비타민 B군, 엽산 등이 만들어진다. 그리고 유익균이 증가하면 장내 세균총의 균형상 유해균과 그 독성물질 등이 감소한다. 따라서 물·요료법을 실천하면 폐경 등 여성 질병뿐만 아니라 간이나 위, 장, 갑상선 등 질병 치료에 효과적이다.

* 금주, 금연, 카페인을 억제할 것. 음주와 흡연은 폐경 증상을 일으킬 수 있다. 커피 등에 들어있는 카페인은 에스트로겐 대사를

억제함으로 폐경 증상을 악화시킨다.

▶ 호르몬 대체요법의 위험성

에스트로겐 단독 대체요법은 홍조, 골다공증 등 해소에 도움을 주고 있으나 자궁내막암, 유방암 등의 발병률을 높이는 부작용을 일으킨다. 단독 에스트로겐 호르몬요법의 단점을 개선하기 위하여 에스크로겐, 프로게스테론 복합 호르몬요법이 시행되고 있으나 역시 여러 부작용이 일어나고 있다.

에스트로겐과 프로게스테론을 병용하면 골량을 증가시키므로 골다공증을 예방하고, 자궁내막암 발병률을 확실히 줄이지만 유방암이나 난소암의 발병률을 높인다. 또한 담석과 혈전을 일으킬 수 있으므로 간과 담질환, 심장병 등 심혈관 질병의 위험성을 높인다. 또한 오심, 구토, 유방 압통, 월경전증후군, 우울증, 두통, 자궁근종, 혈당장애 등을 일으킬 수 있다. 따라서 폐경은 식이요법, 운동을 통해서 해소하는 것이 바람직하다.

▶ 십자화과 채소, 버섯, 양파, 마늘, 석류, 장과류

이 식품들은 다른 식품들과 비교하여 유방암, 난소암, 대장암, 폐암, 위암, 전립선암 등과 여러 여성 질병 치료에 매우 효과가 좋다는 것이 여러 연구 결과 밝혀졌다.

십자화는 이 채소들의 꽃이 열십자 모양이므로 붙여진 이름이다. 무, 배추, 양배추, 브로콜리, 콜라비 케일 등이 십자화과 채소이다.

십자화과 채소에는 항산화 물질인 유황 화합물질이 들어 있다. 이 유황 화합물이 암의 원인인 활성산소를 억제한다. 이 채소를 잘 씹어서 먹거나 갈면 이 채소의 세포벽이 파괴되면서 유황 화합물이 ITC[이소티오시아 네이트]로 바뀐다.

ITC는 강력한 면역력 증강 효과와 항암 효과를 지닌 것으로 여러 연구 결과 밝혀졌다. ITC가 유황 화합물보다 훨씬 항암 작용을 잘 한다. 다음은 집단 연구 결과이다.

－일반 채소 섭취를 20% 증가하면 암 발병률이 20% 감소하지만 십자화과 채소 섭취를 20% 증가하면 암 발병률이 40% 감소한다.

－일반 채소를 주 28회 섭취하면 유방암과 전립선암 위험이 33% 감소하지만 십자화과 채소를 주 3회 섭취하면 유방암과 전립선암의 위험률이 41% 감소한다.

－십자화과 채소를 매일 규칙적으로 먹으면 폐렴 등 여러 질병의 원인인 폐렴구균, 위암의 원인인 헬리코박터균 등 바이러스나 세균의 감염을 억제한다.

가열해서 데치면 항암 성분이 파괴되므로 배추의 경우 김치, 쌈, 무의 경우 깍두기, 김치, 채로 만들어 먹는다. 양배추나 브로콜리 등은 살짝 데쳐서 조리한다.

이 음식들을 잘 씹어서 먹어야 이 채소들의 세포벽이 파괴되므로 유황 화합물이 강력한 항암 물질인 ITC로 전환된다. 특히 김치, 깍두기 등을 만들 때 고춧가루, 소금을 되도록 적게 넣고 발효식초를 넣는다. 그리고 항암 식품인 마늘과 양파를 넣어서 만든다.

－버섯은 십자화과 채소 다음으로 강력한 항암 식품이다. 여러

연구 결과 버섯은 NK세포의 기능을 활성화 시켜 항암 작용을 한다. NK세포는 바이러스나 암세포를 찾아내서 공격하고 제거한다.

－버섯은 방향화 효소 억제제로써 작용을 하여 유방암의 원인인 에스트로겐 수치를 낮춘다. 방향화 효소는 에스트로겐 생성을 촉진한다. 에스트로겐 수치가 높으면 유방 조직이 자극을 받아 유방암이 생긴다. 여러 버섯들이 이 방향화 효소를 억제함으로써 유방암의 발병을 억제한다.

－버섯, 십자화과 채소 등 녹색 채소들은 암의 성장을 촉진하는 신생혈관 생성을 억제한다. 암의 성장은 아주 작은 종양으로부터 시작된다. 이 작은 종양이 커지면 이 종양은 자체적으로 영양분을 공급받기 위해 기존의 혈관에서 새로운 혈관을 만들어 낸다. 이 혈관이 신생혈관이며, 버섯, 십자화과 채소 등이 이 신생혈관의 생성을 억제함으로써 암의 성장을 억제하고 사멸시킨다. 암뿐만 아니라 비만, 눈의 질병인 황반변성도 이 신생혈관 생성으로부터 발병된다. 따라서 이와 같은 식품을 먹으면 비만과 황반변성이 예방되고 치료될 수 있다. 그러나 백미, 흰밀가루, 설탕 등 단음식 고지방식이는 신생혈관을 만든다.

－십자화과 채소와 버섯을 함께 먹으면 암의 예방과 치료 효과가 2배 이상 증가한다는 것이 연구 결과 밝혀졌다. 매일 10g[작은 버섯 1개 정도]의 버섯과 이 채소 또는 녹차 추출물을 먹은 여성의 유방암 발병률의 감소가 82%에 달했다. 전립선암, 폐암, 위암, 대장암 등의 발병률도 크게 감소했다.

－저렴한 새송이버섯, 흰양송이버섯, 영지버섯, 표고버섯 등 대

부분의 버섯에 항암 성분이 들어 있으며, 버섯을 끓여서 먹어야 하며 끓여도 항암 성분은 변하지 않는다.

－석류, 양파, 마늘 등도 유방암 등 암 발병률을 크게 감소시킨다.

나는 여러 식품들을 사용하여 국을 만들어 매일 잡곡밥과 함께 먹는다. 무우, 버섯, 당근, 미역, 생강, 두부 등을 된장과 함께 이용하여 된장국을 만든다. 이와 같은 방법으로 국을 만들어 먹으면 암 등 여러 질병을 예방하고 건강을 증진시킨다. 물론 깍두기, 채지[무우채, 마늘, 양파 등으로 만든 김치]등을 먹는다. 특히 양파를 충분히 먹으면 배변이 촉진된다.

◈ 동안(童顔)을 만드는 방법

사람들은 누구나 젊어지고 예뻐지고 싶어 한다. 비누, 화장품, 보톡스를 사용하지 않고 물론 성형수술을 하지 않고도 주름이나 기미가 없으며 탄력 있는 피부를 가질 수 있다.

피를 맑게 하는 식생활, 운동, 물 · 요료법, 얼굴 마사지를 통해 이 목적을 달성할 수 있다. 요즘 동안(童顔) 열풍이 불고 있다. 얼굴을 젊어지게 하기 위해서 무엇보다 위장 등 내장이 건강해야 한다.

위, 장, 간, 신장 등이 안 좋으면 얼굴의 혈색이 거무튀튀하고 늙게 보인다. 그리고 뾰루지, 여드름, 기미, 주름들이 잘 생긴다.

▶식이와 물·요료법

위와 장 등 내장이 건강하게 하기 위해서는 장에 유익균과 효소가 많고 부패균 등 유해균이 적어야 한다. 유익균과 유해균의 비율이 약 85:15이면 음식물의 소화 흡수가 잘 되고 변 등 노폐물과 독성물질의 배출이 촉진되어 위와 장 등 내장이 건강해진다.

일반적으로 섬유질, 비타민, 미네랄 등이 풍부한 잡곡밥, 채소, 해조류, 과일 등을 섭취하면 바실루스 등 유익균이 증식되고 이와 반대로 부패균 등 유해균이 감소한다. 또한 오줌을 마시면 장 속에서 발효되어 유익균이 증식되고 유해균이 감소한다.

효소는 인체에 매우 중요한 역할을 한다. 음식물의 소화, 흡수, 배설 등이 효소의 작용에 의해서 이루어진다. 인체는 약 60조의 세포로 이루어졌으며, 이 세포들은 매일 매일 세포 분열에 의해서 증식되고 사멸한다. 이 세포들에 의해서 효소가 만들어지고, 효소의 작용에 의해 세포들이 만들어진다. 또한 효소는 장내의 유익균에 의해서도 만들어진다. 따라서 장내에 효소가 많고 잘 유지되면 위, 장 등 내장이 건강해지므로 얼굴이 고와진다.

이처럼 곡채 식이를 실천하고 오줌을 하루에 4컵 정도 약 3~4주 동안 마시면 입술에 루즈를 바르고 볼에 연지를 바른 듯이 화색이 돈다. 물론 오줌에는 유로키나제, 칼리크레인 프로스타글란딘이 들어 있어 혈류가 촉진되고 혈관이 확장됨으로 동안이 되는 것이다.

오줌이 짜면 물이나 보리차 등을 첨가해서 들며, 오줌이 만들어지기 위해서 물도 식후에 약 2컵을 마신다. 오줌을 공복에 마시

468

며, 물을 식사 후에 한 컵씩 마신다.

▶ 침[타액]으로 얼굴 마사지 할 것

나는 매일 아침 세수할 때 침으로 마사지를 함으로써 피부를 건강하게 하고 있다. 곧 70세가 다 되어가지만 얼굴에 주름하나 없고 젊은이처럼 피부가 팽팽하다.

먼저 온수를 얼굴에 끼얹은 다음에 면도를 한다. 그런 다음 끓인 물을 타올에 적신 후 이 젖은 타올로 팩을 한다. 그 다음에 얼굴에 침을 충분히 바른 뒤 양 손바닥과 손가락으로 얼굴 전체를 문지르고 마사지한다.

관자놀이, 귀의 앞과 뒤, 턱밑 등을 양손에 힘을 주면서 눈을 감고 문질러 준다. 이렇게 하면 얼굴의 혈류가 촉진됨으로 피부의 탄력성이 좋아지고 주름과 기미 등이 잘 안 생긴다. 또한 때가 잘 제거되고 뇌의 기능, 시력, 청력 등이 좋아진다.

침에는 아밀라제 등 효소가 풍부하게 들어 있어 음식물의 소화, 흡수를 촉진할 뿐만 아니라 피부를 건강하게 하는 호르몬이다. 대부분 동물들은 자신들의 타액으로 털과 피부를 가꾸고 상처를 치유한다. 침으로 마사지한 후 물로 씻지 않는다.

▶ 운동을 규칙적으로 할 것

걷기, 자전거 타기, 수영 등 유산소 운동, 근력운동, 체조 등을 규칙적으로 하면 전신의 혈액순환과 대사작용이 촉진됨으로 건강해지고 얼굴도 고와진다. 이렇게 운동을 적당한 강도로 하면 근육,

뼈, 관절이 건강해지므로 관절에 염증, 통증 등이 잘 안 생긴다.

▶ 명상을 할 것

스트레스, 근심, 걱정 등은 체내에서 활성산소[유해산소]를 일으켜 효소 생성을 억제한다. 만성 스트레스로 인해 효소가 부족하면 음식물의 소화, 흡수, 배설이 억제되고 염증이 잘 생기므로 위와 장 등 내장 조직뿐만 아니라 얼굴의 노화가 촉진된다. 물론 암등 여러 질병에 잘 걸린다. 그러나 명상과 운동을 하면 스트레스가 잘 해소됨으로 건강하고 노화가 억제된다. 천천히 걸으면서 코로 숨을 천천히, 길게, 깊이 들이쉬고 입과 코로 내쉰다. 이때에 생각을 오직 숨소리나 몸의 동작에 집중하면 분노, 근심, 걱정, 고통 등이 일어나지 않고 마음이 맑아진다. 이처럼 명상의 효과가 나타나면 자율신경 가운데 부교감신경이 활성화 되고 교감신경이 억제됨으로 위와 장 등 내장 조직의 혈액순환과 대사작용이 촉진된다. 따라서 건강해지고 얼굴도 고와진다. 활성산소는 항산화 물질이 풍부한 채소, 해조류, 과일 등을 먹어도 생성이 억제된다.

▶ 잠을 충분히 잘 것

잠을 잘 못자면 면역력이 약해지므로 심장병, 감기 등에 잘 걸리고 혈색도 안 좋다. 운동, 독서, 작문 등을 하고 잠자리에 들면서 누워서 명상을 실천하면 잠이 잘 온다[불면증 참조] 또한 흡연, 과음, 과식은 체내에서 활성산소[유해산소]를 다량 생성하게 하여 노화와 질병을 일으킨다.

470

▸ 변비증을 예방하고 치료할 것

배변이 잘 안 되면 장내에 가스와 독성물질이 축적되어 위와 장 등 내장 조직에 염증이 잘 생기고 피부 노화도 촉진된다. 특히 육류와 생선의 단백질이 변비증을 잘 일으킨다. 그러나 섬유질, 비타민, 미네랄이 풍부한 잡곡, 채소, 해조류 등은 변비증을 억제한다.[변비증 참조]

▸ 외출시 강한 태양열을 피할 것

햇빛은 피부의 노화를 촉진함으로 태양열이 강할 때에는 선글라스나 모자를 쓴다. 그리고 침으로 얼굴 마사지를 한 번 더 해준다. 침으로 마사지할 때 잠시 냄새가 조금 나지만 금방 사라진다.

햇빛을 조금씩 자주 쬐면 건강한 피부를 유지하고 비타민 D의 합성이 촉진되어 칼슘의 흡수가 활성화 되므로 골다공증의 예방과 치료 효과를 높인다. 선크림, 화장품은 피부 노화를 촉진하는 것으로 연구 결과 밝혀졌다. 먹어서도 좋고 피부에도 좋은 침만큼 좋은 크림은 없다.

참고로 한 번에 햇빛을 장시간 쬐면 피부가 손상되고 피부암에 걸릴 수 있으므로 조심해야 한다. 〈end〉

독일에서 받은 자연치유사 자격증

DER LANDRAT
DES LANDKREISES GIESSEN
Allgemeine Landesverwaltung

Herrn
Ki-Woon Park
Birkenstrasse 1

35428 Langgöns

Abteilung:	L 4.2 Gewerbeamt
Sachbearbeiter:	Herr Scheffler
Telefon:	9390 - 779
Fax:	9390 - 721

Ihr Schreiben vom	Ihr Aktenzeichen	Mein Aktenzeichen	35352 Gießen, den 25.11.1999
		L 4.2 130 - 19	

Erlaubnisurkunde

Herrn Ki-Woon Park, geboren am 16.01.46 in Chunnam, wohnhaft in 35428 Langgöns,
Birkenstrasse 1,

wird die

Erlaubnis

zur berufsmäßigen Ausübung der Heilkunde ohne Bestallung (Heilpraktiker) aufgrund der §§ 1
und 2 des Heilpraktikergesetzes vom 17.02.1939 (RGBl. I, S. 251, BGBl. III 2122 - 2, geändert
durch Art. 53 EGStGB vom 02.03.1974, BGBl. I, S. 469, i.V.m. der Ersten Durchführungsver-
ordnung zum Heilpraktikergesetz vom 18.02. 1939, RGBl. I, S. 259), erteilt. Die in dieser
Genehmigung aufgeführten Daten, wie Name, Adresse usw., wurden gespeichert. Dieser Hinweis
erfolgt aufgrund § 18 Abs. 2 des Hessischen .Datenschutzgesetzes.

Erlaubnis Serienbrief

Der Landrat des Landkreises Giessen Allg. Landesverwaltung Ostanlage 33 - 45 35390 Giessen	Sprechtage: Montag bis Freitag, jeweils vormittags oder nach telefonischer Vereinbarung Geltende Arbeitszeit Bitte Anrufe möglichst von 8.30 - 12.00 Uhr und 14.00 bis 15.30 Uhr (freitags bis 12.00 Uhr)	Telefon: 06 41/93 90-0 Telefax: 06 41-3 34 48	Konten der Kreiskasse Giessen: Sparkasse Giessen, Kto. 200 503 367 (BLZ 513 500 25) Sparkasse Grünberg, Kto. 7 484 (BLZ 513 515 26) Sparkasse Laubach, Kto. 18 804 (BLZ 513 522 27) Postgirokonto: Frankfurt a. Main, Kto. 328 78-601 (BLZ 500 100 60)
Postanschrift: Postfach 11 07 60 35352 Giessen	Öffnungszeiten der Kreiskasse: Montag - Freitag 8.00 bis 12.15 Uhr Donnerstagnachmittag 14.00 bis 17.00 Uhr		Volksbank Giessen, Kto. 1068.01, (BLZ 513 900 00) Konten der Staatskasse Giessen: Landeszentralbank Giessen, Kto. 51 901 501, (BLZ 513 000 00) Sie erreichen uns mit den Bussen der Stadtwerke und des RMV. Nutzen Sie die Vorteile des öffentlichen Personennahverkehrs (ÖPNV).

DER LANDRAT
DES LANDKREISES GIESSEN

Allgemeine Landesverwaltung

Rechtsmittelbelehrung:

Gegen diese Erlaubnis können Sie innerhalb eines Monats nach Bekanntgabe schriftlich oder zur Niederschrift bei dem LANDRAT DES LANDKREISES GIESSEN, Ostanlage 33 - 45 in 35390 Gießen, Widerspruch erheben.

Im Auftrag

Preuss

Der Landrat des
Landkreises Giessen
Allg. Landesverwaltung
Ostanlage 33 - 45
35390 Giessen

Postanschrift:
Postfach 11 07 60
35352 Giessen

Sprechtage:
Montag bis Freitag, jeweils vormittags
oder nach telefonischer Vereinbarung
Gleitende Arbeitszeit
Bitte Anrufe möglichst von 8.30 - 12.00 Uhr
und 14.00 bis 15.30 Uhr (freitags bis 12.00 Uhr)
Öffnungszeiten der Kreiskasse:
Montag - Freitag   8.00 bis 12.15 Uhr
Donnerstagnachmittag 14.00 bis 17.00 Uhr

Telefon:
06 41/93 90-0
Telefax:
06 41-3 34 48

Konten der Kreiskasse Giessen:
Sparkasse Giessen, Kto. 200 503 367 (BLZ 513 500 25)
Sparkasse Grünberg, Kto. 7 484 (BLZ 513 515 26)
Sparkasse Laubach, Kto. 18 604 (BLZ 513 522 27)
Postgirokonto: Frankfurt a. Main, Kto. 328 78-601 (BLZ 500 100 60)
Volksbank Giessen, Kto. 1068.01, (BLZ 513 900 00)
Konten der Staatskasse Giessen:
Landeszentralbank Giessen, Kto. 51 301 501, (BLZ 513 000 00)
Sie erreichen uns mit den Bussen der Stadtwerke und des RMV.
Nutzen Sie die Vorteile des öffentlichen Personennahverkehrs (ÖPNV).

473

참고문헌

THE WAY OF THE DREAMS by DR, MARIE LOUISE von
FRANZ

The Interpretation of Dreams by Sigmund Freud

해몽요결(解夢要訣) 한국 고서

주례춘관(周禮春官) 중국 고서

THE WATER OF LIFE by JW. Amstrong

MANAV MOOTRA[Auto – Urine Theraphy) by Raojibhai patel

THE PYRAMID TEXYStr by Samuel, A, B, Mercer

EIGEN HARN BEHANDLUNG[Urine Theraphy] by dr, Karl
Herz

AUTO – URINE CURE by R. V. Karlekar, R. V. Raghuvan
shi.

THE HYMNS OF THE RIG VEDA by Ralph T. H. Griffith

your Body's many Cries For Water by Batmanghlidj. M.D

Super Immunity by Joel Fuhrman. M.D

저자와의 대화신청서

  본 책을 읽으신 후 궁금한 사항이나 저자와 대화를 나누고 싶은 분은 본 신청서를 작성하신 후 아래 주소로 보내주시면 대화를 나누실 수 있습니다.

보내실 곳 : 서울시 동대문구 난계로 28길 69-4
         서음미디어 우편번호 02586

································· **절 취 선** ·································

신청인 주소	
성 명	
연락처 전화	(남) (여)
궁금한 사항	간략하게 작성해주세요

서음미디어 기획실 귀중

저자 약력

1972년 성균관대 법학과 졸

1983년 독일 프랑크푸르트 자연치유사 전문학교 졸

1988년 독일 프랑크푸르트 시립병원(의사)근무

1996년 세계 최초로 장내에서 오줌이 발효되어 유익균과 효소가 생성
      되고 유해균이 감소된 것을 발견

2016년 대한불교조계종 제21회 포교사 고시 합격

현재 국내에서 자연치유사, 포교사로 활동 중에 있음

판 권

발행 2016년 9월 30일
발행처 서음미디어
등록 No 7—0851호
서울시 동대문구 난계로 28길 69-4
Tel (02) 2253—5292
Fax (02) 2253—5295

저자 | 박 기 운
발행인 | 이 관 희
본문편집 | 은종기획
표지 일러스트 | CAOS printing & Design

ISBN 978-89-91896-04-8